■ LA LEY

La prueba en la era digital

Fernando Pinto Palacios
Purificación Pujol Capilla

Wolters Kluwer

Consulte en la web de Wolters Kluwer (http://digital.wke.es) posibles actualizaciones, gratuitas, de esta obra, posteriores a su publicación.

Wolters Kluwer
C/ Collado Mediano, 9
28231 Las Rozas (Madrid)
Tel: 902 250 500 – Fax: 902 250 502
e-mail: clientes@wolterskluwer.com
http://www.wolterskluwer.es

Primera edición: marzo 2017
Depósito legal: M-4170-2017
I.S.B.N.: 978-84-9020-585-3 (papel)
I.S.B.N.: 978-84-9020-586-0 (digital)

Diseño, Preimpresión e Impresión: Wolters Kluwer España, S.A.

Printed in Spain

LA PRUEBA EN LA ERA DIGITAL

Fernando Pinto Palacios

Purificación Pujol Capilla

TECNOLOGÍA Y JUSTICIA

No soy dado a la nostalgia y en más de una ocasión lo he advertido para general conocimiento y evitar confusiones, sobre todo en el suelo resbaladizo de lo político. Vivo conscientemente pero con pasión renovada el día de hoy, de espaldas al ayer que se fue y despreocupado del mañana que ignoro si llegaré a ver. *Carpe diem* aconsejó ya Horacio más de dos milenios atrás. Ahora bien, no estoy solo por fortuna y de cuando en vez quiebra mi sereno deslizamiento por el mundo la irrupción de algo o de alguien que, como un canto rodado en un remanso de aguas tranquilas, dibuja ondas concéntricas y en ellas la evocación de días lejanos. Así ha ocurrido ahora en el encuentro inesperado con Fernando, joven juez que muy bien pudiera ser la versión actualizada de mí mismo. Su presencia ha liberado una avalancha de imágenes retrospectivas.

Entre ellas, con el tono sepia de las fotos envejecidas por el tiempo, el palacete en el n.º 64 del Paseo de la Castellana donde tuvo su primera sede la Escuela Judicial, en una manzana triangular cuyo número 58, esquina con la calle del Pinar, sigue ocupando la Embajada de Portugal y en cuyo n.º 66, con un alto y moderno edificio, comienza la de María de Molina. Hoy, aquella señorial casa parece subsistir por el milagro de la voluntad con su estampa blanca, ajena al paso de los años que la arrollan, devenida fuera de ordenación. Como en una transparencia, fluctúa en la memoria la silueta del creador de la Escuela, adelantada en su género a otras europeas y director en aquellos años, don Manuel de la Plaza Navarro, a la sazón Fiscal del Tribunal Supremo y excelente procesalista. Más fantasmas se despiertan inquietos pero no hay manera de acogerlos. La primera promoción de Jueces y Fiscales habían salido de sus aulas al empezar el verano de 1951. La mía fue la cuarta. Cincuenta y seis habrían de pasar hasta la que encuadró a Fernando. Agua tumultuosa bajo los puentes, pero por fortuna con idéntica transparencia y el mismo rumor.

Fernando Pinto Palacios, alumno brillante de la Universidad Complutense, en cuya Facultad de Derecho cursó la licenciatura, consiguiendo la reválida con sobresaliente, hace tan solo nueve años que superó las pruebas selectivas de la oposición, turno libre, para ingreso en la Carrera Judicial con el número 2. Además de su vocación profesional, que nos hermana, he observado coincidencias muy notables entre nosotros. Tales afinidades personales tienden un puente para la comprensión que salva la distancia generacional. En definitiva, me ha sorprendido gratamente saber que obtuvo la muceta de Doctor por la Universidad Nacional de Educación a Distancia, cuyo Decreto instaurándola elevé yo al Consejo de Ministros en el verano de 1972 siendo Subsecretario de Educación, con una tesis titulada *Nacidos para salvar: un estudio ético-jurídico del «bebé medicamento»* (sobresaliente «cum laude»), en el ámbito de tangencia entre la Biología y el Derecho, que exploré con apasionamiento al socaire del genoma humano. Más adelante, Profesor Asociado de Derecho Penal en la Facultad de Derecho de las Islas Baleares, colaborador externo también del «*Practicum*», Tutor de Trabajos de Fin de Grado y Profesor Asociado de Derecho Procesal Penal en la Facultad de Ciencias Jurídicas y Económicas y en la Facultad de Criminología de la Universidad Internacional Isabel I de Castilla. Algo más nos vincula, la tentación periodística: el magistrado y dómine mantiene en el *Diario de Menorca* una columna de opinión, «¿Tiene caldereta sin langosta?». Omito otras muchas actividades –artículos, colaboraciones en obras colectivas, cursos y conferencias– porque el exceso de datos enturbiaría los rasgos característicos del retratado. Baste por ahora con lo dicho. Ahora bien, un libro anterior de Fernando, *Manual de actuaciones en Sala. Técnicas practicas del proceso penal* (La Ley, Madrid, 2014) me permite introducir a la colaboradora en él y en el actual, Purificación Pujol Capilla, como promotora editorial.

Pues bien, entre el «siglo de las luces» y el día de hoy, entre la enciclopedia y la Red se ha ido gestando a una velocidad uniformemente acelerada el progreso científico y su aplicación a la vida diaria, lo que solemos llamar Tecnología con evidente distorsión semántica, dando ocasión a una distonía, ya denunciada por Gunnar Myrdal con el desarrollo espiritual del hombre, más lento, formado por hábitos y prejuicios. La máquina de vapor, la energía eléctrica y la nuclear, el petróleo o los gases van en paralelo con el ferrocarril, el automóvil, las motonaves, la aeronáutica y los viajes espaciales o los «drones» polivalentes. La imagen fue captada por el daguerrotipo, la fotografía con placa y luego el rollo de celuloide, el cinematógrafo y la Televisión, mientras el sonido se apresó en el cilindro de cera, el disco baquelita o de vinilo, la grabación magnética y la digital; la investigación biológica nos hizo conocer nuestro mensaje genético, la parte del yo que heredamos, el genotipo, en tanto que la psicología profunda permitió al hombre cumplir el viejo consejo de la filosofía –conocerse a sí mismo– y la sociología le ha enseñado hasta donde influye en él la educación o socialización, el genotipo. Nombres y gentes como Darwin, Freud o Madame Curie –entre un cortejo impresionante– han llevado el conocimiento desde el átomo con Max Plank a las estrellas con Albert Einstein.

En el largo camino del hombre hacia la libertad, el ámbito de ésta ha ido ensanchándose gracias a dos instrumentos complementarios: uno y principal, ese avance de la ciencia y la tecnología; y otro, el Derecho. Aquéllas rompen el frente del oscurantismo y la opresión como los carros de combate, las *panzerdivisionen*, para que detrás vayan ocupando el terreno los juristas, como la infantería. Desde una perspectiva distinta cada invención lanza un «reto» al que la sociedad en general y el sistema judicial en particular han de dar «respuesta», trabándose de tal modo una relación dialéctica entre ciencia y Derecho, constante preocupación mía exteriorizada en un ensayo publicado bajo el expresivo título «La ciencia y la Tecnología arietes de la libertad y garantías de la justicia», donde analizo, desde la perspectiva del «proceso público con todas las garantías» exigida por el art. 24 de la Constitución, la polivalente utilidad de las grabaciones magnetoscopicas –el ojo indiscreto–, la «huella genética» con la irrupción del ADN, o los «perfiles» psicológicos utilizados por el FBI y en general los medios de prueba científicos. En tan amplio panorama quedaba un vacío, el universo informático, donde me muevo en la penumbra. Para mi alegría la luz se ha hecho aquí también por obra de alguien –el autor de este libro– que domina tal instrumento y lo consigue porque le fascina, transmitiendo su fascinación a quien leyere. Yo mismo, por ejemplo.

Este libro, a cuya presentación me he comprometido, lector amigo, *La prueba en la era digital*, aparece compartimentado en cinco grandes capítulos, panorámico el primero con el mismo título general, y los demás dedicados a «la pericial informática», «en el proceso civil», «en el proceso penal» y «en el proceso laboral», cada uno de los cuales comprende una exposición teórica común con el complemento de la legislación reguladora y de la jurisprudencia pertinente. Conviene advertir que a la *prueba electrónica* le es común el concepto de prueba, sirviendo como elemento diferencial el soporte a través de la doble operación de «archivo», conservación en sistema o lenguaje binario y «escritura» o la traslación del texto en pantalla en lenguaje alfabético común descodificado que, a su vez, puede ser impreso en papel. El conjunto es claro y exhaustivo. De las dos vertientes de cada modalidad de este nuevo medio probatorio, tan distinto de los habituales y tan complejo, además de etéreo, inasible, con la consistencia del humo o de la niebla, se estudian por una parte sus manifestaciones y por la otra los arbotantes, o dicho sin esta metáfora arquitectónica, los apoyos que hacen a este medio de prueba creíble y convincente.

En fin el libro está redactado en un estilo sencillo, didáctico, exteriorización evidente de que quien lo escribe tiene ideas claras con el decidido propósito de que el lector las reciba y asimile con la misma claridad. Doy fe de que lo consigue. En sus primeras páginas, con ocasión de exponer la «revolución digital», el autor ducho en estas tecnologías de la información y la comunicación, va exponiendo sus modalidades, una serie que aporta un lenguaje diario no especializado sino coloquial, que utilizan los usuarios con absoluta normalidad, cuyas denominaciones proceden todas del idioma inglés, raras veces trasladadas literalmente al español pero con una muy distinta acepción, convirtiéndolas en «falsos amigos». Es un fenómeno compartido con otras lenguas, la francesa entre las más significativas, y nada nuevo en la evolución histórica del castellano que no solo recibió la carga léxica del latín, sino que incorporaría luego las aportaciones del árabe, muchas de las cuales perduraron durante siglos, como «alcabala» o llegaron hasta anteayer en la Justicia, como «algua-cil» incluso permanecen hoy en la Administracion como «Alcalde» e incluso «Alcaide», vocablo emigrado a Estados Uni-dos con residencia permanente en sus «penitenciarías».

La brillante jurisprudencia de Tribunal Supremo sobre pro-piedad industrial –signos distintivos– entre 1974 y 1989, había con-siderado que las denominaciones construidas con palabras de idiomas extranjeros adolecían, en principio, de un «carácter arti-ficioso» y, en definitiva, «caprichoso» o de «fantasía» como con-secuencia de su carencia inmediata de sentido para el ciudadano español. Ahora bien, la avalancha comercial algo más adelante hizo vano el intento de excluir la posibilidad de manejar el factor semántico cuando las palabras escogidas para marcas resulta-ran suficientemente conocidas por la gente común. Al margen de la difusión cada vez mayor de la lengua inglesa, *lingua franca* universal en numerosos sectores de la actividad humana, como el tráfico aeronáutico y la informática, es público y notorio, a con-secuencia del consumo generalizado de ciertos productos, que la gente conoce el significado de las correspondientes denomina-ciones foráneas. Lo dijo así el Tribunal Supremo (Sala 3.ª) en sus Sentencias del 2, 20 y 30 de diciembre de 1974, así como en otra de 28 de abril de 1975.

En fin, la ancianidad, estación «termini» a veces disfrazada de «tercera edad» (y ¿por qué no «cuarta» o «enésima»?), suele mos-trarse catastrofista y nostálgica, sin percatarse quien así habla con pesimismo que él o ella es una prueba viviente de lo contrario, la pujanza de la vida que siempre camina hacia adelante. El mundo no se acaba con nosotros porque desaparezcamos, y progresa. Nin-gún tiempo pasado fue mejor. Tal es el vano espejismo con el que comienzan las maravillosas «coplas» de Jorge Manrique a la muerte de su padre, joya de la poesía en lengua castellana. El empuje vibrante de las sucesivas generaciones, la ilusión siempre revolu-cionaria de la juventud de cada tiempo, oleada tras oleada, su ambi-ción de futuro y su nobleza de aspiraciones, pertrechados con un más profundo conocimiento de la naturaleza y del hombre pero con idén-tica sed de justicia y de belleza que sus antecesores y sus ancestros, permiten que todos, como un coro universal, cantemos con Beethoven el himno de la alegría, la alegría de vivir aquí y más allá. Gracias a Fernando y a otros a su imagen y semejanza, el futuro es nuestro.

Rafael DE MENDIZÁBAL ALLENDE

Académico Numerario de la Real Academia de Jurisprudencia y Legislación.
Magistrado Emérito del Tribunal Constitucional y Presidente de Sala del Supremo.
Juez «ad hoc» del Tribunal Europeo de Derechos Humanos.
Consejero del Tribunal de Cuentas.

En la madrileña Puerta de Hierro cuando florecen los almendros, 2017

ÍNDICE SISTEMÁTICO

Capítulo I.

La prueba en la era digital

1. LA REVOLUCIÓN DIGITAL: UN NUEVO DESAFÍO PARA EL DERECHO

Los avances tecnológicos y, en especial, las Tecnologías de la Información y Comunicación (TIC) están modificando con una rapidez inusitada los comportamientos sociales y la forma de relacionarnos con el entorno. La generalización de Internet ha provocado cambios significativos en todos los ámbitos de nuestra vida. El acceso inmediato y constante en cualquier parte del mundo a un volumen ingente de información ha cambiado nuestra manera de adquirir conocimientos [1]. Gracias al correo electrónico, la comunicación se ha vuelto prácticamente instantánea, salvando las distancias geográficas que tradicionalmente tenían que recorrer las cartas hace no mucho tiempo [2]. Por otro lado, las empresas han trasladado su centro de negocio al mundo virtual a fin de dotar de presencia universal a su proyecto empresarial gracias a la posibilidad de dirigirse a un número indeterminado de posibles consumidores. No sin razón se ha

▪

[1] Sobre los cambios que han provocado las TIC en el ámbito universitario, vid. SALINAS, J., «Innovación docente y uso de las TIC en la enseñanza universitaria», *Revista Universidad y Sociedad del Conocimiento*, vol. 1, núm. 1, noviembre 2004, pp. 1-16.

[2] Para ilustrar el cambio que las tecnologías de comunicación han causado en nuestras vidas, baste señalar que en los últimos tres años Correos ha enviado casi 500 millones de cartas menos.

llegado a decir que las empresas que no tengan presencia en Internet perderán competitividad[3].

La irrupción de las redes sociales y los sistemas de mensajería instantánea ha incrementado la presencia de la tecnología de la comunicación en nuestras vidas. Basta señalar que WhatsApp ha superado ya la barrera de los 1.000 millones de usuarios y que, a diario, se remiten en todo el mundo más de 42.000 millones de mensajes y 250 millones de videos[4]. Estos medios de comunicación, incluso, han desplazado a los tradicionales en sectores donde estaban más asentados. Actualmente, muchas comunicaciones, incluso de importantes negocios, se realizan a través de servicios de mensajería instantánea en detrimento del teléfono móvil, fax o, incluso, del correo electrónico. Por otro lado, las redes sociales han configurado un auténtico mundo virtual en el que confluyen miles de personas que comparten unos mismos intereses, ideas, proyectos, así como también insultos, odios y reproches. En pocos años, han proliferado una infinidad de redes sociales dedicadas a distintos sectores que abarcan desde el intercambio general de información personal (Facebook), como las ofertas de trabajo (LinkedIn) o la búsqueda de pareja y/o aventuras de carácter sexual (Badoo, Meetic, Edarling). Estas redes sociales, cada vez más utilizadas, han supuesto una cesión (posiblemente irreparable) de sectores que, tradicionalmente, quedaban reservados a la más estricta intimidad. Los datos que publicamos en dichas redes sociales, ya sea información personal, laboral, de gustos o de opiniones ha provocado, en cierta medida, una suerte de control virtual por las empresas que gestionan estas

---

[3]   *Vid.* Sancho, J., «Niels-Christian: "Las empresas que no estén en la nube perderán competitividad"», *La Vanguardia*, 22 de noviembre de 2010, disponible en: http://www.lavanguardia.com/internet/20101122/54072919527/niels-christian-las-empresas-que-no-esten-en-la-nube-perderan-competitividad.html [Consultado 6-9-2016].

[4]   *Vid.* «WhatsApp y sus impresionantes cifras: 1000 millones de usuarios, 42.000 millones de usuarios, 250 millones de vídeos», *Europa Press*, 2 de febrero de 2016, disponible en: http://www.europapress.es/portaltic/socialmedia/noticia-whatsapp-impresionantes-cifras-1000-millones-usuarios-42000-millones-mensajes-250-millones-videos-20160202122157.html [Consultado 6-9-2016].

redes sociales, cuya utilización no está regulada con el rigor necesario, a pesar de la normativa de protección de datos personales.

Por otro lado, la monitorización constante de nuestra actividad en la red a través de las llamadas *cookies* ofrece una información muy valiosa a la hora de determinar los hábitos de consumo de una persona [5]. Esta información tiene un considerable valor comercial, pues permite a las empresas dirigir una publicidad específica a un determinado consumidor en función de las búsquedas efectuadas con su navegador. Por esta razón, han surgido empresas que se dedican a analizar los *big data* [6] procedentes de los historiales de navegación de millones de usuarios con la finalidad de desarrollar estrategias comerciales más efectivas dado su alto grado de especialización.

La irrupción de las nuevas tecnologías también plantea nuevos retos para el Derecho Penal. En efecto, la ciberdelincuencia se ha convertido en un problema de primer orden. Se estima que en el año 2014 se cometieron en España más de 70.000 delitos a través de Internet, lo que se traduce en pérdidas para las empresas españolas de más de 14.000 millones de euros y ello solo como consecuencia de los ciberataques. La empresa *Intel Security* elaboró un estudio sobre estas nuevas formas de delincuencia y llegó a la siguiente asombrosa conclusión: dos de cada tres correos que se envían en el mundo son «spam» y su único propósito es extorsionar a los receptores para obtener dinero e información. En este mismo sentido, la empresa

---

[5]   *Vid.* Agencia Española de Protección de Datos, *Guía sobre el uso de cookies*, disponible en: https://www.agpd.es/portalwebAGPD/canal-documentacion/publicaciones/common/Guias/Guia_Cookies.pdf [Consultado 6-9.2016].

[6]   Sobre esta cuestión, MATÉ JIMÉNEZ, C., «*Big data*. Un nuevo paradigma de análisis de datos», *Revista Anales de Mecánica y Electricidad*, vol. XCL, Fascículo VI, noviembre-diciembre 2014.

McAfee Labs detectó más de 30 millones de Urls [7] sospechosas de enviar correos fraudulentos [8].

Las nuevas tecnologías de comunicación han abierto un nuevo abanico de posibilidades a los delincuentes. Algunas formas tradicionales de delincuencia —como, por ejemplo, la estafa— han encontrado nuevas figuras a través del *phishing* que permite extender una concreta defraudación a un colectivo ingente de posibles víctimas. De igual manera, las injurias, amenazas o delitos contra la intimidad han encontrado nuevas formas delictivas gracias a la utilización masiva de los programas de mensajería instantánea o los dispositivos de grabación de los teléfonos móviles [9]. Por otro lado, han surgido otras formas de delincuencia asociadas a Internet como,

[7]   La URL son las siglas en inglés de *Uniform Resource Locator* (en español, localizador uniforme de recursos), que sirve para nombrar recursos en Internet. Esta denominación tiene un formato estándar y su propósito es asignar una dirección única a cada uno de los recursos disponibles en Internet, como, por ejemplo, páginas, imágenes, vídeos, etc. Una URL se usa también para identificar direcciones de correo electrónico, localización de archivos a transferir, bases de datos y otros elementos a los que se accede mediante Internet. Algunos ejemplos se utilizan frecuentemente en Internet como, por ejemplo, http (esquema más utilizado al navegar por Internet); https (esquema utilizado para páginas seguras de Internet); o ftp (esquema usado para el protocolo de transferencia de archivos).

[8]   *Vid.* «España, a la cabeza del cibercrimen», *ABC*, 20 de febrero de 2015, disponible en: http://www.abc.es/tecnologia/redes/20150220/abci-ciberdelincuencia-cibercrimen-espana-barometro-201502201650.html [Consultado 6-9-2016].

[9]   El conocido caso «Hormigos» propició que la reforma del Código Penal de 2015 introdujera *ex novo* el delito de *sexting* en el artículo 197.7 CP según el cual: «*Será castigado con una pena de prisión de tres meses a un año o multa de seis a doce meses el que, sin autorización de la persona afectada, difunda, revele o ceda a terceros imágenes o grabaciones audiovisuales de aquélla que hubiera obtenido con su anuencia en un domicilio o en cualquier otro lugar fuera del alcance de la mirada de terceros, cuando la divulgación menoscabe gravemente la intimidad personal de esa persona*».

por ejemplo, los delitos de *child grooming* [10], la distribución de pornografía infantil [11], la difusión de contenidos con vulneración de derechos de propiedad intelectual [12] o el delito de captación o adoctrinamiento terrorista [13].

Finalmente, la revolución digital también ha alcanzado al mundo laboral. En efecto, la prestación laboral se desarrolla en muchas ocasiones en entornos digitales, ya sea a través del trata-

---

[10] El artículo 183 ter CP establece: «*1. El que a través de internet, del teléfono o de cualquier otra tecnología de la información y la comunicación contacte con un menor de dieciséis años y proponga concertar un encuentro con el mismo a fin de cometer cualquiera de los delitos descritos en los artículos 183 y 189, siempre que tal propuesta se acompañe de actos materiales encaminados al acercamiento, será castigado con la pena de uno a tres años de prisión o multa de doce a veinticuatro meses, sin perjuicio de las penas correspondientes a los delitos en su caso cometidos. Las penas se impondrán en su mitad superior cuando el acercamiento se obtenga mediante coacción, intimidación o engaño. 2. El que a través de internet, del teléfono o de cualquier otra tecnología de la información y la comunicación contacte con un menor de dieciséis años y realice actos dirigidos a embaucarle para que le facilite material pornográfico o le muestre imágenes pornográficas en las que se represente o aparezca un menor, será castigado con una pena de prisión de seis meses a dos años*».

[11] El artículo 189.1, letra b, CP castiga «*El que produjere, vendiere, distribuyere, exhibiere, ofreciere o facilitare la producción, venta, difusión o exhibición por cualquier medio de pornografía infantil o en cuya elaboración hayan sido utilizadas personas con discapacidad necesitadas de especial protección, o lo poseyere para estos fines, aunque el material tuviere su origen en el extranjero o fuere desconocido*».

[12] El artículo 270.2 CP dispone: «*La misma pena se impondrá a quien, en la prestación de servicios de la sociedad de la información, con ánimo de obtener un beneficio económico directo o indirecto, y en perjuicio de tercero, facilite de modo activo y no neutral y sin limitarse a un tratamiento meramente técnico, el acceso o la localización en internet de obras o prestaciones objeto de propiedad intelectual sin la autorización de los titulares de los correspondientes derechos o de sus cesionarios, en particular ofreciendo listados ordenados y clasificados de enlaces a las obras y contenidos referidos anteriormente, aunque dichos enlaces hubieran sido facilitados inicialmente por los destinatarios de sus servicios*».

[13] El artículo 575.2 CP establece: «*Con la misma pena se castigará a quien, con la misma finalidad de capacitarse para cometer alguno*

miento de la información digital (*software*, servidores informáticos, archivos digitales, etc.), ya sea a través de sistemas de comunicación electrónica (e-mails, WhatsApp, SMS, aplicaciones de mensajería instantáneas, redes sociales, etc.). Esta actividad digital genera evidencias que pueden ser utilizadas por el empresario para probar determinadas conductas infractoras en el ámbito laboral. Piénsese, por ejemplo, en los casos de competencia desleal, utilización de información confidencial, uso indebido o abusivo de los medios puestos a disposición del trabajador (ordenadores, teléfonos, tabletas, etc.).

En este nuevo panorama laboral, el empresario dispone de nuevos medios para vigilar y controlar el cumplimiento por el trabajador de sus obligaciones. Las nuevas tecnologías permiten un control remoto de la prestación laboral a través, por ejemplo, de programas espía que monitorizan las búsquedas en el navegador. De igual manera, los modernos sistemas de video-vigilancia permiten examinar de forma constante e interrumpida la actividad desarrollada en el centro de trabajo. Surgen, por tanto, numerosos interrogantes acerca de los límites de estas medidas de vigilancia del empresario dada su injerencia en el derecho a la intimidad y en el secreto de las comunicaciones del trabajador. Por tal motivo, cada vez con mayor frecuencia las empresas establecen códigos de conducta para la utilización de las herramientas informáticas, así como previsiones específicas en los convenios colectivos en los que se detallan las posibles sanciones disciplinarias que pueden imponerse en caso de utilización indebida de los medios y herramientas que la empresa proporciona al trabajador.

---

de los delitos tipificados en este Capítulo, lleve a cabo por sí mismo cualquiera de las actividades previstas en el apartado anterior. Se entenderá que comete este delito quien, con tal finalidad, acceda de manera habitual a uno o varios servicios de comunicación accesibles al público en línea o contenidos accesibles a través de internet o de un servicio de comunicaciones electrónicas cuyos contenidos estén dirigidos o resulten idóneos para incitar a la incorporación a una organización o grupo terrorista, o a colaborar con cualquiera de ellos o en sus fines. Los hechos se entenderán cometidos en España cuando se acceda a los contenidos desde el territorio español».

Todas estas novedades en las tecnologías de la información y comunicación constituyen una realidad insoslayable que no puede ser minusvalorada por el ordenamiento jurídico. En efecto, cada vez con mayor frecuencia los Abogados fundamentan sus pretensiones en conversaciones de WhatsApp, e-mails, fotografías digitalizadas, audiciones, archivos existentes en una «nube» o en un *pen drive* o documentos firmados electrónicamente. Surge, por tanto, la necesidad de regular la llamada «nueva frontera de la prueba» [14], lo que plantea, desde luego, numerosos interrogantes. ¿Qué es una prueba electrónica? ¿En qué formato se puede aportar al proceso? ¿Cuál es su valor probatorio? ¿Qué requisitos son necesarios para que se admita por los Tribunales? ¿Qué medidas se pueden adoptar para garantizar la integridad de la prueba electrónica? ¿Puede un Notario examinar una página web para acreditar su contenido? ¿Y una cuenta de correo electrónico? ¿Puede un Notario extender acta donde se reflejen los WhatsApp intercambiados entre dos personas? En caso de impugnación de la prueba electrónica, ¿puede acompañarse un dictamen pericial informático? ¿Qué titulación debe tener el perito? ¿Cuáles son los protocolos que deben seguirse en la conservación y análisis de evidencias digitales? ¿Cómo se valora por los Tribunales un dictamen pericial informático?

Estas son algunas de las preguntas que pretendemos responder a lo largo de este libro. Nuestro objetivo, por tanto, es analizar de forma estructurada el régimen jurídico de la prueba electrónica en el proceso civil, penal y laboral. Antes de abordar este estudio, examinaremos el concepto de prueba electrónica, sus ventajas e inconvenientes, las medidas para garantizar su perdurabilidad, así como las clases más frecuentes en la práctica forense, haciendo especial mención a las redes sociales. Partiendo de este marco, y antes de examinar la prueba electrónica en los distintos órdenes jurisdiccionales, abordaremos el estudio de la pericial informática, su régimen jurídico, características principales, así como una recopilación de las mejores prácticas profesionales para la extracción, análisis y custodia de evidencias digitales.

---

[14]   *Vid.* DE URBANO CASTRILLO, E., *La valoración de la prueba electrónica*, Tirant lo Blanch, Valencia, 2009, p. 48.

2. CONCEPTO Y CARACTERÍSTICAS

La prueba electrónica o en soporte electrónico —según SANCHÍS CRESPO [15]— se puede definir como aquella información contenida en un dispositivo electrónico a través del cual se adquiere el conocimiento de un hecho controvertido, bien mediante el convencimiento psicológico, o bien al fijar este hecho como cierto atendiendo a una norma legal.

Por su parte, el Magistrado DELGADO MARTÍN [16] la define como toda información de valor probatorio contenida en un medio electrónico o transmitida por dicho medio. Los elementos principales de dicha definición, cuando se utilicen en el proceso penal, serían los siguientes: 1) se refiere a cualquier clase de información; 2) ha de ser producida o transmitida por medios electrónicos; 3) puede tener efectos para acreditar hechos en la investigación de todo tipo de infracciones penales y no solamente de los llamados delitos informáticos. Por tal motivo, la fuente de prueba radica en la información contenida o transmitida por medios electrónicos, mientras que el medio de prueba [17] será la forma a través del cual esa información entra al proceso, normalmente, como prueba documental, pericial o, incluso, testifical.

15 *Vid.* SANCHÍS CRESPO, C., «La prueba en soporte electrónico», en VALERO TORRIJOS, J. (coord.), *Las tecnologías de la información y la comunicación en la administración de justicia: análisis sistemático de la Ley 18/2011, de 5 de julio*, Thomson Reuters Aranzadi, Navarra, 2012, p. 713.

16 *Vid.* DELGADO MARTÍN, J., «La prueba electrónica en el proceso penal», *Diario La Ley*, núm. 8167, Sección Doctrina, 10 de octubre de 2013, año XXXIV, p. 1.

17 MONTERO AROCA sistematiza las diferencias entre fuentes y medios de prueba. En primer lugar, la fuente es un concepto extrajurídico que se corresponde con una realidad anterior y extraña al proceso, mientras que el medio de prueba es un concepto jurídico propio del Derecho Procesal. En segundo lugar, la fuente existe con independencia de que llegue a iniciarse un proceso, mientras que el medio cobra sentido en relación con un proceso en el que va a surtir efectos. En tercer lugar, las partes antes de iniciar un proceso buscan las fuentes de prueba y, una vez obtenidas, efectúan una proposición de los

El elemento esencial de la prueba electrónica —continúa el citado Magistrado— radica en su naturaleza electrónica [18], es decir, que utiliza un «lenguaje binario a través de un sistema que transforma impulsos o estímulos eléctricos o fotosensibles y, por cuya descomposición y recomposición informática grabada en un formato electrónico, genera y almacena la información». Dicho lenguaje es *«un código ininteligible para aquéllos que no son informáticos. La visualización del texto en pantalla es una traducción en lenguaje alfabético común, descodificado»* [19]. En efecto, el archivo se conserva en sistema binario, mientras que el texto es fruto de la transformación de ese sistema binario en forma de escritura con letras de nuestro alfabeto.

A diferencia de los medios de prueba tradicionales, la prueba electrónica presenta las siguientes características [20]:

— **Intangibles.** Las evidencias electrónicas se encuentran en formato electrónico, pudiéndose copiar tantas veces como se desee, lo que plantea el problema de distinción con el original.

▪

medios para introducir aquéllas en el proceso. En cuarto lugar, las fuentes preexisten al proceso, mientras que en éste solo se practican los medios. Y, en quinto lugar, la fuente es lo sustantivo y lo material, mientras que el medio es la actividad. *Vid.* Montero Aroca, J., *La prueba en el proceso civil*, 5.ª edición, Civitas, Madrid, 2007, p. 150.

[18] Según el Anexo de la Ley 18/2011, de 5 de julio reguladora del uso de las tecnologías de la información y la comunicación en la Administración de Justicia el término «medio electrónico» se puede definir como *«mecanismo, instalación, equipo o sistema que permite producir, almacenar o transmitir documentos, datos e informaciones; incluyendo cualesquiera redes de comunicación abiertas o restringidas como Internet, telefonía fija y móvil u otras».*

[19] *Vid.* García Torres, M.ª L., «La tramitación electrónica de los procedimientos judiciales, según ley 18/2011, de 5 de julio reguladora del uso de las tecnologías de la información y la comunicación en la administración de justicia. Especial referencia al proceso civil», *Revista Internacional de estudios de Derecho Procesal y Arbitraje*, núm. 3, 2011, pp. 1-31.

[20] *Vid.* Pérez Palaci, J. E., «La prueba electrónica: Consideraciones», disponible en:http://openaccess.uoc.edu/webapps/o2/bitstream/10609/39084/1/PruebaElectronica2014.pdf [Consultado 6-9-2016].

En efecto, la copia y el original del documento electrónico pueden ser idénticos, precisamente, por su facilidad de reproducción. Sin embargo, partiendo de un criterio cronológico y en función de los llamados «datos de tráfico», puede distinguirse el primer documento y los documentos sucesivos, pues en ellos se suelen conservar los datos relativos a su fecha de creación [21].

— **Volátiles.** Las evidencias electrónicas son mudables, inconstantes y, por tanto, sujetas a la posibilidad de modificación. Si la parte discute este extremo, deberá aportarse un dictamen pericial informático que acredite si se ha producido alguna modificación en el documento electrónico, de qué manera, desde qué equipo y con qué finalidad. Gracias a este documento auxiliar, se ofrecerán al Tribunal sólidos argumentos para valorar adecuadamente dicha prueba electrónica.

— **Delebles.** Las evidencias electrónicas pueden ser borradas, pudiendo también destruirse los soportes físicos en que se almacenan [22].

— **Parciales.** En ocasiones, las evidencias electrónicas se encuentran en soportes, ya sean físicos o virtuales, que están en poder de nuestro contrario en el proceso o, incluso, de un tercero. Piénsese, por ejemplo, en una hoja de cálculo con la contabilidad de la empresa que se guarda en un *pen drive* en poder del trabajador que presuntamente se ha apropiado de forma indebida de dichos datos. O en unos e-mails intercambiados entre un empresario y un proveedor que están almacenados en una cuenta de Gmail.

---

[21] *Vid.* ABEL LLUCH, X., «Prueba electrónica», en ABEL LLUCH, X. y PICÓ I JUNOY, J. (directores), *La prueba electrónica*, Colección de Formación Continua Facultad de Derecho ESADE, J. M. Bosch editor, 2011, p. 135.

[22] El delito de daños informáticos se contempla en los artículos 264, 264 bis, 264 ter y 264 quáter CP. El tipo básico castiga con pena de prisión *«El que por cualquier medio, sin autorización y de manera grave borrase, dañase, deteriorase, alterase, suprimiese o hiciese inaccesibles datos informáticos, programas informáticos o documentos electrónicos ajenos, cuando el resultado producido fuera grave».*

— **Intrusivas**. En ocasiones, la recogida de evidencias digitales puede afectar a los derechos y libertades fundamentales como, por ejemplo, el derecho a la intimidad (artículo 18.1 CE), derecho al secreto de las comunicaciones (artículo 18.3 CE) o derecho a la autodeterminación informativa (artículo 18.4 CE).

3. VENTAJAS E INCONVENIENTES

En el año 2007 el *Diario La Ley* publicó un interesante estudio realizado por Fredesvinda INSA y Carmen LÁZARO sobre la admisibilidad de las pruebas electrónicas en los tribunales [23]. A tal efecto, analizaron el contenido de las leyes y las relaciones cognitivas que se crean entre los elementos significativos que componen esas normas [24].

Para llevar a cabo la investigación, estudiaron la legislación de dieciséis países europeos que regulaban la prueba electrónica. En primer lugar, obtuvieron datos gracias a unos cuestionarios estandarizados que debían cumplimentar una muestra muy extensa de profesionales relacionados con el análisis forense de medios electrónicos. Y, en segundo lugar, realizaron una entrevista en profundidad a un representante de cada grupo profesional en los dieciséis países estudiados utilizando tres protocolos distintos (juristas, expertos en informática forense y empresarios). El objetivo de estas entre-

---

[23] *Vid*. INSA, F. y LÁZARO, C., «La admisibilidad de las pruebas electrónicas en los tribunales (A.P.E.T.): Luchando contra los delitos tecnológicos», *Diario La Ley*, núm. 6708, Sección Doctrina, 8 de mayo de 2007, Año XXVIII.

[24] Este trabajo fue el resultado del estudio realizado en la Comisión Europea, bajo el Programa AGIS de la Dirección General de Justicia, Libertad y Seguridad, en el que ha participó el siguiente equipo investigador europeo multidisciplinar: John Kingston y Burkhard Schafer, de la Universidad de Edimburgo; Dan Minzala, del Instituto Nacional de Criminología de Rumanía; Diego Torrente y Fredesvinda Mérida, de la Universidad de Barcelona; Francisco Málaga, de la Universidad Pompeu Fabra; Patrick Burke, de Qinetiq; Shara Monteleone, de la Associazione Nautilus, y Fernando Fernández, de la Policía Nacional de España.

vistas era reunir, en cada país, un abanico diverso y heterogéneo de participantes que pudieran expresar opiniones diferentes respecto a cómo están actuando en su práctica, ventajas e inconvenientes y perspectivas de futuro respecto a las pruebas electrónicas.

El aspecto que nos interesa destacar en este capítulo de introducción a la prueba electrónica es, precisamente, las ventajas e inconvenientes de la prueba electrónica según los operadores jurídicos que habitualmente trabajan con ella (jueces, fiscales, policías, notarios, expertos en informática y empresarios).

Las principales **ventajas de la prueba electrónica** serían las siguientes:

— Ofrece información exacta, completa, clara, precisa, veraz, objetiva, novedosa y neutra. Esta última característica deriva de que, al proceder de un elemento electrónico, no cabe subjetividad alguna si se compara, por ejemplo, con las declaraciones de testigos, que siempre pueden contradecirse, dado que es inevitable que conlleven algún grado de subjetividad.

— Se trata de una prueba sólida, útil, fiable, viable y esencial para probar determinados delitos que antes no se podían llegar a acreditar debido al desconocimiento del uso de las nuevas tecnologías.

— Resulta fácil su obtención, uso, conservación y almacenamiento. Así, por ejemplo, en un *pen drive* se puede guardar un volumen ingente de información que, incluso, puede ser protegida mediante contraseñas o sistemas de encriptación.

— La utilización de documentos y firmas electrónicas favorece el desarrollo del comercio electrónico y, además, abarata el coste del correo tradicional. Piénsese, por ejemplo, en una campaña publicitaria con nuevas ofertas de una empresa que se remite a toda una lista de clientes a través de e-mail y el coste que ello supondría si se efectuara por correo postal, tanto de tiempo como de dinero.

En cuanto a los **inconvenientes de la prueba electrónica**, el estudio efectuado mencionó los siguientes:

— Falta o escasez de regulación propia y sistemática.

— Escasa jurisprudencia.

— Materia desconocida y muy técnica en la que no existen muchos expertos.

— Exige conocimientos específicos.

— Dificultad de presentar al Tribunal de forma comprensible.

— Mayor dificultad para que las pruebas electrónicas sean aceptadas por los Tribunales dado que éstos exigen mayores garantías que con otras pruebas.

— Falta de infraestructura técnica en las dependencias judiciales para reproducir los distintos soportes en los que se encuentra almacenada la información digital.

— Alto coste de examinar e interpretar la información contenida en la prueba electrónica.

— Dificultad para conocer cómo se procesan los datos y cómo se interpretan las leyes procesales específicas.

— Dificultad para probar la autenticidad, integridad, fiabilidad y el origen de los datos.

— Volatilidad de los datos y fácil manipulación.

— Dificultad para identificar al autor del delito que se haya servido de medios informáticos para su comisión.

— Dificultad para conservar, preservar y almacenar correctamente la información con las debidas garantías para que pueda ser aportada al proceso.

— Dificultad para establecer el valor jurídico de la prueba.

4. MEDIDAS PARA GARANTIZAR LA PERDURABILIDAD DE LAS PRUEBAS ELECTRÓNICAS

Unas de las características de la prueba electrónica es su volatilidad, es decir, la posibilidad de ser alterada, modificada o destruida, lo que puede dificultar tanto su aportación al proceso cuanto su valoración por el Tribunal. Los soportes de almacenamiento digital tienen menos esperanza de vida y requieren de la existencia de tecnologías para acceder a los mismos que cambian a una velocidad incluso mayor que los propios formatos.

La UNESCO ha reconocido la importancia de la conservación de los documentos electrónicos. Por tal motivo, redactó la «Carta para la preservación del patrimonio digital» [25]. En el artículo 3 de la misma se reconoce el peligro de pérdida a que están sometidos estos materiales y se afirma: *«El patrimonio digital del mundo corre el peligro de perderse para la posteridad. Contribuyen a ello, entre otros factores, la rápida obsolescencia de los equipos y programas informáticos que le dan vida, las incertidumbres existentes en torno a los recursos, la responsabilidad y los métodos para su mantenimiento y conservación y la falta de legislación que ampare estos procesos».*

La **preservación digital** se puede definir como aquellos procesos destinados a garantizar la accesibilidad permanente de los objetos digitales. Para ello, es necesario encontrar las maneras de representar lo que se había presentado originalmente a los usuarios mediante un conjunto de equipos y programas informáticos que permiten procesar los datos. Para lograrlo, es necesario que la comprensión y la gestión de los objetos digitales se realicen considerándolos desde cuatro puntos de vista:

— Fenómenos físicos, constituidos por «inscripciones», usualmente los estadios binarios «activo» o «inactivo» en el medio que sirve de soporte, como, por ejemplo, discos o cintas.

---

[25] La Carta define el patrimonio digital como *«recursos únicos que son fruto del saber o la expresión de los seres humanos. Comprende recursos de carácter cultural, educativo, científico o administrativo e información técnica, jurídica, médica y de otras clases, que se generan directamente en formato digital o se convierten a éste a partir de material analógico ya existente».* En el texto se hace referencia a la extensa tipología de estos recursos al señalar: *«Los objetos digitales pueden ser textos, bases de datos, imágenes fijas o en movimiento, grabaciones sonoras, material gráfico, programas informáticos o páginas web, entre otros muchos formatos posibles dentro de un vasto repertorio de diversidad creciente. A menudo son efímeros, y su conservación requiere un trabajo específico en este sentido en los procesos de producción, mantenimiento y gestión».*

— Codificaciones lógicas, es decir, un código comprensible para las computadoras cuya existencia en un momento dado depende de las inscripciones físicas pero que no están vinculadas a un soporte en particular.

— Objetos conceptuales, que tienen un significado para el ser humano, contrariamente a los objetos lógicos o materiales que los codifican en un determinado momento.

— Conjunto de elementos esenciales, que deben ser preservados para ofrecer a los futuros usuarios lo esencial del objeto [26]. Estos elementos contienen el mensaje, propósito o las características por las que se ha decidido preservar el material.

Los **métodos de preservación digital** más utilizados en la práctica para la conservación de pruebas electrónicas serían los siguientes [27]:

— **Preservación de los sistemas originales**

Se basa en la preservación del entorno técnico que hace funcionar el sistema, incluyendo sistemas operativos, *software* de aplicaciones originales, controladores de medios, etc. Es el sistema más sencillo, ya que consiste en mantener en funcionamiento el ordenador con el que los objetos digitales fueron creados, almacenados y pueden ser consultados. Ofrece el potencial de tratar con la obsolescencia de los soportes, asumiendo que esos soportes no se han deteriorado más allá de su legibilidad. Puede aumentar el acceso a soportes y formatos de ficheros obsoletos.

---

[26] *Vid.* UNESCO, *Directrices para la preservación del patrimonio digital*, marzo de 2003, disponible en: http://unesdoc.unesco.org/images/0013/001300/130071s.pdf [Consultado 6.9-2016].

[27] En este punto, seguimos la explicación de BARRUECO, J. M., «Preservación y conservación de documentos digitales», disponible en: http://www.edaddeplata.org/docactos/pdf/educativa/manual/CAPITULO7.pdf [Consultado 6-9-2016]; y SÁNCHEZ QUERO, M., «Preservación digital, la gran olvidada en las bibliotecas digitales», disponible en: http://gredos.usal.es/jspui/bitstream/10366/119947/1/MB4_N14_P82-86.pdf [Consultado 6-9-2016].

Sin embargo, presenta el inconveniente de que ninguna tecnología puede mantenerse funcional de forma indefinida. Esta estrategia no puede ser llevada a cabo por una institución a título individual debido a los altos costes que puede suponer tanto en equipamiento como en personal.

— Migración

La migración consiste en convertir la información a nuevos formatos. Es una medida contra la obsolescencia. Se utiliza para copiar o convertir datos desde una tecnología a otra, tanto si se trata de *hardware* como de *software*, conservando las características esenciales de los datos. Esta definición captura la esencia y la ambigüedad de la migración. En algunas ocasiones se utiliza como sinónimo de actualización, pero migración representa un concepto mucho más rico y amplio que actualización. Se trata de un conjunto de tareas organizadas destinadas a conseguir la transferencia periódica de materiales digitales desde una generación tecnológica a la siguiente.

El propósito de la migración es preservar la integridad de los objetos digitales y mantener la posibilidad por parte de los usuarios de recuperar, visualizar y utilizarlos en una perspectiva de constante cambio tecnológico. La migración incluye la actualización como un medio de conservación digital, pero difiere de ella en el sentido de que no siempre es posible hacer una copia digital exacta de un objeto digital cuando el *hardware* y el *software* cambian y además deben mantener la compatibilidad del objeto con la nueva generación de tecnología. Si bien las empresas desarrolladoras de *software* proporcionan estrategias de migración o compatibilidad hacia atrás para algunas generaciones de sus productos, esto puede no ser verdad más allá de dos o tres generaciones. No obstante, la migración no se garantiza para todos los tipos de datos y se convierte en particularmente poco fiable si el producto de información ha utilizado complicados componentes o características de *software*. En estos casos no suele haber compatibilidad hacia atrás y si la hay lo que se produce es una pérdida en la integridad de los contenidos.

La migración presenta una serie de ventajas, entre ellas, las siguientes: 1) se trata de una operación muy utilizada en la práctica;

2) no se requieren conocimiento técnicos con alto grado de especialización; 3) se puede automatizar una parte del proceso; 4) la tendencia hacia la estandarización del *software* y *hardware* facilita la migración; y 5) convierte el documento a un formato compatible con los sistemas actuales.

Por otro lado, también tiene una serie de inconvenientes: 1) no se puede evitar la alteración del documento original que puede afectar a su estructura, contenido, apariencia y funcionalidad en mayor o menor grado; 2) no resulta muy adecuada para los objetos digitales que contienen una variedad de formatos, pues cada uno de éstos necesitará un tratamiento diferente, lo que hace mucho más difícil la automatización; y 3) el proceso de migración debe repetirse periódicamente a lo largo de la vida del recurso.

— Emulación

La emulación encapsula el comportamiento del *software* o *hardware* junto con el objeto digital mismo. Está siendo considerada como una alternativa a la migración. Por ejemplo, un documento en MS Word 2000 podría llevar incorporados metadatos que informaran sobre cómo reconstruir el documento y el propio entorno del software al nivel más bajo de *bits* y *bytes*. Una alternativa a la emulación documento a documento es la creación de un registro que identifique unívocamente entornos de *hardware* y *software* y proporcione información sobre cómo recrear dicho entorno para preservar el uso del objeto digital.

La emulación permite simular el comportamiento del *software* con el que se crearon los documentos originales, de tal manera que pueda ejecutarse sin necesidad de utilizar el programa de origen. Una de las ventajas de este procedimiento es que permite preservar recursos digitales más complejos, dado que es el único procedimiento que garantiza la recuperación del documento original sin las inevitables alteraciones que ocurren en la migración.

El principal inconveniente es que este proceso requiere el mantenimiento de una cantidad de información considerable, concretamente, emulador, sistema operativo, aplicación y datos. Por otro lado, la conservación de los emuladores de cada *software* carece de sentido puesto que, con el paso del tiempo, quedarían obsoletos. Finalmente, a diferencia de la migración, la emulación no está tan experimentada en la práctica y requiere de conocimientos informáticos más avanzados.

— Copia de seguridad

Se refiere al proceso de hacer duplicados exactos del objeto digital. Aunque es un componente esencial de todas las estrategias de preservación, las copias de seguridad en sí mismas no son una técnica de mantenimiento a largo plazo. En efecto, esta estrategia de preservación digital puede dar lugar a la pérdida de datos debido a un fallo del *hardware*, ya sea debido a causas normales, a desastres naturales o a su destrucción malintencionada. En ocasiones, se combina con el almacenamiento remoto de objetos digitales, de tal forma que el original y las copias no estén sujetos a los mismos eventos desastrosos.

Se trata de un procedimiento muy utilizado a nivel doméstico a fin de preservar archivos personales o de trabajo de la más variada naturaleza (fotos, videos, documentos de texto, hojas de cálculo, etc.). Se considera una estrategia de mantenimiento mínima aplicable, incluso, a los materiales más efímeros y con menos valor.

Su principal inconveniente es que los métodos de almacenamiento también quedan obsoletos, por lo que debe realizarse un rejuvenecimiento y transferencia a nuevos medios.

— Replicado y rejuvenecimiento

El replicado es una técnica básica de procesamiento de datos. Los datos importantes de los que solo existe una copia en el ordenador son altamente vulnerables. El *hardware* puede fallar, los datos pueden ser dañados por un *software* defectuoso, por un virus, por negligencia o mala fe de un empleado o por simple envejecimiento del soporte físico.

Por estas razones, resulta adecuado hacer rutinariamente copias de seguridad y almacenarlas en lugares seguros. Debido a que todos los tipos de almacenamiento en los que se graba información digital son efímeros, debe planearse el rejuvenecimiento del repositorio digital para evitar la pérdida de información que, en su caso, puede ser de gran utilidad en un proceso judicial.

— Preservación en línea

Algunos expertos proponen la preservación en línea frente al almacenamiento de información en soportes físicos debido, en primer lugar, a su menor coste y, en segundo lugar, a la utilización de formatos como el HTML y el XML que se prevén más duraderos que los formatos de programas de propiedad.

Su principal inconveniente es que este procedimiento no suprime la necesidad de realizar migraciones, pues tan solo las aplaza en el tiempo y, además, no evita el riesgo de destrucción del archivo almacenado en un único servidor [28].

— Arqueología digital

Se llama arqueología digital a la recuperación de la información a partir de fuentes de datos dañadas, fragmentadas o arcaicas. Es el remedio cuando no se han tomado las debidas precauciones y la información se ha estropeado.

Las causas que imposibilitan el acceso a la información contenida en soportes digitales pueden ser muy variadas. En primer lugar, la degradación física por la humedad, las altas temperaturas, desastres naturales, uso excesivo, defectos en la fabricación o exposición a condicionales ambientales adversas. En segundo lugar, la pérdida de funcionalidad deriva, básicamente, de la obsolescencia tanto de los nuevos sistemas que no soportan *hardware* tan antiguo como de los nuevos sistemas operativos que pueden no tener funcionalidades de acceso a las unidades antiguas. En tercer lugar, se puede producir una pérdida de capacidad de interpretación de los datos debido al desconocimiento del sistema de codificación, a que se encuentren encriptados y no exista documentación donde se recoja la clave o

---

28 Así ocurrió en el año 2012 cuando el FBI decidió cerrar Megaupload, una de las mayores webs de intercambio de archivos que ofrecía posibilidad a los usuarios de alojar archivos en línea.

bien a que la información se haya comprimido antes de codificarla con algoritmos de compresión que se desconocen. Y, finalmente, la pérdida de capacidad de visualización de la información se puede producir cuando, a pesar de tener acceso a los dispositivos, los sistemas ya no se utilizan.

5. CLASES DE PRUEBAS ELECTRÓNICAS

Los constantes avances tecnológicos complican sobremanera la posibilidad de realizar una enumeración exhaustiva de las nuevas pruebas electrónicas. Por tal motivo, hemos creído conveniente centrar nuestro análisis en aquellas pruebas electrónicas que, con mayor frecuencia, se aportan en los Tribunales.

5.1. Documento electrónico

El documento electrónico se puede definir —como señala ILLÁN FERNÁNDEZ [29]— como «*todos aquellos objetos materiales en los que puede percibirse una manifestación de voluntad o representativos de un hecho de interés para el proceso que pueda obtenerse a través de los modernos medios reproductivos, como la fotografía, la fonografía, la cinematografía, el magnetófono, las cintas de vídeo, los discos de ordenador y cualesquiera otros similares*».

Su importancia va creciendo en la actualidad, pues en muchos sectores —especialmente, las grandes compañías— se están incorporando procesos de sustitución del papel por facturas electrónicas, lo que, por otro lado, supone un considerable ahorro de recursos. El auge de la contratación electrónica en los últimos años ha obligado al legislador a dictar normas que regulen este sector para ofrecer seguridad jurídica. En este sentido, los artículos 23 a 28 de la Ley 34/2002, de 11 de julio, de servicios de la sociedad de la información y de comercio electrónico, establecen una regulación detallada de

---

29   *Vid.* ILLÁN FERNÁNDEZ, J. M., *La prueba electrónica, eficacia y valoración en el proceso civil. Nueva oficina judicial, comunicaciones telemáticas (Lexnet) y el expediente judicial electrónico. Análisis comparado legislativo y jurisprudencial*, Aranzadi, Navarra, 2009, pp. 467 y ss.

esta forma de contratación. Centrándonos en el ámbito que nos ocupa, la prueba electrónica, el artículo 24 de la citada norma clarifica: «*La prueba de la celebración de un contrato por vía electrónica y la de las obligaciones que tienen su origen en él se sujetará a las reglas generales del ordenamiento jurídico. Cuando los contratos celebrados por vía electrónica estén firmados electrónicamente se estará a lo establecido en el artículo 3 de la Ley 59/2003, de 19 de diciembre, de firma electrónica*». A su vez, el apartado 2 del citado precepto establece: «*En todo caso, el soporte electrónico en que conste un contrato celebrado por vía electrónica será admisible en juicio como prueba documental*».

Como señala el Magistrado ABEL LLUCH [30], se han propuesto **tres concepciones** en torno al documento electrónico.

En primer lugar, existe una concepción amplia que concibe el documento electrónico como aquel en cuya elaboración haya intervenido de cualquier forma la informática. De acuerdo con este planteamiento, podemos incluir las pruebas creadas directamente a través de la informática (e-mail), las que proceden de medios de reproducción o archivos electrónicos (vídeos, fax, fotografía digital, etc.), así como las que se presentan mediante instrumentos informáticos (*pen drive*, bases de datos o similares).

En segundo lugar, otra postura doctrinal entiende el documento electrónico como todo aquel en el que ha intervenido en cualquiera de sus fases un equipo informático. Desde este punto de vista, incluiríamos cualquier documento que haya tenido su origen en la informática y que, por tanto, se produzca en un ordenador o por medio de éste.

Y, en tercer lugar, existe una concepción estricta que lo equipara a los documentos contenidos o almacenados en equipos o soportes informáticos. Esta postura se recoge en el artículo 3.5 de la Ley 59/2003, de 19 de diciembre, de firma electrónica, según el cual: «*Se considera documento electrónico la información de cualquier natu-*

---

[30]   *Vid.* ABEL LLUCH, X., ob. cit., pp. 27-29.

raleza en forma electrónica, archivada en un soporte electrónico según un formato determinado y susceptible de identificación y tratamiento diferenciado». De acuerdo con esta postura De Urbano Castrillo [31] considera que el documento electrónico es aquel producido por medios automatizados, escrito en un lenguaje binario (el de los *bit*) en un soporte (cinta o disco) que reúne tres características: legible, inalterable y reconocible o identificable.

Los **elementos del documento electrónico** —siguiendo al Magistrado Abel Lluch [32]— serían los siguientes:

— **Soporte**

Se puede definir como aquel objeto que puede llevarse a presencia judicial para ser examinado en el marco de un proceso determinado. En el caso de un documento electrónico, el soporte puede ser magnético, óptico, un disco duro, *pen drive* y cualquier otro que pueda inventarse en el futuro.

— **Contenido**

A diferencia del documento escrito, en el electrónico puede separarse el contenido y la forma de representación. En efecto, la información grabada en lenguaje binario requiere de una intermediación para que sea inteligible. La forma de representación, por tanto, se exterioriza a través de medios reproductivos (distintos programas de *software*) que requieren de elementos auxiliares (ordenador, teléfono, tableta, etc.) para poder mostrar su contenido, que sea legible y pueda surtir efectos en un determinado proceso.

— **Autor**

La autoría del documento electrónico es una cuestión más compleja pues, en muchas ocasiones, solo se puede acreditar que el archivo ha sido creado en un determinado ordenador, pero no la persona que lo confeccionó. Por el contrario, los documentos escritos

---

31 *Vid.* De Urbano Castrillo, E., «El documento electrónico: aspectos procesales», *Cuadernos de Derecho Judicial*, núm. 10, 2001, p. 570.

32 *Vid.* Abel Lluch, X., ob. cit., pp. 37-40.

presentan la ventaja de que la autoría se plasma por medio de la firma o, en caso de estar manuscrito, por medio de los caracteres grafológicos que permiten individualizar la escritura.

Sin embargo, los documentos que gozan de firma electrónica aportan certeza sobre su autoría. En efecto, la firma electrónica es el método actualmente más fiable para aportar certeza sobre el autor de un documento pues, gracias a ella, se añade al texto del mismo una información específica que sirve como autenticación de que quien aparece como firmante es la persona que está suscribiendo el escrito porque se basa en un certificado reconocido y dicha firma se genera mediante un dispositivo seguro. En este sentido, el artículo 3.2 de la Ley 59/2003, de 19 de diciembre, de firma electrónica, dispone: «*La firma electrónica avanzada es la firma electrónica que permite identificar al firmante y detectar cualquier cambio ulterior de los datos firmados, que está vinculada al firmante de manera única y a los datos a que se refiere y que ha sido creada por medios que el firmante puede utilizar, con un alto nivel de confianza, bajo su exclusivo control*». Por su parte, el artículo 3.3 del mismo cuerpo legal establece: «*Se considera firma electrónica reconocida la firma electrónica avanzada basada en un certificado reconocido y generada mediante un dispositivo seguro de creación de firma*».

La equivalencia entre la firma manuscrita y la electrónica se produce únicamente en los supuestos de firma electrónica reconocida. En este sentido, el artículo 3.3 de la citada Ley establece: «*La firma electrónica reconocida tendrá respecto de los datos consignados en forma electrónica el mismo valor que la firma manuscrita en relación con los consignados en papel*».

Una firma electrónica reconocida debe cumplir una serie de propiedades: 1) Identificar al firmante; 2) Verificar la integridad del documento firmando; 3) Garantizar el no repudio en el origen; 4) Contar con la participación de un tercero de confianza; 5) Estar basada en un certificado electrónico reconocido; y 6) Debe estar generada con un dispositivo seguro de creación de firma.

Las cuatro primeras características se consiguen gracias al uso de claves criptográficas contenidas en el certificado y en la existencia de una estructura de Autoridades de Certificación que ofrecen confianza en la entrega de certificados.

Sin embargo, la equivalencia de la firma manuscrita a la electrónica requiere, además, el cumplimiento de los dos últimos requisitos. El primero de ellos sería estar basado en un Certificado reconocido por el Ministerio de Industria, Engería y Turismo como habilitado para crear firmas reconocidas, lo que exige el cumplimiento de los requisitos establecidos en el Capítulo II de la Ley 59/2003, de firma electrónica [33]. Y el segundo requisito es que la firma electrónica haya sido generada con un dispositivo seguro de creación de firma lo que exige: 1) que las claves sean únicas y secretas; 2) que la clave privada no se pueda deducir de la pública y viceversa; 3) que el firmante pueda proteger de forma fiable las claves; 4) que no se altere el contenido del documento original; y 5) que el firmante pueda ver qué es lo que va a firmar.

— Fecha y firma

La fecha de los documentos electrónicos, normalmente, se agrega de forma automática por el programa utilizado para su creación. No obstante, este elemento también puede ser objeto de modificación por el usuario cuando acceda a los ajustes de la aplicación. Piénsese, por ejemplo, en un documento de Word cuya fecha de creación se modifica por el usuario. En cuanto a la firma de los documentos electrónicos, debemos estar a las disposiciones antes comentadas sobre firma electrónica que permiten, en determinados

---

[33] En este sentido, el artículo 12 de la Ley de Firma Electrónica dispone: «*Antes de la expedición de un certificado reconocido, los prestadores de servicios de certificación deberán cumplir las siguientes obligaciones: a) Comprobar la identidad y circunstancias personales de los solicitantes de certificados con arreglo a lo dispuesto en el artículo siguiente. b) Verificar que la información contenida en el certificado es exacta y que incluye toda la información prescrita para un certificado reconocido. c) Asegurarse de que el firmante tiene el control exclusivo sobre el uso de los datos de creación de firma correspondientes a los de verificación que constan en el certificado. d) Garantizar la complementariedad de los datos de creación y verificación de firma, siempre que ambos sean generados por el prestador de servicios de certificación*».

supuestos, acreditar con certeza la persona o entidad que ha emitido un determinado documento.

5.2. Correo electrónico

El correo electrónico —como señala la doctora VELA DELFA [34]— es el sistema de mensajería más antiguo y extendido de cuantos existen en la actualidad en Internet. Su nacimiento se debe a Ray TOMLINSON, un ingeniero de la empresa BBN, que tuvo la idea de crear un programa que permitiera depositar mensajes en máquinas remotas. La conocida @ tuvo su origen en un correo remitido por dicho ingeniero para identificar a un concreto destinatario. Utilizó dicho símbolo como divisor entre el usuario y la computadora en la que se alojaba la cuenta de destino. Anteriormente, no existía la necesidad de especificar la máquina de destino, puesto que todos los mensajes que se enviaban eran locales. Poco tiempo después, el signo @ fue adoptado por todos los usuarios del e-mail. De esta manera, en 1971 se introduce el primer sistema de correo electrónico, si bien sus antecedentes aparecen unos años antes, con sistemas locales de mensajería que permitían a los usuarios de una misma máquina o una misma red intercambiar pequeños mensajes. Estos modelos primitivos constituían sistemas similares a los tablones de anuncios, muy útiles para las redes de trabajo colaborativo.

El correo electrónico consiste, básicamente, en el intercambio de textos digitalizados. Se estima que en la actualidad se envían más de 188.000 millones de e-mails, por lo que se trata, sin duda, de la aplicación más utilizada de Internet. Hasta la irrupción de las redes sociales y los programas de mensajería instantánea (WhatsApp, Skype, Facebook, Messenger, etc.), el correo electrónico era la aplicación que resultaba más familiar, dado que se venía utilizando desde hace años como alternativa y/o complemento de otros medios (cartas, telegramas, teléfono, etc.).

[34] Vid. VERA DELFA, C., El correo electrónico: el nacimiento de un nuevo género, Tesis Doctoral, Facultad de Filología, Universidad Complutense de Madrid, Madrid, 2006.

Los usuarios del e-mail disponen de un buzón identificado mediante una dirección electrónica concreta. Los mensajes se almacenan en un servidor propio de la compañía que presta el servicio (Gmail, Yahoo, Hotmail, etc.). Para acceder a la cuenta se exige una contraseña que asegura la privacidad de su contenido.

Dada la trascendencia de los e-mails resulta conveniente guardar, ya sea en el servidor o en un ordenador, aquellos que se consideran más relevantes. Cuando se desarrolla una negociación por e--mail, se intercambian muchos mensajes, algunos de los cuales pueden tener trascendencia para valorar la verdadera voluntad de las partes (artículo 1282 del Código Civil [35]). Una forma de evitar la volatilidad de la prueba electrónica es solicitar a un Notario que levante acta de protocolización o de presencia en la que se reflejen, bajo fe pública, los e-mails que consten en el buzón de entrada o de enviados. Si se impugna la remisión de dichos mensajes o su manipulación, resultará conveniente aportar un dictamen pericial informático que despeje estas dudas y permita que la prueba electrónica despliegue plenos efectos en el proceso.

Finalmente, debemos señalar que también el correo electrónico permite incorporar una especie de acuse de recibo para asegurarnos que el mensaje ha sido recibido y/o leído por su destinatario (esto es, la llamada «confirmación de lectura»).

El acceso al proceso de los e-mails, normalmente, se realiza tras su impresión en papel. Se tratará, por tanto, de documentos privados, si bien existe la posibilidad —antes apuntada— de que se incorporen a un acta notarial para reforzar su eficacia probatoria pues, en este último caso, el documento público acreditará la existencia de tales mensajes, las direcciones de e-mails utilizadas por los usuarios, así como las fechas en las que se han remitido. No obstante, nada impide que dicha prueba electrónica pueda acceder al proceso a través de un dispositivo de almacenamiento (artículo 384 LEC).

---

[35] Dicho precepto establece: «*Para juzgar de la intención de los contratantes, deberá atenderse principalmente a los actos de éstos, coetáneos y posteriores al contrato*».

5.3. SMS

El SMS *(Short Message Service)* fue desarrollado por Matti Makkonen en el año 1985 junto al sistema global para las comunicaciones móviles (GSM). Se trata de un sistema que permite enviar mensajes cortos de texto, de hasta 140 caracteres. Posteriormente, la tecnología MMS añadió otras prestaciones, como el envío de pequeños archivos de sonido o de imágenes. Cuando el usuario envía un SMS, éste llega a un servidor que, de forma automática, lo reenvía al destinatario elegido mediante un número concreto de teléfono móvil. Esta característica permite acceder al contenido de los mensajes cuando se interviene un dispositivo móvil por la autoridad judicial, a diferencia de los mensajes de WhatsApp, que no se alojan en ningún servidor sino exclusivamente en los teléfonos de los usuarios.

Se trata de una aplicación incluida en todos los teléfonos móviles. Durante muchos años fue un servicio de pago, hasta que muchas compañías telefónicas incluyeron el envío ilimitado de los mismos sin coste. Sin embargo, tras la irrupción de las aplicaciones de mensajería instantánea ha descendido considerablemente su utilización. En efecto, las aplicaciones de WhatsApp, Skype, Twitter o Facebook Messenger permiten enviar y recibir mensajes de forma gratuita a los que se puede añadir imágenes, vídeos, documentos, ubicaciones, así como información de otros contactos.

A pesar de su menor utilización, esta tecnología también ha servido para cometer delitos. En el año 2015 la Guardia Civil desmanteló una red empresarial que estafó cinco millones de euros con mensajes de móvil a un millón de personas [36]. Los estafados recibían un SMS en el que se les decía «te estoy escribiendo por WhatsApp, dime por aquí si te llegan los mensajes» o «ponte en contacto conmigo para una segunda entrevista de trabajo». Unas 150.000 personas al mes contestaron dichos mensajes durante casi diez años sin saber que, en realidad, estaban enviando un SMS que costaba 1,20 euros más

---

36   *Vid.* Gosálvez, P., «La banda de los ladrones del SMS Premium», *El País*, 16 de abril de 2015, disponible en: http://politica.elpais.com/politica/2015/04/15/actualidad/1429125347_865911.html   [Consultado 7-9-2016].

IVA. Algunas personas solo sufrieron el engaño una vez, si bien otras —creyendo que iban a encontrar trabajo o que iban a iniciar una relación de amistad o amorosa— llegaron a gastarse más de 2.000 euros.

5.4. Página web

La página web —como señala ABEL LLUCH [37]— es una modalidad de documento informático a la que se puede acceder por Internet previa identificación de un enlace. Para interpretar una página web de Internet, se precisa de un navegador: Internet Explorer, Netscape, Mozilla, Firefox o Google Chrome, entre otros. Todos los citados interpretan el código o lenguaje HTML en el que están escritas las páginas.

El contenido de las páginas web puede ser de lo más variado. En el mundo empresarial, cada vez más compañías han trasladado su escaparate de productos al mundo virtual por la capacidad de extender su negocio a un número mucho más elevado de consumidores. Según el Instituto de Estudios Económicos, en el año 2013 un 73% de las empresas de la Unión Europea ofrecían una página web. En España esa cifra era más reducida, en torno al 68% de las compañías, si bien había aumentado considerablemente desde el año 2010 [38].

La vida media de las páginas web es muy reducida debido a la necesidad imperiosa de introducir cambios constantes para su actualización. Esta circunstancia puede provocar problemas de prueba, pues cuando se pretende introducir su contenido en un proceso, es posible que ésta ya no exista. Como veremos en el Capítulo dedicado al proceso civil, una buena solución es levantar un acta notarial de presencia en la que el fedatario público pueda navegar por la web a fin de dar fe de su existencia y contenido en un momento

---

37 *Vid.* ABEL LLUCH, X., ob. cit., p. 199.

38 *Vid.* «Cada vez más empresas españolas apuestan por tener una página web para ofertas sus servicios», *El Día.es*, 24 de enero de 2014, disponible en: http://web.eldia.es/2014-01-20/SOCIEDAD/11-Cada--vez-empresas-espanolas-apuestan-tener-pagina-web-ofertar-servicios.htm [Consultado 7-9-2016].

y día determinado. De esta manera, evitaremos que su aportación como documento privado —por ejemplo, imprimiendo parte de su contenido— se impugne por la contraparte para restar valor probatorio. Otra solución es solicitar el reconocimiento judicial de la página —la llamada «cibernavegación judicial»— para que el Magistrado pueda percibir por sí mismo la web en cuestión, si bien es posible que cuando se practique esta prueba, la página ya no refleje el estado de cosas que interese en el procedimiento.

5.5. Grabaciones de sonido

Las grabaciones de sonido constituyen otra modalidad de prueba electrónica que puede ser aportada al proceso. Para que surta efectos probatorios —como señala ABEL LLUCH [39]— deberán observarse una serie de garantías, entre ellas, el respeto de la intimidad, la puesta a disposición del Tribunal de los soportes que registran la conversación y verificación de la autenticidad para evitar posibles manipulaciones.

Dada la posibilidad de manipulación, trucaje y distorsión de las grabaciones de audio, es posible que se impugne su autenticidad. En estos casos, como señala el Magistrado citado [40], existen dos posibilidades: 1) realizar un «cotejo de voces» cuya finalidad es averiguar si el registro fonográfico corresponde a una determinada persona; y 2) aportar un dictamen pericial tecnológico sobre el soporte que recoge la grabación a fin de acreditar que no ha sido objeto de ninguna manipulación.

En cuanto a la primera posibilidad, MONTÓN REDONDO [41] sintetiza los pasos necesarios para llevar a cabo un «cotejo de voces»:

— Debe construirse un «cuerpo de voz» a presencia judicial, junto con las partes y el Letrado de la Administración de Justicia.

![]

39 *Vid*. ABEL LLUCH, X., ob. cit., pp. 206-207.
40 *Ibidem*, p. 207.
41 *Vid*. MONTÓN REDONDO, A., «Medios de reproducción de la imagen y el sonido», *Cuadernos de Derecho Judicial*, Consejo General del Poder Judicial, núm. 7, 2000, p. 190.

— A continuación, debe repetirse varias veces la frase, palabra o diálogo cuya autoría se haya puesto en entredicho.

— Acto seguido, se debe grabar dicho «cuerpo de voz» en un dispositivo similar al que recogió la grabación original.

— Resulta conveniente que comparezcan testigos que puedan acreditar que la forma de hablar de la persona responde a sus características habituales.

— Finalmente, debe analizarse la grabación desde un punto de vista técnico, esto es, mediante escucha crítica, estudio frecuencial, espectrográfico y espacial para determinar la correspondencia entre las voces.

Uno de los aspectos más controvertidos en la práctica forense en relación con esta prueba electrónica se refiere a la validez de las **grabaciones de conversaciones mantenidas por particulares que posteriormente se aportan en juicio.** En la actualidad, prácticamente todos los teléfonos incorporan algún tipo de aplicación que permite grabar las conversaciones sin que el otro interlocutor perciba esta circunstancia. Esta cuestión ha sido tratada en muchas ocasiones por el Tribunal Constitucional, que ha mantenido una doctrina constante desde hace más de treinta años. En efecto, la conocida STC 114/1984 [42] estableció: «*Quien graba una conversación de otros atenta, independientemente de toda otra consideración, al derecho reconocido en el art. 18.3 CE; por el contrario, quien graba una conversación con otro no incurre, por este solo hecho, en conducta contraria al precepto constitucional citado. Si uno no es parte en la conversación estará vulnerando un derecho fundamental, reconocido en el artículo 18.3 de la Constitución, pero quien graba las palabras que un tercero le dirige no está realizando por ese solo hecho ilícito alguno. Cuestión diferente sería si esa conversación se divulga y la intromisión que pueda suponer en la esfera de la persona cuyas palabras se han recogido*».

---

[42] STC 114/1984, Sala Segunda, de 29 de noviembre (Ponente: Luis Díez-Picazo y Ponce de León).

En esta misma línea, la jurisprudencia del Tribunal Supremo [43] ha confirmado la validez de las grabaciones de las conversaciones entre particulares al concluir: «*La grabación de una conversación que tiene lugar entre dos personas y que uno de los intervinientes desea conservar para tener constancia fidedigna de lo tratado entre ambos, no supone una invasión de la intimidad o espacio reservado de la persona ya que el que resulta grabado ha accedido voluntariamente a tener ese contacto y es tributario y responsable de las expresiones utilizadas y del contenido de la conservación, que bien se puede grabar magnetofónicamente o dejar constancia de su contenido por cualquier otro método escrito. Cuando una persona emite voluntariamente sus opiniones o secretos a un contertulio sabe de antemano que se despoja de sus intimidades y se las trasmite, más o menos confiadamente, a los que les escuchan, los cuales podrán usar su contenido sin incurrir en ningún reproche jurídico*».

En conclusión, las grabaciones efectuadas por particulares de conversaciones en las que ellos hayan intervenido pueden utilizarse en juicio y surtir efectos probatorios. Sin embargo, si dicha grabación se utiliza con una finalidad distinta —como, por ejemplo, difundirla en una red social o venderla a un medio de comunicación—, se podría estar cometiendo un delito de revelación de secretos (artículo 197 CP) o, cuando menos, una intromisión ilegítima en el derecho a la intimidad, honor o propia imagen de la personada afectada (artículo 7 de la LO 1/1982, de 5 de mayo, de protección civil del derecho al honor, a la intimidad personal y familiar y a la propia imagen).

Para finalizar este apartado dedicado al registro fonográfico, debemos señalar que el estudio de las grabaciones de voz ha dado lugar, en el ámbito de las ciencias penales, a la **Acústica Forense**, una rama de la Criminalística que engloba la aplicación de técnicas desarrolladas por la ingeniería acústica para el esclarecimiento de los delitos y la averiguación de la identidad de quienes los cometen. Trataremos esta cuestión con más detenimiento en el Capítulo dedicado a la prueba electrónica en el proceso penal.

---

[43] STS 7 de febrero de 1992, 883/1994, 178/1996, 914/1996, 702/1997 y 268/1998.

5.6. Fotografía digital

La fotografía digital apareció a partir de la segunda mitad del siglo XX y ha alcanzado un espectacular desarrollo durante el siglo XXI. El funcionamiento de las cámaras digitales es muy simple. Se trata del mismo concepto que el de una cámara analógica o réflex con su respectivo objetivo, obturador y diafragma. Sin embargo, en este caso, en lugar de proyectar la imagen sobre un negativo, aquélla se proyecta sobre un sensor CCD *(charge coupled device)* cuya cualidad consiste en capturar la imagen en forma de *bits*, es decir, un código binario en escala de grises que puede ser transformado, a decisión del fotógrafo, en una imagen a color.

Las imágenes capturadas se guardan en una memoria interna y, de esta forma, se pueden transferir a un ordenador para reproducirlas o manipularlas a través de los variados programas de edición de fotografía (Photoshop, GIMP, LunaPic, ImageForge, Picasa, etc.).

Una de las principales ventajas de la fotografía digital frente a la analógica es la perdurabilidad. En efecto, la fotografía revelada es vulnerable a los elementos y al paso del tiempo. Sin embargo, la digital presenta un carácter inmutable por cuanto el paso del tiempo no deteriorará la calidad de la imagen, así como el medio en que se almacena puede disponer de mayores medidas de seguridad y protección que un álbum de fotos.

Centrándonos en el ámbito que nos ocupa, esto es, la prueba electrónica, debemos señalar que las fotografías constituyen un elemento de especial valor en numerosos procedimientos dada su capacidad persuasiva. No son pocas las ocasiones en las que los Abogados aportan al proceso copias de fotografías para acreditar un determinado estado de cosas. Su incorporación a los autos puede realizarse tanto en papel como en soporte digital cuando se hayan almacenado en un CD o DVD.

Los problemas más frecuentes relacionados con esta prueba electrónica son, básicamente, dos.

En primer lugar, los Abogados suelen impugnar el valor probatorio de las fotografías porque no acreditan con certeza la fecha y lugar en la que se tomaron. Una manera de solucionar esta cuestión es solicitar a un Notario que extienda un acta de presencia, es decir, requerirle para que se desplace a un determinado lugar y haga fotografías del lugar que se pretende documentar. De esta manera, la fe pública extenderá sus efectos probatorios, al menos, a que dicho lugar es el que se corresponde con la dirección indicada por el requirente y que, en una fecha determinada, se encontraba en el estado que documentan las fotografías.

Otra solución posible al problema comentado anteriormente es utilizar la aplicación actaMobile [44]. Se trata de un servicio concebido para la acreditación fehaciente, el registro, la gestión y la custodia de evidencias digitales obtenidas mediante *smartphones* en un entorno seguro (SSL 256). La aplicación funciona de la siguiente manera: 1) el usuario realiza una fotografía con su teléfono móvil; y 2) esta imagen digital se remite por Internet al servidor de actaMobile que genera y envía un certificado al correo electrónico del usuario. Gracias a la intermediación del Prestador de Servicios de Confianza (ColorIURIS), se garantiza la integridad de la captura en fecha y hora ciertas con plenos efectos probatorios ante los Tribunales. Este prestador de servicios custodiará una copia de la captura junto con el resumen *hash* del original durante cinco años.

Y, en segundo lugar, los Abogados suelen discutir la manipulación de las fotografías digitales. Como hemos comentado anteriormente, existen numerosos programas que permiten la edición de fotografías pudiendo cambiar el formato, la definición, color, exposición a luz, borrando objetos, etc. En estos casos, la parte deberá aportar un dictamen pericial informático que acredite que los archivos fotográficos no han sido manipulados y se corresponden con los originales que fueron tomados en un determinado momento.

5.7. Videograbación

La grabación de imágenes en vídeo es otro tipo de prueba electrónica que puede aportarse al proceso.

---

[44] Para más información sobre esta aplicación, véase su página web: https://www.coloriuris.net/acta-mobile/info/

Una de sus finalidades más características es la **captación y grabación de imágenes con fines de vigilancia**. En efecto, la videovigilancia urbana se convirtió en tema de discusión por primera vez en 1997 cuando fue seleccionada como uno de los temas clave de la conferencia europea sobre «Prevención del crimen: hacia un nivel europeo» celebrada en la ciudad de Noordwijk (Países Bajos) [45]. En las Recomendaciones de dicha conferencia, se alertó de la importancia de estos dispositivos de control al señalar: «*Las cámaras, como una herramienta para prevenir el crimen, son en general un modo nuevo y rentable de infundir confianza a los ciudadanos que se sientan inquietos por su seguridad porque disuaden la criminalidad y suministran un elemento de apoyo al Ministerio Fiscal [...] El público debe ser advertido de que se emplean estos sistemas y se debe preservar la privacidad*» [46]. En apenas una década, estos dispositivos —que aspiran a ser una suerte de «panóptico» según la terminología de FOULCALT [47]— se han instalado en una inmensa variedad de espacios públicos y privados: cámaras en los vestíbulos de los hoteles, en los pasillos de los hospitales, en las escaleras de las viviendas particulares, en los transportes públicos, en las puertas de los garajes y en las oficinas de bancos y en los centros comerciales. Amparados por el discurso de la seguridad [48] y la prevención, las Administra-

[45] *Vid.* TÖPFER, E., «Videovigilancia urbana en Europa: ¿Una decisión política?», en AA.VV., *Ciudadanos, ciudades y videovigilancia. Hacia una utilización democrática y responsable de la videovigilancia*, Fondo Europeo para la Seguridad Urbana, Montreuil, 2010, p. 71.

[46] *Ibidem*, p. 71.

[47] La figura del «panóptico» es un mecanismo arquitectónico en el que el registro de lo patológico debe ser constante y centralizado. De esta manera, la vigilancia debe ser permanente para conseguir informes continuos de las actividades realizadas y así poder analizar las causas de los comportamientos y explicar el curso de los acontecimientos. Detrás de este dispositivo disciplinario se encontraba la obsesión por los «contagios»: la peste, los crímenes, la vagancia, las deserciones, en definitiva, los individuos que viven y mueren en el desorden. *Vid.* ROJAS, J., «Mecanismos de videovigilancia en la sociedad de la información», *UOC Papers. Revista sobre la sociedad del conocimiento*, núm. 5, octubre de 2007, pp. 33-34.

[48] El discurso securitario estuvo muy presente a principios de los años noventa del siglo XX en las campañas para las elecciones a Alcalde

ciones Públicas han ido incorporando estas nuevas tecnologías como mecanismos de protección de la comunidad a fin de reducir las tasas de delincuencia y el miedo al delito, así como abordar temas más amplios como el vandalismo, los graffitis y los incendios provocados.

La utilización de la videovigilancia intensificada responde a una nueva forma de gobernar que percibe la necesidad de establecer nuevos métodos de control social. En este sentido, se pretende que las políticas de control social sean capaces de «hacer visible todo» mediante la «vigilancia permanente, exhaustiva y omnipresente» [49]. Este fenómeno se enmarca dentro la llamada «cultura del control», que se caracteriza por una «nueva experiencia colectiva del delito y la inseguridad» [50]. Los profundos cambios políticos, sociales, culturales y económicos producidos desde los años setenta del siglo XX dieron lugar a la llamada «modernidad tardía», que ya no se identificaba con las ideas del correccionalismo rehabilitador, sino más bien con políticas neoliberales que prometían una respuesta contundente frente a la delincuencia e instituían sistemas de control formal y, especialmente, informal del delito a través de la «policía comunitaria», la «vigilancia del vecindario» o los «programas de ciudades más seguras» [51]. De esta manera, se ha producido un giro en la concepción de la realidad criminológica y de actuar sobre el delito: se ha pasado del sistema de mera «aplicación de la ley» por instituciones especializadas controladas de manera exclusiva por el

---

de Nueva York. En este sentido, Rudolph Giuliani desarrolló un programa de «tolerancia cero» frente a la delincuencia y la inseguridad basado en los principios de la teoría de las «ventanas rotas». Su programa —como señalan HASSEMER y MUÑOZ CONDE— partía de que «al ciudadano no le interesa tanto la eficacia preventiva general de las conminaciones penales, en abstracto y desvinculadas de los casos concretos, sino la forma de prevenir el delito, y de llegar a ser víctima del mismo». Vid. HASSEMER, W. y MUÑOZ CONDE, F., Introducción a la Criminología, Tirant lo Blanch, Valencia, 2001, p. 329.

[49] Vid. FOULCALT, M., Discipline and Punish, New York, 1979, p. 234.

[50] Vid. GARLAND, D., La cultura del control. Crimen y orden social en la sociedad contemporánea, 1.ª reimpresión, Gedisa, Barcelona, 2012, p. 182.

[51] Ibidem, pp. 45-56.

Estado, al «*management* de la seguridad» [52], en el que intervienen actores privados [53]. Lógicamente, este discurso se ha visto impulsado por una sociedad que demanda mayores niveles de seguridad debido al sentimiento de amenaza constante que han producido los atentados de Nueva York (2001), Madrid (2004), Londres (2005), París (2015) y, más recientemente, Bruselas (2016). Por tal motivo, el Estado ha tenido que refortalecerse [54] para reconciliarse con su planteamiento inicial hobbesiano: el triunfo de la «ley y orden», eso es, la garantía de paz y seguridad.

Partiendo del escenario antes comentado, la proliferación de los sistemas de videovigilancia se ha erigido en un elemento primordial en la **estrategia de domesticación y control del espacio público** característico de las políticas urbanas occidentales durante los últimos treinta años [55], básicamente, por los siguientes tres motivos [56]:

— La aparición de un nuevo paradigma en la política criminal. Si el planteamiento clásico concebía el crimen como una forma de desviación individual, los nuevos planteamientos centran su interés en la observación de determinados grupos y lugares que se consideran criminógenos.

52   *Ibidem*, pp. 58-60.

53   Para un estudio detenido del proceso de privatización de la seguridad, *vid.* Cámara del Portillo, D., «La privatización del orden público. Las policías privadas», *Revista de Derecho de la Unión Europea*, núm. 7, 2.º semestre 2004, pp. 357-391.

54   Una de sus manifestaciones es, precisamente, el resurgimiento de un nuevo «punitivismo» que ha endurecido la respuesta penal al delito provocando un aumento de la tasa de encarcelamiento. Según Pratt, el "«punitivismo» es un «proceso paralelo de descivilización» (Pratt, J., *Punishment and civilization. Penal tolerance and intolerance in modern society*, Sage, Londres, 2002, pp. 145-164).

55   Sobre esta cuestión, *vid.* Fyfe, N. R., *Images of the street: Planning, identity, and control in public space*, Routledge, Londres, 1998.

56   Sobre esta cuestión, *vid.* McCahill, M., «Beyond Foucault: towards a contemporary theory of surveillance», en Norris, C., Moran, J. and Armstrong, G. (eds.), *Surveillance, Closed Circuit Television and Social Control*, Ashgate, Aldershot, 1998, pp. 41-65.

— El declive de la industria como base de la economía urbana y el auge del consumismo y del sector servicios, junto con el surgimiento del «marketing de lugares» *(place marketing)* o la «identidad de la ciudad» *(city branding)*. Por tal motivo, en la actualidad se considera que la seguridad policial es un elemento clave que afecta decisivamente a la inversión y a la actividad económica.

— La tendencia a la descentralización, lo que ha obligado a los Ayuntamientos a hacerse cargo del control de la criminalidad y del orden urbano.

La **expansión del uso de las cámaras de videovigilancia en España** ha sido un fenómeno silencioso. En el año 1994 se inscribieron 19 ficheros con la finalidad de videovigilancia en el Registro General de la Agencia Española de Protección de Datos. En el año 2006 ya se había alcanzado la cifra de 424. A partir de ese año, se produjo un incremento sustancial pues en el año 2007 se habían inscrito 4.500 y, en el año 2012, ya había más de 35.000. Actualmente, existen más de 170.000 ficheros con esta finalidad, lo que acredita la progresión significativa de la videovigilancia en España [57].

A pesar de la proliferación de estos dispositivos, la sociedad española no ha debatido ampliamente sobre la conveniencia de su instalación, salvo algunas excepciones como, por ejemplo, el barrio de Lavapiés [58]. Los únicos datos disponibles hasta el momento son las investigaciones realizadas por el Centro de Investigaciones Sociológicas en los años 2008 [59],

---

[57]   Vid. «Crece la videovigilancia, bajan las sanciones», *Diario La Ley*, núm. 8217, Sección Tribuna, 23 de diciembre de 2013, Año XXXIV, p. 1.

[58]   Sobre esta cuestión, *vid.* RUIZ CHASCO, S., «Videovigilancia en el centro de Madrid: ¿Hacia el panóptico electrónico?», *Teknokultura. Revista de Cultura Digital y Movimientos Sociales*, vol. 11, núm. 2, 2014, pp. 314-321.

[59]   Vid. CENTRO DE INVESTIGACIONES SOCIOLÓGICAS (CIS), *Barómetro Febrero 2008*, Madrid, 2008, disponible en el siguiente enlace: http://www.cis.es/cis/opencm/ES/1_encuestas/estudios/ver.jsp? estudio=8100 [Consultado 21-12-2015].

2009 [60] y 2011 [61]. En general, las encuestas muestran un elevado nivel de apoyo al uso de las cámaras, con cifras similares a las extraídas de encuestas de otros países [62]. Según los datos de 2009 [63], el 68,7 % de la población española apoya la videovigilancia, si bien difieren en cuanto a sus motivos, pudiendo distinguir los siguientes grupos: 1) un 66,4% de los encuestados lo hacía porque las cámaras les daban seguridad; 2) el 18% porque consideraba que permitían la identificación de delincuentes; 3) y el 15,2% porque creía que una forma de prevención de la delincuencia. Sin embargo, los partidarios de estos dispositivos diferían en cuanto a su localización. En este sentido, recibían un apoyo más elevado la instalación de cámaras en bancos, comercios, guarderías, colegios y hospitales. Por el contrario, el grado de apoyo disminuía cuando se trataba de lugares de trabajo, bares y restaurantes, espacios de ocio, espacios públicos y edificios residenciales. Finalmente, un 10% de los encuestados rechazaban la utilización de cámaras alegando que, en definitiva, suponía una pérdida de privacidad.

La **normativa básica en materia de videovigilancia** está constituida por la Ley Orgánica 4/1997, de 4 de agosto, por la que se regula la utilización de videocámaras por las Fuerzas y Cuerpos de Segu-

---

[60] *Vid.* CENTRO DE INVESTIGACIONES SOCIOLÓGICAS (CIS), *Barómetro Septiembre de 2009*, Madrid, 2009, disponible en el siguiente enlace: http://www.cis.es/cis/opencm/ES/1_encuestas/estudios/ver.jsp?estudio=9742 [Consultado 21-12-2015].

[61] *Vid.* CENTRO DE INVESTIGACIONES SOCIOLÓGICAS (CIS), *Barómetro Mayo 2011*, Madrid, 2011, disponible en el siguiente enlace: http://www.cis.es/cis/opencm/ES/1_encuestas/estudios/ver.jsp?estudio=11324 [Consultado 21-12-2015].

[62] *Vid.* LEMAN-LANGLOIS, S., «Public perceptions of camera surveillance», en AA.VV., *A Report on Camera Surveillance in Canada, Part One*, Surveillance Camera Awareness Network (SCAN), 2009, Ottawa, pp. 41-52.

[63] En este punto seguimos el resumen de GALDON-CLAVELL, G., «Si la videovigilancia es la respuesta, ¿cuál era la pregunta? Cámaras, seguridad y políticas urbanas», *Revista Latinoamericana de Estudios Urbano Regionales*, vol. 41, núm. 123, mayo 2015, pp. 92.

ridad en lugares públicos. Esta normativa debe completarse con lo establecido en el Real Decreto 596/1999, de 16 de abril, que desarrolla la anterior Ley [64]. Asimismo, también debemos tener en cuenta lo establecido en el artículo 42 de la Ley 5/2014, de 4 de abril, de Seguridad Privada, que establece una regulación detallada del uso de videocámaras en el ámbito de la seguridad privada.

Por otro lado, cuando las imágenes se tomen por la Policía Judicial en el marco de un proceso penal deben ajustarse a los términos previstos en el artículo 588 quinquies, letra a, LECR, esto es, verificarse en lugar o espacio público y que su finalidad sea facilitar la identificación del investigado, localizar instrumentos o efectos del delito u obtener datos relevantes para el esclarecimiento de los hechos.

No podemos efectuar un análisis detallado de su normativa por cuanto excedería sobradamente del objeto de este libro. Sin embargo, consideramos adecuado establecer algunos apuntes sobre el régimen jurídico de la videovigilancia policial al margen de un proceso penal:

— El objeto de la regulación se refiere a la utilización de videocámaras, grabadoras de sonido y/o imagen, o medios técnicos análogos fijos o móviles que sean operados por las fuerzas de policía en lugares públicos abiertos o cerrados [65].

— La finalidad de estas medidas es doble: 1) contribuir a asegurar la convivencia ciudadana, la erradicación de la violencia

---

[64] El régimen jurídico de la videovigilancia debe completarse con la Instrucción 1/2006, de 8 de noviembre, de la Agencia Española de Protección de Datos, sobre el tratamiento de datos personales con fines de vigilancia a través de sistemas de cámaras o videocámaras. Por otro lado, resulta de especial interés la *Guía de videovigilancia* editada por la Agencia Española de Protección de Datos, en la que se ofrece una explicación detallada de la forma de grabar las imágenes y su tratamiento en atención a los distintos espacios en los que se instalen dichos dispositivos.

[65] *Vid.* artículo 1.1 de la LO 4/1997, de 4 de agosto, por la que se regula la utilización de videocámaras por las Fuerzas y Cuerpos de Seguridad en lugares públicos.

y la utilización pacífica de las vías y espacios públicos; y 2) prevenir la comisión de delitos, faltas (actualmente delitos leves [66]) e infracciones relacionadas con la seguridad pública [67].

En el ámbito de la seguridad privada, se especifican como fines «evitar daños a las personas o bienes objeto de protección o impedir accesos no autorizados», lo que exige que los servicios de videovigilancia se presten por «vigilantes de seguridad o, en su caso, por guardas rurales» [68].

Por otro lado, conviene matizar que no se consideran servicios de videovigilancia aquellos que pretendan comprobar el

[66] La reforma del Código Penal materializada a través de la LO 1/2015, de 30 de marzo, ha suprimido las antiguas faltas que se regulaban en el Libro III. Esta reforma, motivada por el principio de intervención mínima y por la necesidad de descargar a los Juzgados de Instrucción de infracciones de menor entidad, ha optado por canalizar las antiguas faltas a través de tres vías: 1) Un grupo de faltas se han desmitificado al considerar que encuentran una solución más adecuada en la Jurisdicción Civil. Sería el caso, por ejemplo, de las injurias entre particulares, la falta de lesiones por imprudencia leve o el incumplimiento del régimen de visitas; 2) Otro grupo de faltas se han tipificado como infracciones administrativas en la LO 4/2015, de 30 de marzo, de protección de la seguridad ciudadana. Sería el caso de la falta de respeto y consideración a los agentes de la Autoridad (artículo 37.4); la desobediencia o la resistencia a la autoridad o a sus agentes en el ejercicio de sus funciones (artículo 36.6); o dejar sueltos o en condiciones de causar daños animales feroces o dañinos, así como abandonar animales domésticos en condiciones en que pueda peligrar su vida (artículo 37.16); y 3) Un tercer grupo de faltas se han configurado como delitos leves y, por tanto, se mantiene su sanción por el Derecho Penal. A título de ejemplo, podemos citar las lesiones dolosas que no requieran tratamiento médico o quirúrgico (artículo 147.2 CP); amenazas leves (artículo 171.7 CP); coacciones leves (artículo 172.3 CP); hurto por importe de menos de 400 euros (artículo 234.2 CP); o estafa por importe de menos de 400 euros (artículo 249 CP). *Vid.* PINTO PALACIOS, F. y PUJOL CAPILLA, P., *Manual de actuaciones en Sala. Técnicas prácticas del proceso penal*, 2.ª edición, Editorial La Ley, Madrid, 2015, pp. 369-370.

[67] Estas infracciones se regulan, en su mayor parte, en la LO 4/2015, de 30 de marzo, de protección de la seguridad ciudadana.

[68] *Vid.* artículo 42.1 de la Ley 5/2014, de 4 de abril, de Seguridad Privada.

«estado de instalaciones o bienes, el control de accesos a aparcamientos y garajes, o las actividades que se desarrollan desde los centros de control y otros puntos, zonas o áreas de las autopistas de peaje» [69]".

— La utilización de estos dispositivos debe adecuarse al principio de proporcionalidad que exige dos requisitos [70]: 1) la idoneidad requiere que el uso de las videocámaras resulte adecuado en una situación concreta para mantener la seguridad ciudadana; y 2) la intervención mínima exige ponderar entre la finalidad perseguida y la posible afectación al derecho al honor, la intimidad y la propia imagen. En cualquier caso, se debe acreditar la existencia de un «razonable riesgo para la seguridad ciudadana» (para las cámaras fijas) y un «peligro concreto» (para las móviles) [71].

— Las grabaciones, como regla general, se conservan durante un mes desde su captación, «salvo que estén relacionadas con infracciones penales o administrativas graves o muy graves en materia de seguridad pública, con una investigación policial en curso o con un procedimiento judicial o administrativo abierto» [72].

— Se regulan de forma pormenorizada los derechos de los ciudadanos, pudiendo destacar los siguientes: 1) derecho a ser informado de la existencia de videocámaras fijas mediante una placa informativa y un panel complementario en el que ponga

[69] *Ibidem.*
[70] *Vid.* artículo 6 de la LO 4/1997, de 4 de agosto, por la que se regula la utilización de videocámaras por las Fuerzas y Cuerpos de Seguridad en lugares públicos.
[71] *Vid.* artículo 6.3 de la LO 4/1997, de 4 de agosto, por la que se regula la utilización de videocámaras por las Fuerzas y Cuerpos de Seguridad en lugares públicos.
[72] *Vid.* artículo 8 de la LO 4/1997, de 4 de agosto, por la que se regula la utilización de videocámaras por las Fuerzas y Cuerpos de Seguridad en lugares públicos.

«zona vigilada»[73]; 2) derecho de acceso a las grabaciones mediante una solicitud que se presente ante la autoridad responsable de la custodia del fichero, ante la que deberá identificarse con foto, debiendo indicar la hora, día y lugar en que presumiblemente fue grabado; y 3) derecho de cancelación que podrá ser denegado por la autoridad encargada de la custodia en el plazo de 7 días en función de los peligros que pudieran derivarse para la defensa del Estado, la seguridad pública, la protección legítima de terceros o las necesidades de las investigaciones en marcha[74].

Al margen de la videovigilancia que efectúan las Fuerzas y Cuerpos de Seguridad del Estado o la Policía Judicial en el marco de un proceso penal, debemos analizar también las **grabaciones que se realicen por particulares a través de cámaras ocultas**[75]. Esta cuestión ha sido tratada en varias ocasiones por el Tribunal Constitucional y la respuesta ha sido siempre la misma: la finalidad de divulgar determinada información noticiosa no justifica el empleo de cualquier medio al alcance del profesional de la información. En la STC 12/2012[76] se analizaba el caso de una periodista que se hizo pasar por paciente y grabó en la zona de la vivienda particular de la investigada, dedicada a consulta médica, su voz y su imagen mediante una cámara oculta con el fin de denunciar sus prácticas profesionales irregulares. Esas imágenes fueron empleadas en un programa televisivo en el que se alertaba de la existencia de falsos profesionales de la medicina y de la oferta fraudulenta de servicios y tratamientos. En ese programa, se usaron las imágenes y el sonido

---

[73] *Vid.* artículo 9.1 de la LO 4/1997, de 4 de agosto, por la que se regula la utilización de videocámaras por las Fuerzas y Cuerpos de Seguridad en lugares públicos.

[74] *Vid.* artículo 23 de la LO 15/1999, de 13 de diciembre, de Protección de Datos de Carácter Personal.

[75] Sobre esta cuestión, *vid.* VILLAVERDE MENÉNDEZ, I., «A propósito de la reciente jurisprudencia del Tribunal Constitucional sobre el empleo de "cámaras ocultas"», *Derecom*, núm. 10, junio-agosto, 2012, pp. 21-26.

[76] STC 12/1012, Sala Primera, de 30 de enero de 2012 (Ponente: Adela Asua Batarrita).

captados mediante cámara oculta para ejemplificar dichas prácticas, al tiempo que se revelaba en el transcurso del programa que la persona grabada ya había sido condenada por intrusismo.

En relación con las cámaras ocultas, el Tribunal Constitucional señala: «*Por otro lado, es evidente que la utilización de un dispositivo oculto de captación de la voz y la imagen se basa en un ardid o engaño que el periodista despliega simulando una identidad oportuna según el contexto, para poder acceder a un ámbito reservado de la persona afectada con la finalidad de grabar su comportamiento o actuación desinhibida, provocar sus comentarios y reacciones así como registrar subrepticiamente declaraciones sobre hechos o personas, que no es seguro que hubiera podido lograr si se hubiera presentado con su verdadera identidad y con sus auténticas intenciones*» [77].

Partiendo de este razonamiento, la sentencia razona: «*El presente caso presenta unos contornos o perfiles singulares derivados de la especial capacidad intrusiva del medio específico utilizado para obtener y dejar registradas las imágenes y la voz de una persona. Por un lado, como razona en sus alegaciones el Ministerio Fiscal, el carácter oculto que caracteriza a la técnica de investigación periodística llamada "cámara oculta" impide que la persona que está siendo grabada pueda ejercer su legítimo poder de exclusión frente a dicha grabación, oponiéndose a su realización y posterior publicación, pues el contexto secreto y clandestino se mantiene hasta el mismo momento de la emisión y difusión televisiva de lo grabado, escenificándose con ello una situación o una conversación que, en su origen, responde a una previa provocación del periodista interviniente, verdadero motor de la noticia que luego se pretende difundir. La ausencia de conocimiento y, por tanto, de consentimiento de la persona fotografiada respecto a la intromisión en su vida privada es un factor decisivo en la necesaria ponderación de los derechos en conflicto, como subraya el Tribunal Europeo de Derechos Humanos*

---

77   *Ibidem*, FJ 6.°.

(SSTEDH de 24 de junio de 2004, Von Hannover c. Alemania, § 68, y de 10 de mayo de 2011, Mosley c. Reino Unido, § 11)» [78].

Esta doctrina constitucional concluye, por tanto, que los particulares —normalmente, periodistas— no pueden alegar la prevalencia del derecho a la información (artículo 20.1, letra d, CE) sobre el derecho a la intimidad cuando el conocimiento de la noticia se haya obtenido mediante la utilización de cámara oculta. En este sentido, el Tribunal Constitucional concluye: «*Aun cuando la información hubiera sido de relevancia pública, los términos en que se obtuvo y registró, mediante cámara oculta, constituyen una ilegítima intromisión en los derechos fundamentales a la intimidad personal y a la propia imagen*».

6. REDES SOCIALES

No fueron pocos los intentos antes de 1995 que pretendían establecer redes de comunicación de forma telemática. Randy Conrads logró, con su web «Classmates» (Compañeros de clase), que su nombre se asociara a la «creación» de las redes sociales. Consiguió con esta web unir y poner en contacto, en un mismo tiempo, a antiguos compañeros de estudios que con el transcurso de los años se habían desperdigado.

La autora Noelia García Estévez nos facilita en su libro [79] un esquema en el que hace referencia a los años de lanzamiento de redes sociales:

— 1997: SixDegrees.com.

— 1999: LiveFournal, AsianAvenue y LunarStorm.

— 2000: MiGente.

— 2001: Cyworld y Rize.

---

78   *Ibidem*, FJ 6.º.

79   *Vid.* García Estévez, N., *Redes sociales en internet. Implicaciones y consecuencia de las plataformas 2.0 en la sociedad*, Editorial Universitas, 1.ª edición, Madrid, 2012.

— 2002: Fotolog y Skyblog.

— 2003: LinkedIn, Tribe.net, Couchsurfing, LastFM.

— 2004: SmalWorld, Multiply, Hyves, Facebook, Dogeball y Care2.

— 2005: Cyworld, Ning, AsianAvenue y BlackPlanet.

— 2006: Twiter y Mychurch.

En España, ese último año, se implantó una red social bautizada con el nombre de «Tuenti» que muy pronto conseguiría una gran aceptación por parte del público más joven, desarrollándose y compitiendo al unísono con la red social más grande y conocida de todos los tiempos: Facebook. Sin embargo, en el año 2016 Telefónica anunció que cerraba la red social para centrarse en su negocio de operadora móvil virtual [80].

Todas las redes sociales que se van implantando en el mundo tienen el mismo origen: se iniciaron con la finalidad de poner en contacto a estudiantes de una misma universidad, escuela o lugar de nacimiento común [81].

El autor Francesc GÓMEZ MORALES [82] hace un listado de distintas redes sociales conocidas —si bien no tan populares— como las que luego analizaremos, definidas en menos de 140 caracteres y con comentarios irónicos de cada una de ellas.

— **Meetic:** red en la que chicas que buscan a alguien que las escuche, tienen centenares de chicos dispuestos a poner la oreja (y lo que haga falta).

[80]   *Vid.* OTTO, C., «Tuenti cerrará su red social: sus 20 millones de usuarios no son rentables», *El Confidencial*, 1 de febrero de 2016, disponible en: http://www.elconfidencial.com/tecnologia/2016-02-01/tuenti--cerrara-su-red-social-sus-20-millones-de-usuarios-no-son-rentables_1141970/ [Consultado 6-9-2016].

[81]   *Vid.* MARTÍNEZ GUTIÉRREZ, F., *Los nuevos medios y el periodismo de medios sociales*, Tesis Doctoral, Facultad de Ciencias de la Información, Universidad Complutense de Madrid, Madrid, 2013, p. 285.

[82]   *Vid.* GÓMEZ MORALES, F., *El pequeño libro de las redes sociales*, 1.ª edición, Medialive Content S.L., Barcelona, 2010, pp. 53-54.

— **Fotolog:** web en la que los adolescentes suben el resultado de sus interminables sesiones fotográficas frente al espejo.

— **Badoo:** es como si en Facebook subieran la temperatura diez grados y en todas las fotografías hubieran tenido que quitarse la ropa.

— **Hi5:** red social que satura el e-mail de spam hasta que consigue que te registres por agotamiento.

— **Parship:** web que te explica cómo una tía buena logró novio gracias a ellos y te pide dinero haciéndote pensar que a ti te pasará lo mismo.

— **Ning:** lugar donde creas una red social exclusiva para ti y tus amigos una vez que tu madre empieza a enviar solicitudes de amistad a todos tus contactos de Facebook.

— **Bitácoras:** lugar donde los bloggers españoles cuelgan noticias de sus propios blogs cuando ya no tienen karma suficiente para hacerlo en Menéame.

— **RedTube:** portal de videos al que van a parar todos aquellos contenidos que no pasan la censura de YouTube.

— **Orkut:** es el Facebook en el que te has de registrar si quieres seguir en contacto con las brasileñas que conociste en el Carnaval de Río.

— **AdultFriendFinder:** es el lugar al que acabas yendo cuando te cansas de pagar a Meetic y Parship sin comerte un rosco.

— **Sexyono:** lugar donde las chicas con baja autoestima envían fotos para que los tíos le pongan una nota inversamente proporcional a la cantidad de ropa que lleven puesta.

— **Slideshare:** es como YouTube pero en vez de vídeos divertidos hay powerpoints de conferenciantes con americana y corbata.

— **Scribd:** es como Slideshare pero más difícil de pronunciar y cambiando los powerpoint por documentos de texto.

A continuación, haremos un estudio de las redes sociales más conocidas, dado que, cada vez con mayor frecuencia, sus publicaciones aparecen (y tienen relevancia) en procesos judiciales de toda índole.

6.1. Instagram

Esta aplicación gratuita fue diseñada, en un principio, para el teléfono IPhone de Apple. Vio la luz en San Francisco y sus inventores fueron Kevin Systrom y Krieger Mike. Su lanzamiento en la App Store el día 6 de octubre de 2010 fue un gran éxito. Dos años más tarde, se publicó una versión de la aplicación para Android, en 2013 para Windows Phone y en 2016 para Windows 10.

Se trata de una red social que permite subir fotos y videos. Su principal particularidad es que los usuarios pueden aplicar efectos fotográficos como filtros, macros, similitudes térmicas, colores retro y vintage. También permite compartir en otras redes sociales como Facebook, Tumblr, Flickr o Twitter.

El día 9 de abril de 2012 Facebook adquirió la compañía Instagram por la suma de mil millones de dólares [83].

Cuatro años más tarde, la red social cuenta con 500 millones de usuarios mensuales que comparten unas 95 millones de fotos al día. En efecto, desde septiembre del año 2015 ha sumado 100 millones de usuarios, de los cuales un 80% residen fuera de Estados Unidos [84]. La expansión de esta rama del gigante Facebook ha llegado hasta tal punto que se estima que en el ejercicio de 2016 la compañía ingresará 3.200 millones de dólares.

---

[83] Vid. RODRÍGUEZ, S., «Facebook compra Instagram por 1.000 millones», El Mundo, 9 de abril de 2012, disponible en: http://www.elmundo.es/elmundo/2012/04/09/navegante/1333991473.html   [Consultado 4-9-2016].

[84] Vid. MARTÍN, A. M., «Instagram supera los 500 millones de usuarios mensuales», El Mundo, 28 de junio de 2016, disponible en: http://www.elmundo.es/economia/2016/06/28/57729983e2704ef86f8-b45cb.html [Consultado 4-9-2016].

6.2. Twitter

Fue en el año 2006 cuando Jack Dorsey, Biz Stone y Evan Williams crearon en California una red social llamada «Twitter» enviando el primer «*tweet*» en el que podía leerse: «*just setting up my twttr*», que podría traducirse como «solo ajustando mi twttr». Un año más tarde ya era usado por miles de seguidores.

Algunos estudios sobre la materia señalan que Twitter [85] es un servicio de *microblogging* que permite a sus usuarios leer y enviar textos pequeños de una longitud máxima de 140 caracteres, denominados «*tweet*». Estos mensajes se pueden enviar desde el sitio web de Twitter, desde un teléfono móvil, desde programas de mensajería instantánea, o incluso desde cualquier aplicación de terceros, como TweetDeck, Twidroid, Twitterific, Hootsuit, Tweetie, Twinckle, Tweetboard, Nanvú o a través de redes sociales como Facebook, LinkedIn, Foursquare o, más recientemente, Google+. Las actualizaciones se muestran en la página de perfil del usuario, y son enviadas también de modo inmediato a otros usuarios que han elegido recibirlas.

Desde su lanzamiento en 2006, la red ha ganado popularidad mundial y se estima que tiene más de 500 millones de usuarios, generando unos 65 millones de *tweets* al día y con más de 800.000 peticiones de búsqueda diarias. Por tal motivo, se ha llamado al servicio como el «SMS de Internet». La empresa factura en la actualidad 2.500 millones de dólares anuales y tiene un valor en bolsa superior a los 10.000 millones de dólares.

En algunas ocasiones, aprovechándose del anonimato que ofrecen las redes sociales, se ha utilizado la aplicación de Twitter para cometer ilícitos penales mediante la publicación de determinados mensajes. Tras el asesinato en 2014 de la política leonesa

---

[85]   *Vid.* Requejo Alemán, J. L. y Herrera Damas, S., «La autopromoción, principal uso que las emisoras musicales españolas están haciendo de Twitter», en De Haro de San Mateo, M.ª., Grandío, M.ª del Mar, Hernández, M. (coords.), *Historias en red: impacto de las redes sociales en los procesos de comunicación*, Universidad de Murcia, 2012, pp. 113 y 114.

Isabel Carrasco algunos internautas escribieron *tweets* expresando su alegría y arremetiendo contra la fallecida [86]. La «Operación Araña» de la Guardia Civil se saldó con 21 detenidos acusados de difundir mensajes ofensivos contra las víctimas del terrorismo [87]. Recientemente, el rapero Pablo Hasél ha ido de declarar a la Audiencia Nacional por difundir 15 *tweets* que podrían ser constitutivos de delitos de enaltecimiento del terrorismo, contra la Corona y de calumnias e injurias contra las Instituciones del Estado [88]. El trágico fallecimiento del torero Víctor Barrio en la plaza de toros de Teruel tras sufrir una grave cogida fue el inicio de una cadena de mensajes de los antitaurinos que atentaban contra la dignidad del fallecido [89].

Gracias a la conocida como "#tweetredada" la Policía Nacional ha detenido a más de 800 personas vinculadas con el tráfico de estupefacientes. La campaña fue organizada por la Policía Nacional a través de la cuenta de Twitter —que cuenta ya con 2.447.070 seguidores— y, en ella, se facilitó un correo electrónico donde los ciudadanos podían comunicarse de manera anónima y confidencial. Uno de las operaciones más destacadas de esta nueva forma de luchar contra la delincuencia fue la detención de 29 personas relacionadas

---

[86] *Vid.* «Interior investiga mensajes injuriosos en internet tras la muerte de Isabel Carrasco», *ABC*, 13 de mayo de 2014, disponible en: http://www.abc.es/espana/20140513/abci-interior-carrasco-internet-201405131400.html [Consultado 4-9-2016].

[87] *Vid.* «Nueva operación contra el enaltecimiento del terrorismo en las redes», *El País*, 13 de abril de 2016, disponible en: http://politica.elpais.com/politica/2016/04/13/actualidad/1460539496_502477.html [Consultado 6-9-2016].

[88] *Vid.* PÉREZ, J., «Pablo Hasél declara en la Audiencia Nacional por enaltecimiento del terrorismo en 15 tuits», *Público*, 31 de agosto de 2016, disponible en: http://www.publico.es/politica/pablo-hasel-declara-audiencia-nacional.html [Consultado 6-9-2016].

[89] *Vid.* DEL BARRIO, A., «Los taurinos anuncian querellas contra los tuiteros que se mofan de la muerte de Víctor Barrio», *El Mundo*, 11 de julio de 2016, disponible en: http://www.elmundo.es/cultura/2016/07/11/5783788f268e3ebe738b456c.html [Consultado 6-9-2016].

con el tráfico de drogas en Granollers gracias a una denuncia anónima [90].

6.3. Facebook

Una fría mañana de noviembre de 2003 [91] Mark Zuckerberg, estudiante de segundo curso de la Universidad de Harvard, conoció a los hermanos Winklevoss y a Divya Narendra, que estaban cursando el último curso de la universidad. Según parece, le contaron a Mark la idea de lanzar un sitio llamado Harvard Connect (luego se llamaría ConnectU) que permitiría a los estudiantes de la Universidad conectarse y compartir información. Otros estudiantes habían colaborado en este proyecto sin terminarlo y, por eso, le pidieron a Zuckerberg que terminara de programar el sitio.

Mark aceptó participar en el proyecto y ayudarlos con la programación, si bien nunca firmó ningún contrato. Al poco tiempo, percibió el potencial de la idea. No están claros los detalles (que pueden verse en la conocida película *La red social* de 2010), si bien parece que Mark decidió lanzar un proyecto en paralelo: una red social que permitiera a los estudiantes de Harvard conectarse entre sí compartiendo información personal, es decir, algo similar a la información que se encuentra en los tradicionales libros anuales publicados por las universidades americanas.

El 11 de enero de 2004 Mark Zuckerberg registró el dominio «Thefacebook.com» y, apenas un mes más tarde, lanzó su propia red social. Para incrementar la popularidad de su sitio, envió un e-mail a todos los estudiantes de la Universidad. En los cuatro días siguien-

---

90   *Vid.* «Detenidos 29 narcotraficantes en Granollers tras una denuncia anónima», *La Voz de Galicia*, 22 de febrero de 2014, disponible en: http://www.lavozdegalicia.es/noticia/espana/2014/02/22/detenidos-29-narcotraficantes-granollers-tras-denuncia-anonima/0003139306482550861942.htm [Consultado 6-9-2016].

91   Sobre la explicación de los orígenes de Facebook, seguimos el magnífico relato de Pérez Carballada, C., «Las razones del éxito de Facebook», disponible en el siguiente enlace: http://participa.alcobendas.org/public/32/docs/4b96b5804068dfb7680210f83e0f7c82.pdf [Consultado 6-9-2016].

tes se apuntaron 650 estudiantes y en dos semanas, 4.300, es decir, algo más del 65% del censo total de alumnos.

En los meses siguientes, y debido al gran éxito de la red social, Mark y sus compañeros de cuarto curso Dustin Moskovitz, Chris Hughes y Eduardo Saverin expandieron la idea a otras universidades. Hacia finales de marzo de 2004, Facebook ya contaba con 31.000 usuarios y necesitaba el soporte de cinco servidores.

Los años sucesivos marcaron una expansión internacional sin precedentes por todo el mundo. Este fenómeno se ha desarrollado gracias al apoyo de su propia comunidad, pues la página web ha sido traducida a 70 idiomas de manera desinteresada por sus usuarios. Más de 300.000 de ellos han colaborado en dicha adaptación en una especie de trabajo colaborativo sin precedentes. La expansión también se ha producido gracias a la apertura de la plataforma a los desarrolladores externos a partir de marzo de 2007, que han creado miles de aplicaciones que tienen un valor incalculable para los usuarios.

En el año 2016, Facebook se acerca ya a los 1.650 millones de usuarios repartidos por todo el mundo, es decir, 1 de cada 5 personas tienen una cuenta en la conocida red social [92]. Cuenta con 12.691 empleados. Recientemente, en su estrategia de expansión, ha adquirido la empresa WhatsApp por 16.000 millones de dólares [93].

Muchos expertos advierten de que Facebook, dada su popularidad y elevado número de usuarios, ha modificado de manera rápida e irreversible nuestras vidas. El concepto de privacidad se encuentra en fase de redefinición, pues los datos que hace años se consideraban parte de nuestro patrimonio personal (fecha de nacimiento, telé-

92 Vid. «Facebook superó los 1.500 millones de usuarios al mes», El Comercio, disponible en: http://elcomercio.pe/redes-sociales/facebook/facebook-mark-zuckerberg-sigue-creciendo-ya-tiene-1590--millones-usuarios-noticia-1874547 [Consultado 6-9-2016].

93 Vid. Jiménez Cano, R., «Facebook compra WhatsApp por más de 13.800 millones de euros», El País, 20 de febrero de 2014, disponible en: http://tecnologia.elpais.com/tecnologia/2014/02/19/actualidad/1392848898_360807.html [Consultado 6-9-2016].

fono, identidad sexual o donde estamos en cada momento) ahora son de conocimiento público y, además, mercancía a disposición de las marcas para incrementar la eficacia de sus campañas[94].

7. WHATSAPP

WhatsApp es una aplicación ideada por Jan Koum (ex empleado de Yahoo) que comenzó su desarrollo en la ciudad de Silicon Valley en el año 2009. Su nombre es un derivado de la frase en inglés «What ´s Up» cuya traducción al español sería «¿Qué pasa?», «¿Qué hay?», o también «¿Cómo te va?». Su fundador pretendió crear una aplicación que tuviera más utilidades que los SMS. Su uso se difundió muy rápidamente entre la población, primero entre la gente más joven y, en poco tiempo, se extendió a todos los estratos sociales. El éxito de la aplicación deriva básicamente de su gratuidad, así como de la variedad de usos para los que puede utilizarse (mensajes de texto, envío de fotos y vídeos, compartir ubicación, documentos, contactos, etc.).

El propio Jan Koum el 19 de diciembre de 2013 resumió en su blog la finalidad que pretendía WhatsApp de la siguiente manera: «*Hace pocos años, mi amigo Brian y yo pensamos en montar un servicio de mensajería con una finalidad muy clara: dar la mejor experiencia posible al usuario. Y apostamos por que si nuestro equipo de ingenieros podrían hacer la mensajería rápida, sencilla y personal, podríamos cobrar a la gente por ello sin tener que poner molestos anuncios en banners, promociones de juegos y todas esas típicas distracciones que se ven en tantas otras aplicaciones de mensajes. Hoy anunciamos con orgullo, gracias a vosotros, que WhatsApp ha alcanzado una meta que ningún otro programa similar ha conseguido: 400 millones de usuarios activos al mes. Los últimos 100 millones llegaron en solo cuatro meses. Esto no es una mera suma de personas que se han registrado en WhatsApp, no, no, es la cantidad de gente que lo usan cada mes. Cuando decimos que vosotros lo habéis hecho posible, lo decimos en serio. WhatsApp solo tiene 50 emplea-*

---

94   *Vid*. Martínez Gutiérrez, F., ob. cit., p. 280.

dos, *la mayoría ingenieros. Hemos llegado a este punto sin gastar un solo dólar en anuncios o grandes campañas de marketing*».

El día 19 de febrero de 2014 Facebook compró WhatsApp por 19.000 millones de dólares (de los cuales 12.000 millones corresponden a acciones de Facebook y el resto en efectivo). Actualmente, se estima que existen en el mundo 1.000 millones de usuarios de esta aplicación de mensajería instantánea.

Recientemente, se han introducido una serie de cambios importantes en materia de seguridad y privacidad. En abril de 2016 la compañía anunciaba que introducía el llamado «cifrado de extremo a extremo» *(end-to-end)*, que garantiza la confidencialidad de las comunicaciones entre los usuarios [95]. En efecto, este sistema asegura que solo los interlocutores pueden leer el contenido de los mensajes. Ni tan siquiera la propia compañía puede acceder a ellos, dado que los mensajes no se guardan en ningún servidor externo, sino en los propios terminales de los usuarios. Esta actualización de seguridad implica que los mensajes se cifran con un código/llave que solo poseen el emisor y el receptor. Para mayor protección, cada mensaje que se envía tiene su propio candado y código único. Si bien es cierto que esta mejora de seguridad en las comunicaciones ha sido bien recibida por los usuarios, plantea numerosos problemas todavía no resueltos a las Fuerzas de Seguridad del Estado, dado que los delincuentes utilizan este mecanismo para evitar que sus mensajes sean interceptados tras la pertinente autorización judicial. En efecto, aunque la intervención telefónica alcance a todas las comunicaciones que se realicen desde el terminal, los mensajes de WhatsApp aparecerán codificados en la plataforma SITEL (Sistema Integrado de Interceptación Telefónica) y, por tanto, ininteligibles.

---

[95] *Vid.* «WhatsApp: qué es el cifrado "end to end" y por qué es importante», *ABC*, 6 de abril de 2016, disponible en: http://www.abc.es/tecnologia/consultorio/abci-whatsapp-whatsapp--cifrado-201604060948_noticia.html. [Consultado 6-9-2016].

En agosto de 2016 se anunció un cambio importante de la política de privacidad y protección de datos de WhatsApp [96]. La compañía anunció que iba a compartir con Facebook (empresa propietaria del servicio de mensajería instantánea) el número de teléfono de los usuarios, así como la información acerca de la frecuencia con la que éstos utilizan el servicio. Este intercambio de información persigue, en primer lugar, mejorar la eficacia publicitaria, sirviendo anuncios que sean más relevantes para los usuarios de Facebook y sugerencias para conectar con personas conocidas; y, en segundo lugar, combatir abusos y mensajes no deseados de WhatsApp. Como se puede advertir, se trata de un cambio de importancia trascendental porque permitirá a Facebook tener un mayor conocimiento de muchos aspectos relacionados con la vida de sus usuarios, lo que, desde luego, tiene un indudable valor económico a través del diseño de políticas adecuadas de marketing personalizado. Por tal motivo, se ofrece a los usuarios la posibilidad de rechazar esta posibilidad en los ajustes de la aplicación.

Al igual que Twitter y Facebook, la conocida aplicación de mensajería instantánea ha ido introduciéndose en los Tribunales en todo tipo de procesos. En el ámbito penal, los mensajes de WhatsApp se han utilizado para probar determinados delitos —como veremos en el Capítulo dedicado a la prueba electrónica en el proceso penal—, lo que ha planteado no pocos problemas en cuanto a determinar su validez y eficacia. No es nada infrecuente que se aporten los mensajes transcritos, por ejemplo, en causas de violencia de género cuando se pretenden demostrar unas amenazas, injurias o coacciones. En el ámbito civil, empiezan a verse en los Tribunales reclamaciones de cantidad que traen como fundamento —aunque sea de carácter secundario o accesorio— conversaciones de WhatsApp en las que se reconoce la deuda, se alude a negociaciones previas o

---

96   *Vid.* Sánchez, J. M., «WhatsApp compartirá el número de móvil y los datos personales de sus usuarios con Facebook», *ABC*, 25 de agosto de 2016, disponible en: http://www.abc.es/tecnologia/moviles/aplicaciones/abci-whatsapp-compartira-numero-movil-y-datos-personales-usuarios-facebook-201608251520_noticia.html.   [Consultado 6-9-2016].

incluso a un calendario de pagos, lo que, muchas veces, contrasta con la postura del demandado en el proceso. Incluso se ha dictado la primera sentencia que condena a un médico por intromisión en el honor de su antiguo socio por mantener en el estado de la cuenta durante varios meses la frase «No te fíes de Javier Gutiérrez» (nombre ficticio) [97]. La sentencia no sólo le ha condenado a abonar la cantidad de 2.000 euros por daño moral, sino que le ha impuesto la obligación de difundir su condena durante dos meses en el estado de la cuenta para que sea de público conocimiento. De esta manera, el Tribunal quería asegurarse la misma publicidad que la que había tenido la información injuriosa.

[97]   *Vid.* «Condenado por escribir "No te fíes de Gutiérrez" en su estado de WhatsApp», *El País*, 6 de abril de 2016, disponible en: http://politica.elpais.com/politica/2016/04/06/actualidad/ 1459925606_660639.html [Consultado 6-9-2016].

Capítulo II.

La pericial informática

1. INTRODUCCIÓN

Un informe pericial se puede definir como aquel medio de prueba a través del cual una persona emite una declaración de conocimiento sobre unos hechos, circunstancias o condiciones para lo que se requiere unos conocimientos científicos, artísticos, técnicos o prácticos.

Se trata, por tanto, de una prueba que pretende auxiliar al Juez a constatar una realidad no captable directamente por los sentidos.

En ocasiones, la prueba electrónica precisa además apoyarse en una pericial informática que auxilie a la prueba principal tanto para percibir el contenido con la máxima exactitud como para su correcta valoración. Así, por ejemplo, la intervención del perito es especialmente útil cuando se haya alegado la falta de autenticidad o integridad del soporte informático. De igual manera, podría ser necesaria para acceder al propio contenido del dispositivo cuando se encuentre encriptado.

Según la Asociación Nacional de Tasadores y Peritos Judiciales Informáticos [98], las periciales más demandadas en este sector abarcan tres aspectos:

---

98   Información extraída de la página web de la Asociación Nacional de Tasadores y Peritos Judiciales Informáticos: http://www.antpji.com/

— **Verificación de correos electrónicos.** En este caso, el perito examinará los mensajes de correo electrónico y emitirá un dictamen en el que razone acerca de la autenticidad o manipulación de sus diferentes elementos: el remitente, destinatario, asunto, contenido, geolocalización y análisis de los archivos adjuntos y metadatos.

— **Análisis del contenido del ordenador.** Se trata, sin duda, del dictamen pericial más solicitado. En este caso, el encargo suele consistir en la localización de la evidencia electrónica solicitada por el cliente en el ordenador investigado. El dictamen pericial concluirá, según los exámenes realizados en el dispositivo, si se han eliminado determinados archivos, de qué manera y momento; si se ha accedido a ciertos datos sensibles, quién fue, cuándo y de qué manera; casos de espionaje y contraespionaje corporativo, etc.

— **Manipulación de archivos audiovisuales.** En este caso, el perito examina los archivos digitales (audio, video o combinación de ellos) y determina si son auténticos o han sido manipulados.

— **Certificación de desarrollo de *software*.** En este caso, el dictamen consiste en el análisis del estado de desarrollo de un determinado aplicativo en relación con las condiciones pactadas entre el desarrollador y su cliente. El perito emitirá un informe en el que certificará si la aplicación ha sido desarrollada conforme a lo pactado acorde al plan establecido y de acuerdo con las condiciones fijadas en el contrato.

El objetivo de este capítulo es analizar los requisitos de la prueba pericial informática. Para ello, examinaremos la titulación necesaria para emitir dichos informes, las formas de aportación al proceso, la intervención del perito en el acto del juicio, así como las recomendaciones y buenas prácticas profesionales recomendadas en la obtención de las evidencias digitales. Dada la distinta naturaleza de los procesos, hemos creído conveniente distinguir entre la pericial informática en el proceso civil, laboral y penal. De esta manera, esta-

antpji2013/index.php/nuestros-servicios/periciales-informaticas [Consultado 3-8-2016].

remos en condiciones de ofrecer una visión general y comprensiva de este medio de prueba en los distintos órdenes jurisdiccionales.

2. TITULACIÓN DEL PERITO INFORMÁTICO

El perito informático es una persona poseedora de unos especiales conocimientos en lo que se ha dado en llamar «informática forense», también denominada *computer forensics* [99]. Esta rama de conocimiento supone la aplicación de técnicas científicas y analíticas especializadas que permiten identificar, preservar, analizar y presentar datos que sean válidos dentro de un proceso judicial. Estas técnicas incluyen, entre otros, la reconstrucción de datos, examen de datos residuales, así como explicar las características técnicas de un determinado dispositivo electrónico. Por tanto, el perito debe tener un amplio espectro de conocimiento que abarque no solo el *software* del sistema, sino también el *hardware*, redes, seguridad, *hacking*, recuperación de información, etc.

La «**informática forense**» surge, por tanto, como una disciplina auxiliar de la Administración de Justicia que coadyuva a enfrentarse a los desafíos y técnicas de los intrusos informáticos, así como se erige en garante de la verdad de la evidencia digital que se puede aportar a un proceso. Sus objetivos, por tanto, son la compensación de los daños causados por los criminales o intrusos; la persecución y procesamiento de los responsables; y la creación y aplicación de medidas para prevenir casos similares.

Dentro de la rama de conocimiento, podríamos distinguir tres disciplinas diferentes:

— **Computer forensics**. Esta disciplina procura descubrir e interpretar la información en los medios informáticos para establecer los hechos y formular las hipótesis relacionadas con el caso.

---

[99] Sobre esta cuestión, *vid* BEVILACQUA, M., «¿Qué es el *computer forensics*?», en *Newsletter Cybex*, septiembre 2008, núm. 41, pp. 21-24.

— **Network forensics.** En este caso, el profesional pretende, gracias a la comprensión de las operaciones de redes de computadores, establecer los rastros, movimientos y acciones que un intruso ha desarrollado para concluir su acción.

— **Digital forensics.** Esta disciplina aplica los conceptos, estrategias y procedimientos de la moderna Criminalística a los medios informáticos, bien para luchar contra el cibercrimen, bien para procurar el esclarecimiento de hechos (las preguntas de quién, cómo, dónde, cuándo, por qué y de qué forma) o de eventos que podrían catalogarse como incidentes, fraudes o usos indebidos.

Los peritos tienen que ser personas especialistas de la rama de conocimiento sobre la cual van a emitir el dictamen pericial.

En el **proceso civil**, se exige que los peritos se encuentren en posesión del «título oficial que corresponda a la materia objeto del dictamen y a la naturaleza de éste» (artículo 340.1 LEC). Si se trata de «materias que no están comprendidas en títulos profesionales oficiales», se nombrará perito a «personas entendidas en aquellas materias» (artículo 340.1 LEC). De igual manera, se prevé que el dictamen se puede emitir por «Academias e Instituciones culturales y científicas que se ocupen del estudio de las materias correspondientes al objeto de la pericia», así como las «personas jurídicas legalmente habilitadas para ello» (artículo 340.2 LEC). Estas previsiones son igualmente aplicables al proceso laboral (artículo 87 LRJS).

En el caso del **proceso penal**, se exige que los peritos tengan conocimientos científicos o artísticos necesarios para conocer o apreciar algunas circunstancias durante la instrucción de la causa (artículo 456 LECR). No es necesario que ostenten una concreta titulación académica pues, a tal efecto, pueden ser: 1) titulares, cuando tengan un título oficial de una ciencia o arte cuyo ejercicio esté reglamentado por la Administración; y 2) no titulares, cuando carezcan de título oficial, pero tienen conocimiento o práctica en alguna ciencia o arte (artículo 457 LECR).

El problema que se plantea en el caso de la **pericial informática** es que no existe una normativa de carácter nacional o internacional que determine la titulación o conocimiento necesarios para elaborar un dictamen de esta naturaleza. En efecto, no existe todavía en España un Grado en Informática Forense [100]. La formación en esta especialidad se realiza a través de distintos cursos impartidos por instituciones privadas donde se forma a los alumnos en las habilidades propias de esta materia. Estos cursos versan sobre la pericial judicial informática, derecho informático o peritaje telemático forense.

En esta tesitura, surge la duda de qué titulación o conocimientos serían los adecuados para emitir un dictamen pericial informático. En este sentido, IZQUIERDO BLANCO [101] considera que lo más adecuado sería que el perito estuviera en posesión de una Licenciatura (ahora Grado) en Informática, de Ingeniería (en todas sus acepciones, telecomunicaciones, de sonido, imagen, etc.) o en Matemáticas, al tratarse de las disciplinas que guardan mayor conexión con la materia.

Sin embargo, tanto en el proceso civil como en el penal, se permite la intervención como peritos de personas que, sin ostentar una titulación oficial o académica, poseen conocimientos específicos en materia de informática forense adquiridos gracias a su experiencia personal o trayectoria profesional. En este caso, surgen interrogantes acerca de cómo determinar la experiencia mínima exigible a esa persona que carece de base académica que asiente sus conocimientos. En cualquier caso, consideramos que lo fundamental es que, al margen de la más o menos extensa trayectoria profesional del perito, lo fundamental es que éste se ajuste a los protocolos, que analizaremos en el siguiente apartado, para la extracción, conservación y presentación de la prueba al Tribunal, lo que, junto con sus explica-

▪

---

[100] No obstante, algunos estudios —como, por ejemplo, el Grado en Criminología de la Universidad Pablo de Olavide de Sevilla o el Máster Universitario en Ciencias Oficiales de la Universidad de Alcalá— ofrecen asignaturas sobre la materia como «Informática forense» y «Electrónica e Informática Forense».

[101] *Vid.* IZQUIERDO BLANCO, P., «Pericial informática. De acordarse una pericial informática, ¿qué titulación debe reunir el perito encargado de practicar la pericia, una licenciatura en informática, en ingeniería o en matemáticas», en ABEL LLUCH, X. y PICÓ I JUNOY, J. (directores), *La prueba electrónica*, Colección de Formación Continua Facultad de Derecho ESADE, J. M. Bosch editor, 2011, pp. 403-409.

ciones, permitirá concluir acerca de la razonabilidad de sus conclusiones.

Finalmente, debemos destacar que, en el proceso penal, normalmente este tipo de pericias se realizan por las Brigadas Especializadas de las Fuerzas y Cuerpos de Seguridad del Estado. En efecto, serán los agentes de determinadas unidades

> Tanto en el proceso civil como en el penal, se permite la intervención como peritos de personas que, sin ostentar una titulación oficial o académica, poseen conocimientos específicos en materia de informática forense

especializadas los que incautarán los dispositivos electrónicos que deban examinarse y efectuarán, previa autorización judicial, el examen de los mismos en busca de evidencias del delito punible que sea objeto de investigación. En este sentido, las pericias podrán tener un objeto muy amplio y comprender, entre otros, el análisis de los intercambios de archivos, de *malware* instalado, del rastro dejado en la red para la comisión del delito, así como determinar el grado de conocimientos del presunto responsable para descartar otros posibles usuarios, técnicas de formateo o de cifrado de la información.

En el caso de la Policía Nacional, este tipo de investigaciones están centralizadas en la Unidad de Investigación Tecnológica (UIT) [102] dependiente de la Comisaría General de Policía Judicial. Dicha Unidad se subdivide en la Brigada Central de Investigación Tecnológica, a la que le corresponde la investigación de las actividades delictivas relacionadas con la protección de los menores, la intimidad, la propiedad intelectual e industrial y los fraudes en las telecomunicaciones; y la Brigada Central de Seguridad Informática, dependientes ambas de la Comisaría General de Policía Judicial, a

---

[102] Información disponible en la web del Cuerpo Nacional de Policía: http://www.policia.es/org_central/judicial/estructura/funciones.html [Consultado 3-8-2016].

la que corresponde la investigación de las actividades delictivas que afecten a la seguridad lógica y a los fraudes.

Y, en el caso de la Guardia Civil, las actuaciones de investigación y emisión de dictámenes periciales relacionados con la investigación de delitos cometidos a través de las modernas tecnologías de comunicación se llevan a cabo por el Grupo de Delitos Telemáticos de la Unidad Central Operativa y en los Equipos de Investigación Tecnológica existentes en cada una de las provincias de España [103].

3. RECOMENDACIONES PROFESIONALES DE TECNOLOGÍA FORENSE PARA LA PRESERVACIÓN, ANÁLISIS Y EXHIBICIÓN DE PRUEBAS ELECTRÓNICAS EN UN PROCESO JUDICIAL

La **pericial informática** viene precedida —como señala PASAMAR [104]— de una investigación que consta, básicamente, de las siguientes fases:

— **Análisis preliminar para la identificación de la prueba informática** que se desea obtener, siendo aconsejable la implicación del perito desde el primer momento de selección de la información a identificar.

— **Adquisición de los datos informáticos**, proceso en el que es fundamental la conservación de las copias y la constatación de las técnicas empleadas para garantizar la integridad de la información. En esta fase, se recomienda que la prueba se obtenga a presencia de testigos o de un fedatario público (Notario o Letrado de la Administración de Justicia) y se deposite en

---

[103] Información disponible en la página web de la Guardia Civil: https://www.gdt.guardiacivil.es/webgdt/home_alerta.php [Consultado 3-8-2016].

[104] *Vid.* PASAMAR, A., «Empresa y prueba informática», en ABEL LLUCH, X. (dir.), *Empresa y prueba informática*, Colección de Formación Continua de la Facultad de Derecho ESADE-URL, J. M. Bosch editor, Barcelona, 2006, pp. 31-38.

soporte adecuado. Si se trata de una evidencia digital que se va a utilizar en un proceso civil, el depósito se podrá efectuar en una Notaría mediante la oportuna acta de manifestaciones del perito en la que detalle el proceso de obtención de la información. En el caso de tratarse de una evidencia digital que se va utilizar en el proceso penal, se custodiará por el Letrado de la Administración de Justicia como pieza de convicción, sin perjuicio de que el Juez dicte las oportunas resoluciones para que los técnicos especialistas de las fuerzas de seguridad accedan a su contenido para emitir el dictamen pericial.

— **Análisis forense de la información digital**, a cuyo efecto es conveniente que el perito, además de disponer de elevada formación y experiencia técnica, atesore un mínimo conocimiento de la normativa legal aplicable.

En cuanto a la forma de analizar las evidencias digitales, durante muchos años se utilizaron las recomendaciones establecidas en la **RFC** *(Request For Commentts)* n.º 3227 escritas en 2002 por los ingenieros de *Netword Working Group* Dominique Brezinski y Tom Killalea. Se trata de un guía que establece las directrices para recolectar y archivar los datos relacionados con evidencias digitales. Entre otros extremos, el documento establece unas directrices básicas, entre ellas, visualizar y analizar el escenario en su conjunto; considerar y determinar los tiempos para la generación de la línea temporal; minimizar cambios que alteren el escenario al recopilar las evidencias; determinar el orden de recogida de los datos según su volatilidad. De igual manera, el documento prevé distintos métodos de recogida de datos dependiendo del sistema operativo, así como la necesidad de que la copia de la información se realice a nivel binario.

Sin embargo, en la actualidad los dictámenes periciales se ajustan a la **Norma ISO/IEC 27037:2012 Guía para la identificación, recolección, adquisición y preservación de evidencia digital**[105], proce-

---

105 Puede consultarse el texto íntegro en inglés de la Norma ISO/IEC 27037:2012 en el siguiente enlace: http://www.iso.org/iso/catalogue_detail?csnumber=44381 [Consultado 8-8-2016].

dente del tronco de Seguridad Informática ISO 27000. Esta norma de referencia internacional está encaminada a la obtención de información y evidencias de los *bits* que se encuentran en los dispositivos físicos de almacenamiento o virtuales en las redes que intervienen en la interacción de las personas con los sistemas.

El ámbito de aplicación se extiende a todo tipo de evidencias digitales que puedan encontrarse en los siguientes soportes informáticos:

— Medios de almacenamiento digitales utilizados en ordenadores tales como discos duros, discos flexibles, discos ópticos y magneto ópticos, dispositivos de datos con funciones similares.

— Teléfonos móviles, asistentes digitales personales (PDA), dispositivos electrónicos personales (PED), tarjetas de memoria.

— Sistemas de navegación móvil.

— Cámaras digitales y de video (incluyendo CCTV).

— Ordenadores de uso generalizado conectados a redes.

— Redes basadas en protocolos TCP / IP y otros.

— Dispositivos con funciones similares a las anteriores.

La norma ISO incorpora un glosario de términos, definiciones y abreviaturas. Entre ellas, tenemos que destacar los términos que son relevantes por cuanto definen los roles de los profesionales involucrados en el análisis forense. En primer lugar, el DEFR *(Digital Evidence First Responder)*, que es el individuo autorizado, entrenado y calificado para actuar en el primer momento en la escena del hecho y que posee la experticia para manipular, recolectar y adquirir la evidencia digital. Y, en segundo lugar, el DES *(Digital Evidence Specialist)*, que es el individuo que posee el conocimiento especializado y la experticia para resolver situaciones técnicas vinculadas con el manejo de la evidencia digital y efectuar el análisis forense requerido. De esta manera, el DEFR será el perito que acude al lugar del hecho, mientras que el DES efectuará el análisis forense *strictu sensu* y emitirá el dictamen pericial. Tanto uno como otro deben regir su actuación por determinados principios, entre ellos, minimizar el manejo de la evidencia digital, documentar cualquier acción que implique un cambio irreversible, respetar la normativa aplicable y no extralimitarse en sus funciones.

En cuanto a los principios básicos en los que se basa la norma ISO 27037:2012 son los siguientes:

— **Aplicación de métodos.** La evidencia digital debe ser adquirida del modo menos intrusivo posible, tratando de preservar la originalidad de la prueba y en la medida de lo posible obteniendo copias de respaldo.

— **Proceso auditable.** Los procedimientos seguidos y la documentación generada deben haber sido validados y contrastados por las buenas prácticas profesionales. Se deben proporcionar trazas y evidencias de lo realizado y sus resultados.

— **Proceso reproducible.** Los métodos y procedimientos aplicados deben de ser reproducibles, verificables y argumentables al nivel de comprensión de los entendidos en la materia, quienes puedan dar validez y respaldo a las actuaciones realizadas.

— **Proceso defendible.** Las herramientas utilizadas deben de ser mencionadas y éstas deben de haber sido validadas y contrastadas en su uso para el fin en el cual se utilizan en la actuación. Para cada tipología de dispositivo la norma divide la actuación o su tratamiento en tres procesos diferenciados como modelo genérico de tratamiento de las evidencias.

— **Identificación.** Es el proceso de la identificación de la evidencia y consiste en localizar e identificar las potenciales informaciones o elementos de prueba en sus dos posibles estados, el físico y el lógico, según sea el caso de cada evidencia.

— **Recolección y/o adquisición.** Este proceso se define como la recolección de los dispositivos y la documentación (incautación y secuestro de los mismos) que puedan contener la evidencia que se desea recopilar o bien la adquisición y copia de la información existente en los dispositivos.

— **Conservación/preservación.** La evidencia ha de ser preservada para garantizar su utilidad, es decir, su originalidad para que *a posteriori* pueda ser ésta admisible como elemento de prueba original e íntegro, por lo tanto, las acciones de este proceso están claramente dirigidas a conservar la cadena de custodia, la integridad y la originalidad de la prueba.

Partiendo de la citada norma, así como las consultas efectuadas a la firma «Gpartners», especializada en el tratamiento de evidencias digitales y la elaboración de dictámenes periciales tecnológicos, podemos resumir las **recomendaciones para la preservación, análisis y exhibición de pruebas electrónicas en el proceso judicial.**

— Preservación de las evidencias digitales

Los procedimientos técnicos de preservación de evidencias digitales pueden ser muy amplios y variados dependiendo del tipo de soporte electrónico que alberga la información, el acceso que se disponga al mismo, la cantidad de la información digital a preservar y el estado de la misma.

Sin embargo, en tecnología forense hay unos principios básicos que son aplicables a todo proceso de adquisición de evidencias. A continuación vamos a presentar los principios básicos y la metodología de trabajo propuesta en las guías de las mejores prácticas profesionales para preservar una evidencia digital.

El primer paso para preservar las evidencias digitales es realizar una copia exacta de la información digital contenida en el soporte electrónico original.

Esta copia se denomina imagen forense y tiene unas características singulares que la hacen idónea para los efectos legales de preservar la prueba. En primer lugar, se trata de una copia exacta (copia *bit a bit*) de toda la información digital contenida en un soporte electrónico. De esta forma, obteniendo una imagen forense, podemos garantizar que tenemos una copia con el 100% de la información original. Y, en segundo lugar, una vez finalizado el proceso de copia, la imagen forense es firmada digitalmente mediante una función *HASH* que permite identificar unívocamente el contenido de la imagen forense y compararlo con el original. Si la firma *hash* de la imagen forense y el original son iguales, se puede garantizar matemáticamente que ambas son idénticas.

La imagen forense obtenida tiene un formato específico, al que solo se puede acceder utilizando herramientas de análisis forense, pero si se desea garantizar la confidencialidad de la información contenida en las imágenes forenses, es posible encriptar éstas en el mismo proceso de obtención, de forma que el acceso a las mismas quede restringido.

La firma digital o *HASH* obtenida es un código alfanumérico que identifica unívocamente la información contenida, de forma que si un solo *bit* es modificado del original, su firma digital cambia igualmente.

La función *hash* está basada en una teoría matemática que propone que para identificar un conjunto de información es suficiente la obtención de un resumen matemático de la misma. Así es posible identificar un gran conjunto de información a través de otro subconjunto menor que conlleve la misma función matemática. Dicha relación matemática o algoritmo es siempre la misma, de modo que cualquier alteración del conjunto afecta al subconjunto y viceversa, pero sin que el proceso sea reversible, esto es, se puede reconstruir el subconjunto a través del conjunto pero no al revés. Esta técnica es la que está en la base de los sistemas de firma electrónica.

Durante el procedimiento de obtención de la imagen forense se deben tener en cuenta los siguientes aspectos:

— En primer lugar, se debe garantizar que la evidencia original no pueda ser alterada. El procedimiento de copia se debe realizar mediante herramientas especializadas de tecnología forense que incluyen el uso de sistemas *(Write Blockers)* que bloquean el proceso de escritura en el soporte electrónico original durante el proceso de copia. De esta forma garantizaremos que la información original no pueda ser alterada.

— En segundo lugar, resulta recomendable la presencia de testigos. La adquisición de evidencias debe realizarse siempre por personal especializado y en presencia de testigos. La función de los testigos es dar transparencia a todo el proceso, pero sobre todo, atestiguar la autenticidad de la evidencia original que va a ser replicada y el momento en que se lleva a cabo la adquisición de evidencias. Los testigos pueden ser más o menos cualificados atendiendo a la relevancia de la evidencia y el proceso. También se puede solicitar la presencia de un Notario. En el caso de evidencias obtenidas en el proceso penal, se presenciará el acto de copia digital por el Letrado de la Administración de Justicia.

— En tercer lugar, se obtiene la imagen forense por duplicado y se verifican las copias. Con el fin de preservar la evidencia y garantizar la disponibilidad de la información, la imagen forense de la evidencia original se realiza siempre por duplicado. Una de las imágenes será puesta a disposición judicial o entregada al Notario para su custodia durante el resto de proceso y la otra será llevada al laboratorio forense para su análisis, donde podrá volver a ser duplicada tantas veces como sea necesario.

Cada copia realizada de la evidencia digital es etiquetada y verificada por los técnicos para comprobar que su firma digital (hash) coincide con el original (la réplica es idéntica a la original) y que la copia no tiene errores y la imagen forense obtenida es completamente operativa y funcional.

Este proceso garantiza la máxima transparencia posible en la recolección de evidencias digitales y permite la verificación de los análisis realizados por terceras partes independientes. En efecto, en cualquier momento es posible verificar la integridad de la evidencia mediante la comprobación de la firma digital de la misma.

— En cuarto lugar, es fundamental documentar al máximo todos los procesos realizados sobre la evidencia. La documentación de los procedimientos aporta transparencia para todas las partes y facilita la verificación de los resultados por una tercera parte independiente. En este sentido, el acta de obtención de evidencias, donde se recogen los detalles técnicos de la adquisición de evidencias y la firma de los testigos del proceso, es uno de los documentos fundamentales.

— En quinto lugar, debe garantizarse la cadena de custodia tanto de los originales, si éstos han sido puestos a disposición judicial, como de las imágenes forenses realizadas, que es un documento fundamental que debe acompañar a todo el proceso de obtención, análisis y custodia de las evidencias digitales.

Garantizar la cadena de custodia resulta fundamental a la hora de incorporar las pruebas a un proceso judicial. Sin embargo, debemos reseñar que si la recolección de evidencias se ha realizado de forma adecuada, tal y como hemos señalado anteriormente, la integridad de las evidencias digitales (garantía de que éstas no han sido manipuladas) puede verificarse matemáticamente y en cualquier momento mediante la firma digital o código *hash*. Por ello, independientemente de la rigurosidad en la custodia realizada sobre las imágenes forenses, la integridad de las evidencias digitales estará determinada, en primer lugar, por su firma digital y solo en segundo lugar por la cadena de custodia cuando no se disponga del código *hash*.

— Análisis de las evidencias digitales

El análisis de las evidencias digitales y los procedimientos de trabajo que se utilizan también tiene relevancia desde el punto de vista jurídico, ya que los equipos informáticos, como los ordenadores personales o los teléfonos móviles son susceptibles de contener información privada o de carácter personal o profesional susceptible de protección legal. Por ese motivo, todos los procedimientos de trabajo que se desarrollen para el análisis forense de la información contenida en las evidencias deben estar diseñados para evitar el acceso a información que no sea relevante para el caso y, de ese modo, salvaguardar en todo momento los derechos fundamentales: la dignidad e intimidad de las personas, el secreto de las comunicaciones, etc.

Así, las mejores prácticas profesionales en el análisis forense recogen el uso de las técnicas para identificar, de forma selectiva, la información que pueda ser de interés para el caso y minimizar o evitar el acceso a otra información que no resulte relevante al objetivo del análisis solicitado.

Para lograr este objetivo, los peritos informáticos utilizan el método de búsqueda selectiva. De acuerdo con este método, los técnicos forenses no realizan un análisis manual de todos los ficheros contenidos en una evidencia digital, sino que se utilizan procedimientos de análisis de la información basados en localizaciones concretas que utilizan el método de búsqueda «ciega».

Esta metodología se basa en la selección de una serie de criterios o palabras «clave» a partir de las cuales, y mediante complejas técnicas de indexación y contextualización de la información, se identifican y extraen de las imágenes forenses únicamente aquellos ficheros que contengan alguna de las palabras «clave» en cuestión. Este proceso se lleva a cabo mediante herramientas automatizadas, de forma que se minimice el análisis manual de la documentación.

De esta manera, es posible identificar y seleccionar aquella parte de la información que pueda ser relevante para el caso y hace innecesario el análisis del resto de documentación que pudiera contener información de carácter privado o personal.

— Resultados del análisis informático forense

El análisis de las evidencias digitales se basa en analizar las pruebas electrónicas y presentar la información contenida en ellas de una manera objetiva y clara, sin que pueda dar lugar a la interpretación. La labor de valoración de dichas evidencias corresponde a las partes (según su posición procesal) y, en última instancia, al Juez.

Si el análisis forense se ha realizado de forma adecuada según las directrices establecidas anteriormente y, además, se han documentado todos los procedimientos, los resultados deben ser verificables y repetibles. Es decir, un investigador diferente, a partir de otra réplica de la misma evidencia preservada digitalmente, debe ser capaz de repetir el análisis realizado y obtener unos resultados idénticos.

— Presentación del informe pericial

Finalmente, los resultados del trabajo realizado por los especialistas en tecnología forense deben ser incorporados al informe pericial o dictamen.

El informe pericial de tecnología forense debe incluir los siguientes apartados:

— Una presentación del perito con el detalle de su nombre, apellidos, DNI u otro tipo de identificación o número de colegiado, en su caso, domicilio, y todos los datos posibles acerca de su formación y capacidad para realizar el trabajo.

— Una descripción detallada de los objetivos y alcance del trabajo a realizar.

— Una descripción detallada de los procedimientos realizados en el análisis forense y los resultados obtenidos.

— Unas conclusiones claras, concisas y precisas del resultado del trabajo con indicación de la página y apartado concreto del informe donde se puede ampliar o corroborar la información.

— La firma del perito suscribiendo el dictamen realizado.

Debe destacarse la importancia de las conclusiones del informe pericial pues, en muchas ocasiones, al Juez le bastará su lectura para hacer una valoración del mismo. Por tal motivo, las conclusiones deben ser objetivas, claras e imparciales, sin realizar juicios de valor fuera del ámbito de especialización del perito y del alcance del trabajo, así como responder de forma precisa al objeto del encargo del informe pericial.

No debemos olvidar la finalidad de todo informe pericial: proporcionar al Juez y a las partes, de una forma clara y sencilla, la información necesaria para poder resolver una cuestión, habitualmente de alta complejidad técnica, y que va a ser decisiva en la resolución de la controversia objeto del procedimiento. Por ello resulta fundamental que la redacción de los procedimientos de trabajo y las conclusiones del mismo sean expuestas de una forma breve, clara y concisa.

4. LA PERICIAL INFORMÁTICA EN EL PROCESO CIVIL

La prueba pericial se encuentra regulada de forma detallada en los artículos 335 a 352 de la Ley de Enjuiciamiento Civil.

Este medio de prueba —como hemos señalado anteriormente— auxilia al Juez cuando para resolver una determinada controversia se requieren unos especiales conocimientos científicos, artísticos, técnicos o prácticos (artículo 335 LEC). La mayoría de las periciales que se aportan en los procesos civiles versan sobre estas materias.

Sin embargo, la LEC prevé específicamente la posibilidad de aportar dictámenes periciales «cuando sea necesario o conveniente para conocer el contenido o sentido de una prueba o para proceder a su más acertada valoración» (artículo 352 LEC), lo que, en muchas ocasiones, se dará en la pericial informática que pretende aportar al proceso información relevante sobre pruebas electrónicas que las partes hayan aportado con anterioridad. Piénsese, por ejemplo, en una conversación de WhatsApp en la que se reconoce una deuda y se aporta un dictamen pericial para acreditar la identidad de los interlocutores y la integridad de la conservación.

El objetivo de este apartado es analizar los aspectos fundamentales de la regulación de la prueba pericial en el proceso civil que resultan igualmente aplicables a las periciales informáticas. En efecto, una vez examinados los procedimientos técnicos empleados para el análisis de las evidencias digitales, se impone la necesidad de analizar la normativa vigente sobre esta prueba.

4.1. Clases de peritos

La LEC establece dos formas de acceder el dictamen pericial al proceso. La primera de ellas —la más habitual en la práctica forense— es el dictamen de peritos designados por las partes. En este caso, la designación del perito informático es una actividad privada que se realiza de forma extraprocesal como cualquier encargo de servicios profesionales. En este caso, una vez realizada la pericia informática, la parte la acompañará a sus respectivos escritos iniciales (artículo 265.4 LEC).

La segunda clase de peritos son los designados por el Tribunal —llamados habitualmente peritos judiciales— en determinados supuestos, que son los siguientes:

— Cuando alguna de las partes sea titular del derecho a la asistencia jurídica gratuita (artículo 339.1 LEC). En este caso, la parte actora o el demandado deberán anunciar la solicitud de designación de perito judicial en sus escritos de demanda o contestación. El artículo 6.6 de la Ley de Asistencia Jurídica Gratuita establece el contenido de este derecho y contempla expresamente la «*asistencia pericial gratuita en el proceso a cargo del personal técnico adscrito a los órganos jurisdiccionales, o, en su defecto, a cargo de funcionarios, organismos o servicios técnicos dependientes de las Administraciones públicas».* Dicho precepto, a su vez, dispone que: *«Excepcionalmente y cuando por inexistencia de técnicos en la materia de que se trate, no fuere posible la asistencia pericial de peritos dependientes de los órganos jurisdiccionales o de las Administraciones públicas, ésta se llevará a cabo, si el Juez o el Tribunal lo estima pertinente, en resolución motivada, a cargo de peritos designados de acuerdo a lo que se establece en las leyes procesales, entre los técnicos privados que correspondan».*

— Cuando el actor o el demandado lo soliciten en sus escritos iniciales cuando lo consideren conveniente o necesario para sus intereses. En este caso, no se exige que las partes sean titulares del derecho a la asistencia jurídica gratuita. En tal caso, el Tribunal procederá a su designación y el coste del dictamen tendrá que ser sufragado por la parte que lo haya solicitado, sin perjuicio de lo que se acuerde en materia de costas (artículo 339.2 LEC).

— Cuando las partes soliciten la designación judicial de perito a consecuencia de las alegaciones o pretensiones complementarias permitidas en la audiencia previa (artículos 339.3 y 427.4 LEC).

— Cuando el proceso verse sobre materias no disponibles por las partes (filiación, paternidad, maternidad, capacidad de las personas o procesos matrimoniales). En este caso, el Tribunal puede designar perito de oficio dado el interés público existente en tales procesos, que está más allá del poder dispositivo de las partes sobre el objeto del proceso (artículos 339.5 y 752.1 LEC).

4.2. Aportación de dictámenes periciales por las partes

Los dictámenes periciales deben aportarse, como regla general, con el escrito de demanda y de contestación (artículo 265.4 LEC). Antes de la modificación de la Ley 42/2015, de 5 de octubre, el demandado debía aportar los dictámenes periciales en el acto de la vista. Sin embargo, la citada reforma ha modificado la tramitación de los juicios verbales introduciendo la contestación por escrito a la demanda (artículo 438.1 LEC). En consecuencia, tanto en el juicio ordinario como en el verbal, los dictámenes periciales deben aportarse con los escritos iniciales.

Por tal motivo, la parte deberá contratar los servicios profesionales del perito informático con tiempo suficiente para que éste realice su dictamen y se pueda presentar la demanda sin que se produzca ningún perjuicio para la parte actora (por ejemplo, prescripción o caducidad de acciones).

Esta regla general de aportación de los informes periciales junto con los escritos iniciales tiene algunas excepciones, que son las siguientes:

— Cuando la parte actora o el demandado expresen en sus respectivos escritos iniciales que no han podido obtener el dictamen antes de interponer la demanda o contestarla (artículo 337.1 LEC). En este caso, las partes deberán anunciar esta imposibilidad y los motivos que la fundamentan.

Esta posibilidad se encuentra mucho más limitada para el actor, pues la LEC presume que «*le es posible aportar con la demanda dictámenes escritos elaborados por perito por él designado*». En este caso, la parte actora deberá justificar cumplidamente «*que la defensa de su derecho no ha permitido demorar la interposición de aquélla hasta la obtención del dictamen*» (artículo 336.3 LEC).

En cambio, se trata de una situación que se produce en alguna ocasión en el demandado pues, al disponer solo de 20 días para contestar a la demanda (artículo 404.1 LEC), puede ser que el perito no haya finalizado el dictamen en dicho plazo, máxime si se trata de una pericial compleja en la que deben analizarse datos informáticos contenidos en varios dispositivos o los correos electrónicos remitidos por una persona a lo largo de varios meses. En estos casos, el demandado deberá «*justificar la imposibilidad de pedirlos y obtenerlos dentro del plazo para contestar*» (artículo 336.4 LEC).

En estos casos, la LEC permite aportar los dictámenes periciales con posterioridad en cuanto dispongan de ellos y, en todo caso, cinco días antes de iniciarse la audiencia previa en un juicio ordinario o de la vista en el juicio verbal. De esta manera, se evita causar indefensión a la parte contraria, que podría verse sorprendida con un dictamen pericial que no ha tenido tiempo de estudiar para, en su caso, tachar al perito, contradecir su contenido, etc.

— Cuando la aportación de dictámenes periciales venga motivada por las alegaciones efectuadas en la contestación a la demanda o por lo alegado y pretendido en la audiencia previa (artículo 338 LEC).

En este caso, las partes deberán aportar los dictámenes, para su traslado a las contrarias, con al menos cinco días de antelación a la celebración del juicio o de la vista (artículo 338.2 LEC).

Esta posibilidad se daría, por ejemplo, en el caso de que el demandado impugne la autenticidad y contenido de varios e-mails aportados por la actora que fundamentan su demanda. Si el demandado impugna tales documentos electrónicos en la contestación a la demanda, el actor podrá presentar una pericial informática que acredite la autenticidad e integridad de los e-mails en el acto de la audiencia previa (artículo 265.3 LEC). Si, por el contrario, la impugnación se efectúa por el demandado en el acto de la audiencia previa (artículo 427.1 LEC), la parte actora podrá presentar la pericial informática con, al menos, cinco días de antelación a la celebración del juicio (artículo 427.3 en relación con el artículo 338.2 LEC). Pasados dichos plazos, no se podrá aportar el informe pericial (artículo 271.1 LEC), sin perjuicio de lo establecido para las diligencias finales en el juicio ordinario cuando se refieran a hechos nuevos o de nueva noticia (artículo 435.1.3.° en relación con el artículo 286 LEC).

4.3. Designación judicial del perito

En los supuestos comentados anteriormente, el Tribunal procederá a la designación de perito. Solo se nombra un perito por cada cuestión o conjunto de cuestiones que hayan de ser objeto de pericia y que no requieran, por la diversidad de la materia, el parecer de expertos distintos (artículo 339.6 LEC).

La designación recaerá en las listas de peritos informáticos que hayan comunicado los distintos Colegios profesionales o, en su defecto, entidades análogas, así como las Academias e Instituciones culturales y científicas. La lista de profesionales se remite al Decanato de los Juzgados correspondientes a efectos de que éstos dispongan de una copia de la misma para efectuar los sucesivos llamamientos (artículo 341.1 LEC). Cuando deba designarse perito a una persona sin título oficial, práctica o entendida en la materia, el Tribunal utilizará una lista de personas que cada año se solicitará de sindicatos, asociaciones y entidades apropiadas (artículo 341.2 LEC).

Las partes, sin embargo, pueden solicitar de común acuerdo al Tribunal que la pericial informática se realice por un perito en concreto (artículo 339.4 LEC).

El procedimiento para el llamamiento del perito judicial es el siguiente:

— La designación judicial de perito se realizará en el plazo de 5 días desde la presentación de la contestación a la demanda, con independencia de quien haya solicitado dicha designación.

— El Letrado de la Administración de Justicia comunica la designación en el mismo día o siguiente día hábil al perito titular, requiriéndole para que en el plazo de 2 días acepte el cargo.

— Si el perito no acepta el nombramiento aduciendo justa causa a juicio del Letrado de la Administración de Justicia, se procederá a designar al siguiente perito de la lista y así sucesivamente.

Uno de los motivos que podrían justificar esta renuncia en el caso de periciales informáticas es que el perito designado no sea experto en la materia objeto de dictamen. En efecto, no es lo mismo realizar un peritaje sobre recuperación de información confidencial borrada de un ordenador que verificar mensajes enviados a través de servicios de mensajería instantánea. En estos casos, el perito debería declinar el encargo y manifestar en su comparecencia en el Juzgado que resulta recomendable la designación de un perito experto en esa específica rama de conocimiento.

— Si el perito acepta el nombramiento, lo hará saber al Tribunal, prestará el juramento o promesa de decir verdad, que va a actuar con la mayor objetividad posible, tomando en consideración tanto lo que puede favorecer como lo que sea susceptible de causar perjuicio a cualquiera de las partes. Igualmente, debe manifestar que conoce las sanciones penales derivadas del incumplimiento de esta obligación.

Tras aceptar el cargo, el perito, en el plazo de los 3 días siguientes, puede solicitar provisión de fondos que considere adecuada, que será a cuenta de la liquidación final.

— El Letrado de la Administración de Justicia dictará Decreto aprobando, en su caso, la provisión de fondos y ordenará a la parte que haya solicitado la designación de perito que ingrese en la Cuenta de Depósitos y Consignaciones la provisión de fondos en el plazo de 5 días.

Si la parte no ingresa dicha cantidad, el perito quedará eximido de la obligación de emitir el dictamen, sin que pueda procederse a una nueva designación.

Si el perito se ha designado de común acuerdo por las partes y uno de ellos no ingresa la parte de la consignación que le corresponda, el Letrado de la Administración de Justicia ofrecerá al otro litigante la posibilidad de completar la cantidad que faltare o recuperar la cantidad depositada, en cuyo caso el perito quedará eximido de la obligación de emitir el dictamen.

4.4. Juramento/promesa del perito

Todos los peritos, ya sean judiciales o de parte, deben prestar juramento o promesa de que van a actuar con la mayor objetividad posible, tomando en consideración tanto lo que puede favorecer como lo que sea susceptible de causar perjuicio a cualquiera de las partes (artículo 335.2 LEC).

Se trata de una fórmula ritual que debe figurar en el encabezamiento del dictamen para que podemos considerar que el documento aportado por la parte o bien el elaborado por el perito judicial sea *strictu sensu* un dictamen pericial.

El incumplimiento de esta obligación puede dar lugar al nacimiento de responsabilidad penal. A tal efecto, el Código Penal castiga dos tipos de conductas:

— El perito que faltare a la verdad maliciosamente en su dictamen (artículo 459 CP).

— El perito que, sin faltar sustancialmente a la verdad, la altere con reticencias, inexactitudes o silenciando hechos o datos relevantes que le sean conocidos (artículo 460 CP).

4.5. Imparcialidad del perito

La LEC trata de asegurar la imparcialidad de los peritos a fin de que éstos no tengan ningún tipo de relación con las partes y se muestren objetivos a la hora de emitir sus conclusiones.

En el caso de los peritos de parte, la imparcialidad se asegura mediante el sistema de tachas; y, en caso de los peritos judiciales, por medio de la abstención o recusación.

— Tachas de peritos de parte

La parte contraria a aquélla que ha aportado el informe pericial puede poner en entredicho la imparcialidad del perito formulando una tacha.

Las circunstancias en las que puede basarse están tasadas por la ley y son las siguientes:

1) Ser cónyuge o pariente por consanguinidad o afinidad, dentro del cuarto grado civil, de una de las partes o de sus Abogado o Procuradores;

2) Tener interés directo o indirecto en el asunto o en otro semejante;

3) Estar o haber estado en situación de dependencia o de comunidad o contraposición de intereses con alguna de las partes o con sus Abogado o Procuradores;

4) Amistad íntima o enemistad con cualquiera de las partes o sus Procuradores o Abogados;

5) Cualquier otra circunstancia, debidamente acreditada, que les haga desmerecer en el concepto profesional (artículo 343.1 LEC).

Una vez formulada la tacha, cualquier parte interesada puede dirigirse al Tribunal para negar o contradecir la misma, aportando los documentos que considere pertinentes. Si la tacha menoscaba la consideración profesional o personal del perito, éste puede solicitar del Tribunal que, al término del proceso, declare, mediante providencia, que la tacha carece de fundamento (artículo 344.1 LEC).

El Tribunal tendrá en cuenta la tacha a la hora de valorar la prueba pericial.

Si considera que la tacha carece de fundamento, el Tribunal así lo declarará por medio de Providencia.

Si considera que existe temeridad o deslealtad procesal en la tacha, el Tribunal puede imponer a la parte responsable, previa audiencia, una multa de 60 a 600 euros (artículo 344.2 LEC).

— **Abstención y recusación de los peritos judiciales**

Los peritos designados por el Tribunal deben abstenerse en caso de que concurran en ellos alguna de las circunstancias previstas en la Ley como causas de abstención y recusación, salvo, lógicamente, aquellas que solo pueden concurrir en Jueces y Magistrados (artículos 219 LOPJ y 124.2 LEC).

Además, los peritos judiciales pueden ser recusados por otras tres causas:

1) Haber dado anteriormente sobre el mismo asunto dictamen contrario a la parte recusante, ya sea dentro o fuera del proceso;

2) Haber prestado servicios como tal perito al litigante contrario o ser dependiente o socio del mismo;

3) Tener participación en sociedad, establecimiento o empresa que sea parte del proceso.

La recusación se debe formular por medio de escrito firmado por el Abogado y Procurador de la parte y se dirigirá al Juzgado (en órganos unipersonales) o al Magistrado Ponente (en órganos colegiados).

En dicho escrito se debe expresar de forma concreta la causa de recusación y los medios de prueba que se propongan para acreditarla.

A continuación, se da traslado de la recusación a las partes y al perito recusado, existiendo dos posibilidades:

— Si el recusado reconoce como cierta la causa de recusación y el Letrado de la Administración de Justicia la estima fundada, se reemplazará al perito sin más trámites.

— Si el recusado niega la certeza de la causa de recusación o la parte no acepta el reconocimiento efectuado por el perito, el Letrado de la Administración de Justicia señala vista ante el Tribunal a la que deberán acudir con todos los medios de prueba de que intenten valerse, así como defendidas por Abogado y representadas por Procurador.

Si el recusante no comparece, el Letrado de la Administración de Justicia le tendrá por desistido de la recusación.

Si comparece, se celebra vista y se practica prueba.

Si se estima la recusación, el perito recusado será sustituido por el suplente.

Finalmente, el incidente de recusación se resuelve por medio de Auto contra el que no cabe interponer ningún recurso, sin perjuicio del derecho de las partes a plantear la cuestión en la instancia superior (artículo 127.4 LEC).

4.6. Contenido del dictamen pericial

La emisión del dictamen pericial informático puede precisar el reconocimiento de algún lugar u objeto o bien la realización de operaciones análogas. En estos casos, las partes y sus defensores podrán presenciar uno y otras, si con ello no se impide o estorba la labor del perito y se puede garantizar el acierto e imparcialidad del dictamen (artículo 345.1 LEC).

Si las partes quieren estar presentes en las operaciones del perito informático, deberán solicitarlo al Tribunal. Si el Juzgado estima dicha solicitud, ordenará al perito que dé aviso directamente a las partes, con antelación de al menos 48 horas, del día, hora y lugar donde se van a llevar aquellas operaciones (artículo 345.2 LEC).

El dictamen pericial informático, ya sea de parte o del perito designado por el Tribunal, debe tener el contenido que hemos mencionado anteriormente y que, por su importancia, aquí reiteramos; esto es, los siguientes apartados:

— Una presentación del perito con el detalle de su nombre, apellidos, DNI u otro tipo de identificación o número de colegiado, en su caso, domicilio y todos los datos posibles acerca de su formación y capacidad para realizar el trabajo.

— Una descripción detallada de los objetivos y alcance del trabajo a realizar.

— Una descripción detallada de los procedimientos realizados en el análisis forense y los resultados obtenidos.

— Unas conclusiones claras, concisas y precisas del resultado del trabajo con indicación de la página y apartado concreto del informe donde se puede ampliar o corroborar la información.

— La firma del perito suscribiendo el dictamen realizado.

En el caso de peritos judiciales, éstos deberán remitir al Tribunal el informe por medios electrónicos en el plazo establecido al efecto (artículo 346 LEC).

4.7. Intervención del perito en el juicio o vista

Las partes pueden solicitar que el perito informático comparezca en el acto del juicio o de la vista (artículo 347.1 LEC). Si se trata de peritos designados por el Tribunal, la comparecencia del perito se puede acordar incluso de oficio cuando sea necesario para comprender y valorar mejor el dictamen realizado (artículo 346 LEC).

El perito citado tiene la obligación de comparecer bajo apercibimiento de imponérsele una multa de 180 a 600 euros.

La intervención del perito en el acto de juicio debe atenerse a lo establecido en el artículo 347 LEC, es decir, se ajustará a lo solicitado por la parte y admitido por el tribunal. Por tal motivo, el Abogado deberá especificar con la mayor concreción posible en qué va a consistir la intervención del perito. De esta manera, se evita la situación —que se produce en no pocas ocasiones— en la cual el Abogado formula numerosas preguntas al perito a través de las cuales se pretende una explicación extensa y pormenorizada del dictamen, temiendo que, a falta de éstas, el Tribunal no entrará a valorar dicha prueba. No deja de resultar llamativo que los letrados soliciten la intervención de su propio perito cuando dicha prueba ya consta aportada en autos (y surtirá efectos probatorios con independencia de la intervención del perito en el acto del juicio) cuando, en realidad, lo más lógico sería interesar la del perito contrario para contradecir su método, análisis, cualificación o conclusiones.

El perito informático se someterá a las cuestiones que planteen las partes y que el Juez admita. Su intervención, por tanto, puede desarrollarse de cualquiera de las siguientes maneras (artículo 347 LEC):

— Exposición completa del dictamen. Debe limitarse a los casos estrictamente necesarios, porque tanto el Tribunal como los propios Abogados deben haber estudiado, antes del juicio, el método, análisis y conclusiones del perito. El Tribunal debe evitar que el acto del juicio se convierta en una especie de «repetición» de viva voz del contenido del dictamen pues ello supone —en la mayor parte de las ocasiones— pérdida de tiempo para las partes, letrados y el propio Tribunal.

— Explicación del dictamen o de alguno de sus puntos, cuyo significado no se considerase suficientemente expresivo a los efectos de la prueba. El Tribunal admitirá esta intervención cuando la considere útil y necesaria por los motivos anteriormente mencionados.

— Respuestas a preguntas y objeciones, sobre método, premisas, conclusiones y otros aspectos del dictamen, siempre que sean necesarias y útiles para la comprensión del informe.

— Respuestas a solicitudes de ampliación del dictamen a otros puntos conexos, por si pudiera llevarse a cabo en el mismo acto y a efectos, en cualquier caso, de conocer la opinión del perito sobre la posibilidad y utilidad de la ampliación, así como del plazo necesario para llevarla a cabo.

— Crítica del dictamen de que se trate por el perito de la parte contraria.

— Formulación de las tachas que pudieren afectar al perito.

El Tribunal también puede formular preguntas a los peritos y requerir de ellos explicaciones sobre lo que sea objeto del dictamen. Sin embargo, no puede acordar de oficio la ampliación del dictamen, salvo en los casos de procesos no disponibles para las partes (filiación, maternidad, paternidad, capacidad y procesos matrimoniales).

4.8. Valoración de la prueba pericial

La prueba pericial informática —como cualquier otro dictamen pericial— se valora por el Tribunal de acuerdo con las reglas de la sana crítica (artículo 348 LEC).

A fin de dotar de un contenido concreto al concepto de «reglas de la sana crítica», siguiendo a SEOANE SPIELGEBERG [106] y a ABEL LLUCH [107] podemos enumerar unos criterios para valorar el dictamen de peritos:

— **Cualificación profesional del perito y su especialización.** Aunque no existe una titulación oficial en «informática forense», será preferible que el dictamen se realice por un Graduado en Informática, Ingeniería o Matemáticas que, además, tenga conocimientos específicos en la materia objeto de dictamen. Se otorga, por tanto, mayor valor probatorio al dictamen cuanto mayor sea el grado de especialización del mismo, así como formación y experiencia profesional.

◼

[106] *Vid.* SEOANE SPIELGEBERG, J. L., *La prueba en la Ley de Enjuiciamiento Civil 1/2000. Disposiciones generales y presunciones*, Aranzadi, Navarra, 2007, pp. 409 y ss.

[107] *Vid.* ABEL LLUCH, X., «Valoración de los medios de prueba en el proceso civil», pp. 13-14, disponible en el siguiente enlace: http://itemsweb.esade.edu/research/ipdp/valoracion-de-los-medios.pdf [Consultado 9-8-2016].

— **Método observado.** La LEC prevé que, junto con el dictamen pericial, se puedan aportar «*los demás documentos, instrumentos o materiales adecuados para exponer lo que haya sido objeto de pericia*» (artículo 336.2 LEC). En el caso de periciales informáticas, se otorgará mayor valor probatorio a peritos que se hayan ajustado a la Norma ISO/IEC 27037:2012 por establecer unos estándares de calidad reconocidos a nivel internacional en la identificación, recolección, adquisición y preservación de evidencia digital.

— **Condiciones de observación y de reconocimiento.** En efecto, las condiciones en las que el perito observe las evidencias digitales pueden ser muy diferentes dada la variedad de estos dictámenes y, por tanto, puede ser un elemento más a tener en cuenta a la hora de valorar la prueba.

— **Vinculación del perito informático con las partes.** Es cierto que los peritos judiciales gozan de mayor objetividad en su origen, pues los peritos de partes son escogidos por éstos según su parecer y de acuerdo con las instrucciones que les hayan encomendado. Sin embargo, ello no supone una superioridad probatoria del dictamen del perito judicial pues lo fundamental es atender a su resultado, el nivel de conocimientos de perito, el desarrollo de las operaciones periciales y sus conclusiones. Todos estos extremos deben ponderarse por el Tribunal a la hora de dictar sentencia evitando cualquier aceptación acrítica del dictamen pericial, máxime cuando existe periciales de parte contradictorias con aquélla.

— **Proximidad en el tiempo y carácter detallado del dictamen.** Debe valorarse positivamente que el dictamen se emita con cierta proximidad al hecho que lo fundamenta (por ejemplo, el envío de e-mails entre las partes que acreditan un incumpli miento contractual). De igual manera, se debe atender a la lógica interna del dictamen y a su razonabilidad.

— **Criterio de la mayoría coincidente.** En efecto, resulta razonable que el dictamen pericial coincidente de varios técnicos prevalezca sobre el contradictorio de uno de ellos.

— **Concordancia entre el contenido y el objeto del dictamen.** El Tribunal también debe ponderar si el perito ha emitido el dictamen sobre los extremos objeto del mismo o se ha extralimitado, ya sea pronunciándose sobre extremos distintos del encargo, ya sea efectuando conclusiones jurídicas.

— **Explicaciones en el acto del juicio o vista.** Debe valorarse, igualmente, la contundencia y razonabilidad de las explicaciones ofrecidas por los peritos cuando declaren en el juicio, así como la base científica, técnica o de otra naturaleza que fundamente su discrepancia con los restantes dictámenes.

5. LA PERICIAL INFORMÁTICA EN EL PROCESO LABORAL

La Ley 36/2011, de 10 de octubre, reguladora de la Jurisdicción Social, no contiene una regulación detallada de la prueba pericial y, por tanto, resulta aplicable de forma supletoria la normativa procesal civil en cuanto sea compatible con las características del proceso laboral (artículo 4 LEC).

El único precepto que hace referencia a la prueba pericial es el artículo 93 LRJS, según el cual «*la práctica de la prueba pericial se llevará a cabo en el acto del juicio, presentando los peritos su informe y ratificándolo. No será necesaria ratificación de los informes, de las actuaciones obrantes en expedientes y demás documentación administrativa cuya aportación sea preceptiva según la modalidad procesal de que se trate*». A su vez, el apartado 2 de dicho precepto, dispone que «*el órgano judicial, de oficio o a petición de parte, podrá requerir la intervención de un médico forense, en los casos en que sea necesario su informe en función de las circunstancias particulares del caso, de la especialidad requerida y de la necesidad de su intervención, a la vista de los reconocimientos e informes que constaren previamente en las actuaciones*».

Por tal motivo, en este apartado nos limitaremos a señalar algunas especialidades de la prueba pericial en el proceso laboral:

— El actor puede acompañar el dictamen pericial informático junto con la demanda (artículo 80.2 LRJS). Sin embargo, a diferencia del proceso civil, el actor también puede presentar el dictamen en el acto del juicio para su ratificación (artículo 93.1 LRJS).

— El demandado presentará el dictamen pericial en el acto del juicio, dado que la contestación a la demanda se realiza de forma verbal en dicho acto (artículo 85.2 LRJS).

— La parte propone la práctica de prueba pericial en el mismo acto del juicio, debiendo justificar su pertinencia y utilidad (artículo 85 y 87 LRJS).

— Si el Tribunal inadmite la prueba pericial, la parte que la propuso podrá hacer constar su protesta en el acto a efectos del recurso contra la sentencia (artículo 87.2 LRJS). La denegación de la prueba debe ser motivada, pues la parte debe conocer las razones que motivan dicha decisión judicial al afectar al derecho fundamental a utilizar los medios de prueba para su defensa (artículo 24.2 CE).

— El Tribunal, dentro del plazo para dictar sentencia, podrá acordar la práctica de cuantas pruebas estime necesarias, como diligencias finales, con intervención de las partes y en la forma establecida para las pruebas de su clase (artículo 88.1 LRJS).

6. LA PERICIAL INFORMÁTICA EN EL PROCESO PENAL

La Ley de Enjuiciamiento Criminal regula los informes periciales tanto en la fase de instrucción (artículos 456 a 485) como en la fase de juicio oral (artículos 723 a 725).

Dentro de dicha normativa, no se hace referencia específica a la pericial informática a diferencia de otros dictámenes periciales como, por ejemplo, la tasación pericial de objetos (artículo 365 LECR), informes periciales del Médico Forense sobre edad del investigado (artículo 375 LECR) o sobre imputabilidad (artículo 381 LECR) o informes periciales sobre muestras de ADN (artículo 363 LECR).

El objetivo de este apartado consiste en analizar los aspectos fundamentales de la prueba pericial en el proceso penal, concretamente, el momento de su aportación, las garantías de la imparcialidad, la práctica de la prueba en el juicio oral, así como el contenido del informe y su valor probatorio.

6.1. Número de peritos

En el proceso penal, el informe debe ser emitido por dos peritos (artículo 459 LECR), salvo en el procedimiento abreviado, que podrá ser emitido por uno solo de ellos cuando el Juez lo considere suficiente (artículo 778.1 LECR).

La exigencia de dos peritos ha sido matizada por la jurisprudencia en aquellos supuestos en los que el análisis pericial se realiza en un laboratorio oficial en el que se integra un equipo y el dictamen se basa en criterios científicos. En este sentido, podemos citar la STS, Sala de lo Penal, de 17 de octubre de 2003, según la cual: «*Tiene declarado esta Sala, como es exponente la Sentencia 806/1999, de 10 Jun., que la exigencia de dualidad de peritos en cada dictamen pericial obedece a la mayor garantía de acierto que representa la posible coincidencia de pareceres de dos peritos frente a la opinión única, y a las mejores condiciones de objetiva valoración que para el Tribunal representan las posibles divergencias y opiniones encontradas de dos peritos intervinientes. De lo que se trata es de reforzar la eficacia, el acierto y el rigor técnico de los dictámenes periciales, sin que por ello se haga de la dualidad de peritos una condición inexcusable de la necesaria garantía puesto que el párrafo segundo del propio artículo 459 exceptúa el caso de que no hubiese más de un perito en el lugar y no fuera posible esperar la llegada de otro sin graves inconvenientes para el curso del sumario. En todo caso si el fundamento de la exigencia se halla en la mayor probabilidad de acierto que representa el trabajo realizado por varios, la finalidad de la norma queda satisfecha en el caso de dictámenes periciales emitidos por Órganos Oficiales dotados de equipos técnicos altamente cualificados integrados por distintos profesionales que intervienen como tales participando cada uno de sus miembros en el trabajo común dentro de la división de tareas o funciones. En tales casos el mero dato formal de estar suscrito el informe por uno solo de los profesionales del equipo —normalmente el que ejerce facultades representativas del Laboratorio u Órgano informante, como "Responsable" o "Jefe" del Servicio de que se trate— no puede ocultar el hecho real de que el dictamen no es obra de un solo individuo, es decir, de un perito, sino del trabajo de equipo normalmente ejecutado según procedimientos científicos protocolizados en los que intervienen varios expertos, desarrollando cada uno lo que le compete en el común quehacer materializado por todos. En estos casos no es que no sea aplicable el artículo 459 de la Ley de Enjuiciamiento Criminal sino que debe entenderse satisfecha la exigencia que el precepto contiene».*

6.2. Imparcialidad de los peritos

Al igual que en el proceso civil, los peritos designados por el Juzgado de Instrucción pueden ser recusados a fin de garantizar su imparcialidad. Esta posibilidad, sin embargo, queda limitada a aquellos supuestos en los que la prueba pericial no pueda reproducirse en el juicio oral (artículo 467 LECR).

Las causas en que puede basarse la recusación son las siguientes: 1) El parentesco de consanguinidad o de afinidad dentro del cuarto grado con el querellante o con el acusado; 2) El interés directo o indirecto en la causa o en otra semejante; y 3) La amistad íntima o la enemistad manifiesta.

— Fase de instrucción

La parte que pretenda formular la recusación del perito deberá hacerlo por escrito antes de dar comienzo a la diligencia pericial, expresando la causa y aportando la prueba documental y testifical que la justifica.

Acto seguido, el Juez de Instrucción, examinando los documentos aportados y los testigos propuestos, dicta auto resolviendo lo que estime oportuno respecto de la recusación (artículo 470 LECR).

— Fase de juicio oral

Este incidente debe ser tramitado en el tiempo que media desde la admisión de dicha prueba hasta la apertura de las sesiones de juicio oral (723 LECR).

La tramitación de este incidente se realiza de la siguiente manera:

Las partes deberán promover la recusación en el plazo de los tres días siguientes al de la entrega al recusante de la lista que contenga el nombre del recusado. En la práctica habitual, desde que se notifica el auto del Juez o del Tribunal por el que se acuerda la admisión de las pruebas propuestas por las partes (artículo 659 LECR para el proceso ordinario y artículo 785.1 LECR para el procedimiento abreviado).

Se trata de un plazo preclusivo, pues el perito que no sea recusado en el mismo no podrá serlo después, salvo que incurriera con posterioridad en alguna de las causas de recusación (artículo 663 LECR).

Una vez alegada la causa, el Letrado de la Administración de Justicia da traslado del escrito por plazo de tres días a la parte que pretenda valerse del perito recusado.

Posteriormente, se abre un período probatorio por un plazo de seis días.

Practicada, en su caso, la prueba propuesta por las partes, el Letrado de la Administración de Justicia señala día para la vista, a la que pueden asistir las partes y sus defensores.

Finalmente, el Tribunal dicta auto resolviendo el incidente, contra el que no cabe recurso alguno (artículo 662 LECR).

La jurisprudencia ha admitido la posibilidad de que el Juzgado designe peritos informáticos a los técnicos de un organismo oficial perjudicado por la actividad delictiva investigada. En este sentido, la STS, Sala de lo Penal, de 15 de noviembre de 1999, señala: «*el hecho de que los peritos fuesen técnicos informáticos del organismo oficial que había resultado perjudicado no supone obstáculo alguno a la validez de su peritaje. Fueron designados por el juez de instrucción y de dicha designación tuvieron conocimiento las partes que pudieron ejercer la facultad de recusación esgrimiendo alguna de las causas que taxativamente se consignan en el art. 468 LECrim. La circunstancia de que unos peritos pertenezcan a un organismo oficial, que tenga un interés más o menos directo en la causa, no constituye una causa de recusación ya que con ello no se vulnera la necesaria imparcialidad y objetividad requerida a los peritos. Una vez designados por el juez sólo podrían excusarse, según el art. 464 LECrim., si concurriera alguna de las causas comprendidas en el art. 416 del mismo texto legal, que no son otras que, el parentesco y la condición de ser letrado del procesado o acusado. Se trataba de una pericia de gran complejidad técnica y de resultados científicamente fiables, por lo que necesariamente el juez debía encomendársela a conocedores de los sistemas informáticos que habían sido, de alguna manera, intercomunicados aunque de forma externa y absolutamente irregular».*

6.3. Aportación de informes periciales

Los informes periciales pueden aportarse por las partes personadas en el proceso durante la fase de instrucción, así como acompañarlos junto con el escrito de calificación provisional (en el proceso ordinario; artículo 656 LECR) o en el escrito de acusación y/o defensa (en el proceso abreviado; artículos 781 y 784 LECR).

En el juicio de delito leve, las partes aportarán los informes periciales en el acto del juicio oral (artículos 966 y 969.2 LECR).

De igual manera, también es práctica forense habitual aportar dichos informes periciales junto con la querella para justificar los hechos denunciados. Piénsese, por ejemplo, en un delito de espionaje empresarial (artículo 278 y 279 CP). En este caso, si la empresa perjudicada interpone querella contra el presunto responsable, lo normal es que aporte junto con la misma un dictamen pericial informático donde se explique la forma, lugar y método empleado para apoderarse de los datos sensibles, revelarlos o cederlos a un tercero.

Al margen de los dictámenes periciales que las partes puedan encargar a profesionales para su aportación al proceso, el Juez de Instrucción, de oficio o a instancia del Ministerio Fiscal o de cualquiera de las partes personadas, puede acordar la realización de una pericial informática, salvo que la considere inútil o perjudicial (artículo 311 LECR). La procedencia del tipo de pericial a practicar dependerá del delito que se esté investigando y los medios de averiguación del mismo, así como de la identidad de los responsables (artículo 299 LECR). En estos casos, el Juez de Instrucción suele encomendar la práctica de estos dictámenes periciales informáticos a las Unidades especializadas de la Policía Nacional, Guardia Civil o Policías autonómicas.

No podemos olvidar que estos dictámenes periciales practicados durante la fase de instrucción no constituyen pruebas *strictu sensu*, sino solo diligencias de investigación para determinar si existen elementos para decretar la apertura de juicio oral contra determinada persona o, en caso contrario, el sobreseimiento de las actuaciones. Se trata, por tanto, de medios de investigación muy influyentes en el devenir del procedimiento, pues determinan, en muchas ocasiones, que éste siga un curso u otro.

6.4. Operaciones periciales y emisión del dictamen

La LECR establece que el Juez «*manifestará clara y determinantemente a los peritos el objeto de su informe*» (artículo 465 LECR). Aunque la normativa establece que el Juez de Instrucción presidirá el acto del examen pericial con asistencia del Letrado de la Administración de Justicia, ello no se produce en la práctica forense, dado que los exámenes periciales se verifican en laboratorios especializados según la materia de que se trate.

Si el reconocimiento pericial no se puede reproducir en el acto del juicio oral, la acusación particular y la defensa tendrán derecho a nombrar a su costa un perito que intervenga en el acto (artículo 471 LECR). En tal caso, las partes deben manifestar al Juez el nombre del perito, así como su titulación, debiendo aquél resolver sobre su admisión (artículo 473 LECR). No obstante, esta posibilidad no se aplicaría en las periciales informáticas por cuanto, según los protocolos de actuación antes descritos para la preservación de evidencias digitales, el perito siempre opera sobre una copia y no sobre el original. De esta manera, cualquier perito designado por las partes podrá repetir las operaciones de análisis forense de los dispositivos digitales sin menoscabo alguno de la integridad del soporte original.

Antes de iniciarse el reconocimiento, todos los peritos deben prestar juramento de «*proceder bien y fielmente en sus operaciones, y de no proponerse otro fin más que el de descubrir y declarar la verdad*» (artículo 474 LECR). El incumplimiento de dicha obligación puede dar lugar al nacimiento de responsabilidad penal (artículos 459 y 460 CP) tal y como hemos comentado anteriormente al analizar la pericial en el proceso civil.

El informe pericial debe comprender los siguientes apartados (artículo 478 LECR):

— La descripción de la persona o cosa que sea objeto del mismo, en el estado o modo en que se halle.

— La relación detallada de todas las operaciones practicadas por los peritos y de su resultado.

— Las conclusiones que en vista de tales datos formulan los peritos, conforme a los principios y reglas de su ciencia o arte.

Finalmente, el Juez dará traslado del dictamen a las partes para que, en su caso, formulen preguntas y soliciten aclaraciones a los peritos (artículo 483 LECR).

6.5. Práctica de la prueba pericial en la fase de juicio oral

La LECR no ha previsto una reglamentación detallada sobre la forma de practicar el examen de los peritos en el acto del juicio oral.

Si atendemos a la jurisprudencia y a la práctica forense, podemos afirmar que el modo de desarrollar esta prueba en el juicio oral será el siguiente:

— El Presidente del Tribunal o el Juez deberá exigirles nuevamente a los peritos que presten juramento o promesa de imparcialidad y objetividad.

— Todos los peritos que hayan de informar sobre el mismo objeto de pericia serán examinados juntos. Es decir, a diferencia de la testifical, no se examinan uno después de otro.

— Las preguntas que se formulen por el Ministerio Fiscal y las demás partes o, incluso, por el Presidente del Tribunal o Juez deben dirigirse a todos para que juntos, retirándose a deliberar entre ellos si fuere preciso, las contesten.

— Las contestaciones han de ser únicas y responder a la opinión común de todos, salvo discrepancia entre los peritos. En este caso, habrán de expresar la opinión mayoritaria y la disidente, dejando claro cuál es una y otra, cuántos apoyan cada una y los argumentos sostenidos a favor de una y otra.

6.6. Valor probatorio

En el proceso penal rige el principio de la libre valoración de la prueba. En este sentido, el artículo 741 LECR establece que el Tribunal dictará sentencia valorando «*según su conciencia las pruebas practicadas en el juicio*». La jurisprudencia ha declarado que ello supone que la prueba se debe valorar sin sujeción a tasa, pauta o regla de ninguna clase. A fin de evitar cualquier tipo de arbitrariedad por los poderes públicos (artículo 9.3 CE) —en este caso, por los Juzgados y Tribunales—, es necesario que en la sentencia se desarrolle la argumentación que sostiene la valoración de la prueba que, en todo caso, deberá ajustarse a las reglas de la lógica, la racionalidad y la coherencia.

En consecuencia, la prueba pericial informática se valora por el Tribunal según las reglas de la sana crítica atendiendo al resto de medios de prueba que se hayan practicado en las sesiones de juicio oral.

Dado que en el proceso penal las únicas pruebas que pueden desvirtuar la presunción de inocencia (artículo 24.2 CE) son aquellas que se practican en el juicio oral con las garantías de publicidad, oralidad, inmediación y contradicción, se han planteado algunos problemas prácticos cuando el perito no comparece en el juicio oral para ratificar su informe.

La regla general, por tanto, es que el perito informático deberá comparecer personalmente al acto del juicio para exponer, ampliar siempre que no se sobrepasen los límites del objeto de la pericia, o aclarar lo que se estime oportuno en el plenario respecto del contenido del informe emitido.

Sin embargo, la jurisprudencia del Tribunal Constitucional y del Tribunal Supremo han manifestado que, si bien la prueba pericial debe ser practicada en el acto del juicio oral, puede ocurrir que, aportada durante la fase de instrucción y conocida por las partes al tiempo de emitir su escrito de calificación, si nadie formula impugnación o propone la comparecencia del mismo al acto del juicio, puede estimarse que existe una «aceptación tácita» de su resultado. De esta manera, el Tribunal podrá valorar ese dictamen como auténtico medio de prueba, aun cuando el perito no haya comparecido a juicio, máxime si el informe pericial ha sido realizado por un órgano de carácter público u oficial.

En tal sentido, podemos citar la STS, Sala de lo Penal, de 24 de mayo de 2011 que recoge esta conclusión al señalar: «*Este criterio ha sido avalado por el Tribunal Constitucional (SS. 127/90, 24/91) al declarar la validez como elemento probatorio de los* informes *practicados en la fase previa al juicio, basados en conocimientos especializados y que aparezcan documentados en las actuaciones que permitan su valoración y contradicción, sin que sea necesaria la presencia de sus emisores, y ha sido seguido en multitud de sentencias de esta Sala que, al abordar el mismo problema suscitado ahora, ha dejado dicho que si bien la prueba pericial y cuasipericial en principio, como es norma general en toda clase de prueba, ha de ser practicada en el juicio oral, quedando así sometida a las garantías propias de la oralidad, publicidad, contradicción e inmediación que rigen tal acto, puede ocurrir que, practicada en trámite de instrucción, nadie propusiera al respecto prueba alguna para el acto del juicio, en cuyo caso, por estimarse que hubo una aceptación tácita, ha de reconocerse aptitud a esas diligencias periciales o "cuasi periciales" para ser valoradas como verdaderas pruebas, máxime si han sido realizadas por un órgano de carácter público u oficial*».

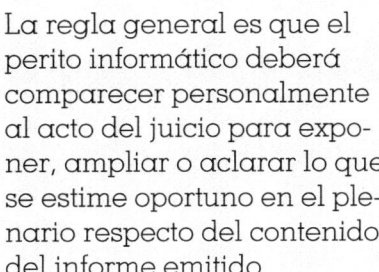

La regla general es que el perito informático deberá comparecer personalmente al acto del juicio para exponer, ampliar o aclarar lo que se estime oportuno en el plenario respecto del contenido del informe emitido

7. LEGISLACIÓN

7.1. Dictamen pericial en el proceso civil

Ley de Enjuiciamiento Civil (artículos 335 y 352)

Artículo 335. *Objeto y finalidad del dictamen de peritos. Juramento o promesa de actuar con objetividad.*—1. Cuando sean necesarios conocimientos científicos, artísticos, técnicos o prácticos para valorar hechos o circunstancias relevantes en el asunto o adquirir certeza sobre ellos, las partes podrán aportar al proceso el dictamen de peritos que posean los conocimientos correspondientes o solicitar, en los casos previstos en esta ley, que se emita dictamen por perito designado por el tribunal.

2. Al emitir el dictamen, todo perito deberá manifestar, bajo juramento o promesa de decir verdad, que ha actuado y, en su caso, actuará con la mayor objetividad posible, tomando en consideración tanto lo que pueda favorecer como lo que sea susceptible de causar perjuicio a cualquiera de las partes, y que conoce las sanciones penales en las que podría incurrir si incumpliere su deber como perito.

3. Salvo acuerdo en contrario de las partes, no se podrá solicitar dictamen a un perito que hubiera intervenido en una mediación o arbitraje relacionados con el mismo asunto.

Artículo 352. *Otros dictámenes periciales instrumentales de pruebas distintas.*—Cuando sea necesario o conveniente para conocer el contenido o sentido de una prueba o para proceder a su más acertada valoración, podrán las partes aportar o proponer dictámenes periciales sobre otros medios de prueba admitidos por el tribunal al amparo de lo previsto en los apartados 2 y 3 del artículo 299.

7.2. Dictamen pericial en el proceso laboral

Ley Reguladora de la Jurisdicción Social (artículo 93)

Artículo 93. *Prueba pericial.*—1. La práctica de la prueba pericial se llevará a cabo en el acto del juicio, presentando los peritos su informe y ratificándolo. No será necesaria ratificación de los informes, de las actuaciones obrantes en expedientes y demás documentación administrativa cuya aportación sea preceptiva según la modalidad procesal de que se trate.

2. El órgano judicial, de oficio o a petición de parte, podrá requerir la intervención de un médico forense, en los casos en que sea necesario su informe en función de las circunstancias particulares del caso, de la especialidad requerida y de la necesidad de su intervención, a la vista de los reconocimientos e informes que constaren previamente en las actuaciones.

7.3. Dictamen pericial en el proceso penal

Ley de Enjuiciamiento Criminal (artículos 456 a 485 y 723 a 725)

Artículo 456.—El Juez acordará el informe pericial cuando, para conocer o apreciar algún hecho o circunstancia importante en el sumario, fuesen necesarios o convenientes conocimientos científicos o artísticos.

Artículo 457.—Los peritos pueden ser o no titulares.

Son peritos titulares los que tienen título oficial de una ciencia o arte cuyo ejercicio esté reglamentado por la Administración.

Son peritos no titulares los que, careciendo de título oficial, tienen, sin embargo, conocimientos o práctica especiales en alguna ciencia o arte.

Artículo 458.—El Juez se valdrá de peritos titulares con preferencia a los que no tuviesen título.

Artículo 459.—Todo reconocimiento pericial se hará por dos peritos.

Se exceptúa el caso en que no hubiese más de uno en el lugar y no fuere posible esperar la llegada de otro sin graves inconvenientes para el curso del sumario.

Artículo 460.—El nombramiento se hará saber a los peritos por medio de oficio, que les será entregado por alguacil o portero del Juzgado, con las formalidades prevenidas para la citación de los testigos, reemplazándose la cédula original, para los efectos del artículo 175, por un atestado que extenderá el alguacil o portero encargado de la entrega.

Artículo 461.—Si la urgencia del encargo lo exige, podrá hacerse el llamamiento verbalmente de orden del Juez, haciéndolo constar así en los autos; pero extendiendo siempre el atestado prevenido en el artículo anterior el encargado del cumplimiento de la orden de llamamiento.

Artículo 462.—Nadie podrá negarse a acudir al llamamiento del Juez para desempeñar un servicio pericial, si no estuviere legítimamente impedido.

En este caso deberá ponerlo en conocimiento del Juez en el acto de recibir el nombramiento, para que se provea a lo que haya lugar.

Artículo 463.—El perito, que sin alegar excusa fundada, deje de acudir al llamamiento del Juez o se niegue a prestar el informe, incurrirá en las responsabilidades señaladas para los testigos en el artículo 420.

Artículo 464.—No podrán prestar informe pericial acerca del delito, cualquiera que sea la persona ofendida, los que según el artículo 416 no están obligados a declarar como testigos.

El perito que, hallándose comprendido en alguno de los casos de dicho artículo, preste el informe sin poner antes esa circunstancia en conocimiento del Juez que le hubiese nombrado incurrirá en la multa de 200 a 5.000 euros, a no ser que el hecho diere lugar a responsabilidad criminal.

Artículo 465.—Los que presten informe como peritos en virtud de orden judicial tendrán derecho a reclamar los honorarios e indemnizaciones que sean justos, si no tuvieren en concepto de tales peritos, retribución fija satisfecha por el Estado, por la Provincia o por el Municipio.

Artículo 466.—Hecho el nombramiento de peritos, el Secretario judicial lo notificará inmediatamente al Ministerio Fiscal, al actor particular, si lo hubiere, como al procesado, si estuviere a disposición del Juez o se encontrare en el mismo lugar de la instrucción, o a su representante si lo tuviere.

Artículo 467.—Si el reconocimiento e informe periciales pudieren tener lugar de nuevo en el juicio oral, los peritos nombrados no podrán ser recusados por las partes.

Si no pudiere reproducirse en el juicio oral, habrá lugar a la recusación.

Artículo 468.—Son causa de recusación de los peritos:

1.ª El parentesco de consanguinidad o de afinidad dentro del cuarto grado con el querellante o con el reo.

2.ª El interés directo o indirecto en la causa o en otra semejante.

3.ª La amistad íntima o la enemistad manifiesta.

Artículo 469.—El actor o procesado que intente recusar al perito o peritos nombrados por el Juez deberá hacerlo por escrito antes de empezar la diligencia pericial, expresando la causa de la recusación y la prueba testifical que ofrezca, y acompañando la documental o designando el lugar en que ésta se halle si no la tuviere a su disposición.

Para la presentación de este escrito, no estará obligado a valerse de Procurador.

Artículo 470.—El Juez, sin levantar mano, examinará los documentos que produzca el recusante y oirá a los testigos que presente en el acto, resolviendo lo que estime justo respecto de la recusación.

Si hubiere lugar a ella, suspenderá el acto pericial por el tiempo estrictamente necesario para nombrar el perito que haya de sustituir al recusado, hacérselo saber y constituirse el nombrado en el lugar correspondiente.

Si no la admitiere, se procederá como si no se hubiese usado de la facultad de recusar.

Cuando el recusante no produjese los documentos, pero designare el archivo o lugar en que se encuentren, se reclamarán por el Secretario judicial, y el Juez instructor los examinará una vez recibidos sin detener por esto el curso de las actuaciones; y si de ellos resultase justificada la causa de la recusación, anulará el informe pericial que se hubiese dado, mandando que se practique de nuevo esta diligencia.

Artículo 471.—En el caso del párrafo segundo del artículo 467, el querellante tendrá derecho a nombrar a su costa un perito que intervenga en el acto pericial.

El mismo derecho tendrá el procesado.

Si los querellantes o los procesados fuesen varios, se pondrán respectivamente de acuerdo entre sí para hacer el nombramiento.

Estos peritos deberán ser titulares, a no ser que no los hubiere de esta clase en el partido o demarcación, en cuyo caso podrán ser nombrados sin título.

Si la práctica de la diligencia pericial no admitiere espera, se procederá como las circunstancias lo permitan para que el actor y el procesado puedan intervenir en ella.

Artículo 472.—Si las partes hicieren uso de la facultad que se les concede en el artículo anterior, manifestarán al Juez el nombre del perito, y ofrecerán, al hacer esta manifestación, los comprobantes de tener la cualidad de tal perito la persona designada.

En ningún caso podrán hacer uso de dicha facultad después de empezada la operación de reconocimiento.

Artículo 473.—El Juez resolverá sobre la admisión de dichos peritos en la forma determinada en el artículo 470 para las recusaciones.

Artículo 474.—Antes de darse principio al acto pericial, todos los peritos, así los nombrados por el Juez como los que lo hubieren sido por las partes, prestarán juramento, conforme al artículo 434, de proceder bien y fielmente en sus operaciones, y de no proponerse otro fin más que el de descubrir y declarar la verdad.

Artículo 475.—El Juez manifestará clara y determinadamente a los peritos el objeto de su informe.

Artículo 476.—Al acto pericial podrán concurrir, en el caso del párrafo segundo del artículo 467, el querellante, si lo hubiere, con su representación, y el procesado con la suya aun cuando estuviere preso, en cuyo caso adoptará el Juez las precauciones oportunas.

Artículo 477.—El acto pericial será presidido por el Juez instructor o, en virtud de su delegación, por el Juez municipal. Podrá también delegar en el caso del artículo 353 en un funcionario de Policía judicial.

Asistirá siempre el Secretario que actúe en la causa.

Artículo 478.—El informe pericial comprenderá, si fuere posible:

1.º Descripción de la persona o cosa que sea objeto del mismo, en el estado o del modo en que se halle.

El Secretario extenderá esta descripción, dictándola los peritos y suscribiéndola todos los concurrentes.

2.º Relación detallada de todas las operaciones practicadas por los peritos y de su resultado, extendida y autorizada en la misma forma que la anterior.

3.º Las conclusiones que en vista de tales datos formulen los peritos, conforme a los principios y reglas de su ciencia o arte.

Artículo 479.—Si los peritos tuvieren necesidad de destruir o alterar los objetos que analicen, deberá conservarse, a ser posible, parte de ellos a disposición del Juez, para que, en caso necesario, pueda hacerse nuevo análisis.

Artículo 480.—Las partes que asistieren a las operaciones o reconocimientos podrán someter a los peritos las observaciones que estimen convenientes, haciéndose constar todas en la diligencia.

Artículo 481.—Hecho el reconocimiento, podrán los peritos, si lo pidieren, retirarse por el tiempo absolutamente preciso al sitio que el Juez les señale para deliberar y redactar las conclusiones.

Artículo 482.—Si los peritos necesitaren descanso, el Juez o el funcionario que le represente podrá concederles para ello el tiempo necesario.

También podrá suspender la diligencia hasta otra hora u otro día, cuando lo exigiere su naturaleza.

En este caso, el Juez o quien lo represente adoptará las precauciones convenientes para evitar cualquier alteración en la materia de la diligencia pericial.

Artículo 483.—El Juez podrá, por su propia iniciativa o por reclamación de las partes presentes o de sus defensores, hacer a los peritos, cuando produzcan sus conclusiones, las preguntas que estime pertinentes y pedirles las aclaraciones necesarias.

Las contestaciones de los peritos se considerarán como parte de su informe.

Artículo 484.—Si los peritos estuvieren discordes y su número fuere par, nombrará otro el Juez.

Con intervención del nuevamente nombrado, se repetirán, si fuere posible, las operaciones que hubiesen practicado aquéllos y se ejecutarán las demás que parecieren oportunas.

Si no fuere posible la repetición de las operaciones ni la práctica de otras nuevas, la intervención del perito últimamente nombrado se limitará a deliberar con los demás, con vista de las diligencias de reconocimiento practicadas, y a formular luego con quien estuviere conforme, o separadamente si no lo estuviere con ninguno, sus conclusiones motivadas.

Artículo 485.—El Juez facilitará a los peritos los medios materiales necesarios para practicar la diligencia que les encomiende, reclamándolos de la Administración pública, o dirigiendo a la Autoridad correspondiente un aviso previo si existieren preparados para tal objeto, salvo lo dispuesto especialmente en el artículo 362.

(…)

Artículo 723.—Los peritos podrán ser recusados por las causas y en la forma prescritas en los artículos 468, 469 y 470.

La sustanciación de los incidentes de recusación tendrá lugar precisamente en el tiempo que media desde la admisión de las pruebas propuestas por las partes hasta la apertura de las sesiones.

Artículo 724.—Los peritos que no hayan sido recusados serán examinados juntos cuando deban declarar sobre unos mismos hechos y contestarán a las preguntas y repreguntas que las partes les dirijan.

Artículo 725.—Si para contestarlas considerasen necesaria la práctica de cualquier reconocimiento, harán éste, acto continuo, en el local de la misma audiencia si fuere posible.

En otro caso se suspenderá la sesión por el tiempo necesario, a no ser que puedan continuar practicándose otras diligencias de prueba entre tanto que los peritos verifican el reconocimiento.

8. JURISPRUDENCIA

1. **STS, Sala de lo Penal, 15 de noviembre de 1999. Ponente: José Antonio Martín Pallín (LA LEY 2501/2000)**

Es válida la prueba pericial informática realizada por los técnicos informáticos del organismo oficial perjudicado por el delito

«El hecho de que los peritos fuesen técnicos informáticos del organismo oficial que había resultado perjudicado no supone obstáculo alguno a la validez de su peritaje. Fueron designados por el juez de instrucción y de dicha designación tuvieron conocimiento las partes que pudieron ejercer la facultad de recusación esgrimiendo alguna de las causas que taxativamente se consignan en el art. 468 LECrim. La circunstancia de que unos peritos pertenezcan a un organismo oficial, que tenga un interés más o menos directo en la causa, no constituye una causa de recusación ya que con ello no se vulnera la necesaria imparcialidad y objetividad requerida a los peritos. Una vez designados por el juez sólo podrían excusarse, según el art. 464 LECrim., si concurriera alguna de las causas comprendidas en el art. 416 del mismo texto legal, que no son otras que, el parentesco y la condición de ser letrado del procesado o acusado. Se trataba de una pericia de gran complejidad técnica y de resultados científicamente fiables, por lo que necesariamente el juez debía encomendársela a conocedores de los sistemas informáticos que habían sido, de alguna manera, intercomunicados aunque de forma externa y absolutamente irregular».

2. **SAP León, Sección 3.ª, 5 de enero de 2007.** Ponente: Luis Adolfo Mallo Mallo (LA LEY 105357/2007)

La eficacia probatoria de la prueba pericial en el proceso civil dependerá de la racionalidad de sus conclusiones, sin olvidar otros criterios auxiliares como el de la mayoría coincidente o el del alejamiento al interés de las partes

«Por último, es interesante destacar en este punto de la eficacia de la prueba pericial la doctrina que sienta la S.T.S. 11-5-81 al indicar que la fuerza probatoria de los dictámenes periciales reside esencialmente no en sus afirmaciones, ni en la condición, categoría o número de sus autores, sino en su mayor o menor fundamentación y razón de ciencia, debiendo tener por tanto como prevalentes en principio aquellas afirmaciones como conclusiones que vengan dotadas de una superior explicación racional, sin olvidar otros criterios auxiliares como el de la mayoría coincidente o el del alejamiento al interés de las partes».

3. **SAP Barcelona, Sección 7.ª, 29 de enero de 2008.** Ponente: Ana Rodríguez Santamaría (LA LEY 18747/2008)

En un procedimiento penal por delito contra la propiedad intelectual, el Juez de Instrucción puede nombrar perito informático para examinar unos archivos incautados a las personas que forman parte de la lista de peritos judiciales, de la Asociación de Doctores, Licenciados e Ingenieros en Informática (ALI) o de la Asociación de Técnicos en Informática (ATI)

«Son peritos judiciales nombrados por el Juez de Instrucción que optó entre una de las tres posibilidades dadas por la denunciante [lista de peritos judiciales, Asociación de Doctores, Licenciados e Ingenieros en Informática (ALI) o Asociación de Técnicos en Informática (ATI)]; pues bien el Juez elige esta última y dentro de dicha Asociación se escoge a los finalmente designados. Son peritos por tanto judiciales, no de parte, con obligación de veracidad y sometimiento exclusivo a las reglas de su ciencia, en este caso la informática, y con la consiguiente responsabilidad penal y/o civil para el caso de incumplimiento. Y además como es de ver en la parte dispositiva del auto trascrito el Juez de Instrucción les colocó en una posición de igualdad con la policía a la hora de practicar el registro siendo ellos mismos los que determinarían que efectos debían ser intervenidos y custodiados y por tanto bien podían ser ellos como la Policía los que custodiasen hasta la práctica de la prueba, sin que en ningún caso se hiciese de espaldas al Juzgado el trasvase de la custodia policial a pericial, obrando en autos a folio 243 y siguientes escrito de fecha dos de junio de mil novecientos noventa y siete mediante el que se pone en conocimiento esa entrega de la Policía a los peritos de todo el material relacionado. Es decir que el Juez de Instrucción conocía que la custodia del material era llevada a cabo por los peritos desde el momento en que dicha custodia se inicia y lo consiente porque así lo había autorizado en al auto de entrada y registro colocando al mismo nivel de intervención a los peritos que a la Policía, porque entendía garantizado el mismo nivel de imparcialidad y así lo cree también esta Sala».

4. **SAP Vizcaya, Sección 3.ª, 31 de octubre de 2006. Ponente: María Concepción Marco Cacho (LA LEY 227690/2006)**

La prueba pericial en el proceso civil se valora de acuerdo con las reglas de la sana crítica

«Igualmente y en punto a la valoración de la prueba pericial solo puede ser combatida en casación cuando el "*iter*" deductivo atenta de manera evidente a un razonar humano consecuente (S.ª 15 de julio de 1991, que cita las de 15 julio 1987, 26 mayo 1988, 28 enero 1989, 9 abril 1990 y 29 Enero 1991). Es preciso demostrar que los juzgadores han prescindido del proceso lógico que representa las reglas de la sana crítica (S.ª 10 de marzo 1994), al haber conculcado las más elementales directrices del razonar humano y lógico (SS 11 noviembre 1996 y 9 marzo 1998), lo que aquí no ocurre. Y es que, sin perjuicio de la flexibilidad en la vinculación del Juez a la prueba pericial, no puede negarse que tanto en la instancia, o como podría haber sido en esta segunda instancia, el juez puede acudir a la citada prueba sin acoger criterios más o menos amplios o restrictivos de otros informes aportados en los autos.

Por otro lado debe señalarse y en cuanto a la prueba pericial se refiere que tal y como señala el T.S. 1.ª 16 Marzo 1999 "... La valoración de la prueba pericial debe realizarse teniendo en cuenta los siguientes criterios a) la prueba de peritos es de libre apreciación, no tasada valorable por el juzgador según su prudente criterio, sin que existan reglas preestablecidas que rijan su estimación, por lo que no puede invocarse en casación infracción de precepto alguno en tal sentido y b) las reglas de la sana crítica no están codificadas, han ser entendidas como las más elementales directrices de la lógica humana y por ello es extraordinario que pueda revisarse la prueba pericial en casación, sólo impugnarse en el recurso extraordinario la valoración realizada si la misma es contraria en sus conclusiones a la racionalidad o conculca las más elementales directrices de la lógica. Así debe señalarse que no existiendo normas legales sobre la sana crítica y por tanto hay que atender a criterios lógico racionales, valorando el contenido del dictamen y no específicamente y únicamente su resultado en función de los demás medios de prueba o del objeto del proceso a fin de dilucidar los hechos controvertidos..."».

5. STS, Sala de lo Penal, 24 de mayo de 2011. Ponente: Juan Ramón Berdugo Gómez de la Torre (LA LEY 62839/2011)

El informe pericial puede valorarse como prueba a pesar de que el perito no comparezca en juicio cuando, aportado durante la fase de instrucción, ha sido aceptado tácitamente por las partes

«Este criterio ha sido avalado por el Tribunal Constitucional (SS. 127/90, 24/91) al declarar la validez como elemento probatorio de los informes practicados en la fase previa al juicio, basados en conocimientos especializados y que aparezcan documentados en las actuaciones que permitan su valoración y contradicción, sin que sea necesaria la presencia de sus emisores, y ha sido seguido en multitud de sentencias de esta Sala que, al abordar el mismo problema suscitado ahora, ha dejado dicho que si bien la prueba pericial y cuasipericial en principio, como es norma general en toda clase de prueba, ha de ser practicada en el juicio oral, quedando así sometida a las garantías propias de la oralidad, publicidad, contradicción e inmediación que rigen tal acto, puede ocurrir que, practicada en trámite de instrucción, nadie propusiera al respecto prueba alguna para el acto del juicio, en cuyo caso, por estimarse que hubo una aceptación tácita, ha de reconocerse aptitud a esas diligencias periciales o "cuasi periciales" para ser valoradas como verdaderas pruebas, máxime si han sido realizadas por un órgano de carácter público u oficial».

6. SAP Burgos, Sección 1.ª, 8 de febrero de 2010. Ponente: María Teresa Muñoz Quintana (LA LEY 21625/2010)

La prueba pericial se valora por el Juez según las reglas de la sana crítica y sin estar sometido necesariamente a las conclusiones del dictamen

«"Los Jueces y Tribunales apreciarán la prueba pericial según las reglas de la sana crítica sin estar obligados a sujetarse al dictamen de los peritos". Desde el punto de vista doctrinal, algunos autores llaman la atención sobre la aparente contradicción que supone el principio de libre valoración de la prueba respecto de la pericia, cuyo objeto es, precisamente, facilitar al Tribunal unos conocimientos científicos o unas máximas de experiencia de los que habitualmente carece por ser ajenos al ámbito propiamente jurídico. Sería lógico pensar, desde esta perspectiva, en una vinculación del Juez al valorar estos informes, sin embargo, tal vinculación difícilmente será posible cuando existan dictámenes contradictorios; solo cuando concurren informes coincidentes entre sí el Juzgador quedaría de facto vinculado por su contenido, salvo que razonadamente exprese los motivos por los que se aparta de las conclusiones técnicas, posibilitando así la vía de un hipotético recurso. Por el contrario, cuando el resultado de las periciales sea entre sí contradictorias o colisionen con el arrojado por otras pruebas, puede el Tribunal, haciendo uso de la facultad de libre apreciación, otorgar mayor o menor credibilidad de forma razonada a cualquiera de ellos.

Y la jurisprudencia de nuestro alto Tribunal —en todos los órdenes jurisdiccionales— se encarga de manifestar que ante dictámenes médicos contradictorios el Juez es soberano para acoger el que le merezca más crédito por la autoridad o prestigio de quien lo suscriba, sin estar sujeto a una concreta pericia, pudiendo optar por la que, a su juicio, ofrezca mayores garantías de objetividad, imparcialidad e identificación con los hechos. Que los informes puedan no ser coincidentes "trae como consecuencia, si es que ya no lo fuera como fruto de su misión colaboradora, que los Tribunales no queden sometidos al dictamen o dictámenes periciales, sino, que los contemplan, de acuerdo con las reglas de la sana crítica a que alude el art. 632 de dicha Ley, y así escogen lo útil que en ellos exista, dando incluso preferencia a unos sobre otros, o abandonándolos por resultar aconsejada esta actitud bajo el influjo de otros medios de prueba"».

Capítulo III.

La prueba electrónica en el proceso civil

1. INTRODUCCIÓN: NORMATIVA Y CARACTERÍSTICAS

La **prueba electrónica** en el proceso civil se regula en los artículos 382 a 384 de la Ley de Enjuiciamiento Civil bajo el epígrafe «*De la reproducción de la palabra, el sonido y la imagen y de los instrumentos que permiten archivar y conocer datos relevantes para el proceso*» [108].

Su reconocimiento expreso se produce en el artículo 299.2 LEC, dedicado a enumeración de los medios de prueba, al señalar, en su apartado 2, que «*También se admitirán, conforme a lo dispuesto en esta Ley, los medios de reproducción de la palabra, el sonido y la imagen, así como los instrumentos que permiten archivar y conocer o reproducir palabras, datos, cifras y operaciones matemáticas llevadas a cabo con fines contables o de otra clase, relevantes para el proceso*».

---

[108] La ubicación sistemática de la regulación se inserta en la Sección 8.ª del Capítulo VI del Título I del Libro II, dedicado a «los medios de prueba y las presunciones».

Dicha **normativa supuso una novedad respecto a la LEC de 1881** [109] y el **Código Civil** [110]. En efecto, se reconocía por primera vez en la legislación procesal civil la eficacia de los medios de pruebas propiciados por los avances científicos y tecnológicos producidos desde la segunda mitad del siglo XX. En este sentido, la Exposición de Motivos de la LEC de 2000 destacaba esta novedad en materia de prueba al señalar que «*resulta obligado el reconocimiento expreso de los instrumentos que permiten recoger y reproducir palabras, sonidos e imágenes o datos, cifras y operaciones matemáticas*».

La formulación de una nueva normativa procesal civil constituyó una oportunidad para regular específicamente la prueba electrónica, pues su utilización se encontraba ya muy asentada en la vida social y profesional. Piénsese en los e-mails, archivos de fotografías, grabaciones almacenadas en discos duros, documentos electrónicos, etc. Era necesario, por tanto, delimitar su régimen jurídico, es decir, detallar su forma de aportación al proceso, práctica de la prueba, impugnación y valor probatorio. Por otro lado, la Exposición de Motivos de la LEC reconocía la necesidad de superar la concepción restrictiva de los medios de prueba, pues los continuos avances tecnológicos y los cambios en los usos sociales exigían una «*apertura legal a la realidad*» que era «*incompatible con la idea de un número cerrado y determinado de medios de prueba*».

Según el Magistrado FERNÁNDEZ SEIJO [111], la regulación de estos nuevos medios de prueba presenta las siguientes **características:**

---

[109] El artículo 578 de la LEC de 1881 establecía que los medios de prueba de que se podía hacer uso en juicio eran: 1) confesión en juicio; 2) los documentos públicos y solemnes; 3) los documentos privados y correspondencias; 4) los libros de los comerciantes que fuesen llevados con las formalidades prevenidas; 5) el dictamen de peritos; 6) el reconocimiento judicial; y 7) los testigos.

[110] El artículo 1215 del Código Civil establecía que «Las pruebas pueden hacerse: por instrumentos, por confesión, por inspección personal del Juez, por peritos, por testigos y por presunciones».

[111] *Vid.* FERNÁNDEZ SEIJO, J. M.ª., «Comentario al artículo 384 LEC», en ESCRIBANO MORA, F. (coord)., *El Proceso Civil*, Tirant lo Blanch, Valencia, 2001, p. 2.721.

— La amplitud de la redacción legal, ya que permite el acceso al proceso a cualquier información que proceda de cualquier avance tecnológico.

— El medio de prueba no lo constituye el soporte tecnológico, sino la información en ellos contenida, siempre y cuando sea susceptible de ser conocida y examinada por el Juez.

— La práctica de las pruebas electrónicas exige unas garantías que obligan a acudir a las normas del reconocimiento judicial, de la prueba pericial y de la prueba documental.

— Las dificultades de su práctica, puesto que, con la finalidad de evitar su manipulación, se establecen mecanismos de documentación más prolijos que con respecto a los demás medios probatorios.

2. ENUMERACIÓN

La LEC utiliza una terminología ambigua e imprecisa a la hora de referirse a la prueba electrónica, por cuanto distingue entre «instrumentos de filmación, grabación y semejantes» (artículo 382 LEC) y los «instrumentos que permiten archivar, conocer o reproducir datos relevantes para el proceso» (artículo 384 LEC). Se trata de una distinción algo artificiosa dado que —como señala CABEZUDO RODRÍGUEZ [112]— los soportes electrónicos pueden servir para reproducir imágenes o sonidos de la misma manera que los soportes audiovisuales también pueden servir para reproducir datos como palabras o cifras.

La **doctrina** ha propuesto distintas clasificaciones de la prueba electrónica en el proceso civil. Por un lado, DE URBANO CASTRILLO y MAGRO SERVET [113] optan por incluir las fuentes de prueba electrónicas

---

[112] *Vid*. CABEZUDO RODRÍGUEZ, N., "Omisiones y recelos del legislador procesal ante los medios de prueba tecnológicos", *La Ley*, núm. 5, 2004, p. 1.703.

[113] *Vid*. DE URBANO CASTRILLO, E. y MAGRO SERVET, V., *La prueba tecnológica en la Ley de Enjuiciamiento Civil*, Aranzadi, Navarra, 2003, p. 77.

en uno u otro de los medios previstos en los artículos 382 a 384 LEC. Dentro de los medios de reproducción de la palabra, el sonido o la imagen (artículo 382 LEC), incluyen el video, el casete y el fax. Como instrumentos de archivo (artículo 384 LEC), incluyen el CD Rom, el disquete, el DVD, la base de datos, los programas de ordenador, y los archivos informáticos, la tarjeta prepago de telefonía móvil, el disco duro y el correo electrónico.

Por otro lado, NIEVA FENOLL [114] distingue las siguientes categorías de pruebas electrónicas: 1) los documentos de sonido representados por los discos de vinilo y cintas magnetofónicas; 2) los documentos de imagen comprensivos de las diapositivas; 3) los documentos de texto y alfanuméricos representados por las bandas magnéticas y las tarjetas de crédito; 4) los documentos multimedia que incluyen las cintas de video, disquetes, discos duros, discos compactos, unidades de memoria, unidades de cinta, unidades zip y DVD.

Resulta muy difícil confeccionar una lista cerrada y exhaustiva de los medios e instrumentos electrónicos dada su extensa variedad, así como la celeridad con la que se producen avances en tecnología de la comunicación e información.

Siguiendo al Catedrático GÓMEZ DEL CASTILLO Y GÓMEZ [115], podemos realizar la siguiente **clasificación**:

— **Instrumentos de captación y reproducción del sonido (fono-grabaciones)**

Dentro de este apartado, se incluirían todos aquellos elementos de captación y reproducción del sonido mediante registros mecánicos o magnéticos, sean autónomos o dependientes (contestadores de teléfonos fijos, buzones de teléfonos móviles, etc.), de aparatos de transmisión del sonido; así: discos gramofónicos o fonográficos (en

---

[114] *Vid.* NIEVA FENOLL, J., *Jurisdicción y proceso. Estudios de ciencia jurisdiccional*, Marcial Pons, Madrid, 2009, pp. 316-317.

[115] *Vid.* GÓMEZ DEL CASTILLO Y GÓMEZ, M. M., «Aproximación a los nuevos medios de prueba en el proceso civil», *Derecho y conocimiento*, vol. 1, pp. 79-81.

soporte de resinas sintéticas, tipo baquelita, o de sustancias sintéticas, a base de polímeros, tipo plástico), discos compactos *(compact disc)*, cintas magnetofónicas (en soporte de vinilo o de plástico; en o sin casetes).

— **Instrumentos de captación y reproducción de la imagen (foto-grabaciones)**

En este apartado, podemos incluir todos aquellos elementos de captación y reproducción de la imagen mediante registros físicos o químicos; así: fotografías (en todas sus posibles variantes: macrofotografía, microfotografía, fotografía ultrarrápida, con luz monocromática, con luz polarizada, con radiaciones ultravioletas o infrarrojos, etc.), diapositivas, transparencias, copias fotostáticas (fotocopias, xerocopias, etc.), aplicaciones en el campo de la ingeniería, de la arquitectura, de la medicina (radiografías y gammagrafías; radiofotografías; radiogramas; fotografías radioscópicas; escintilografías; ecografías; resonancias magnéticas; fotografías endoscópicas; TAC; etc.).

— **Instrumentos de captación y reproducción de la imagen y del sonido**

Dentro de esta categoría, se podrían incluir todos aquellos elementos de captación y reproducción de la imagen y del sonido, simultánea o sucesivamente, mediante registros físicos (fundamentalmente magnéticos) o químicos (films cinematográficos en soporte de celuloide, videocintas, videodiscos, DVD, etc.).

— Instrumentos telemáticos

En este grupo, podemos incluir todos los instrumentos que derivan de la utilización de los medios telemáticos, del teléfono y del telégrafo, y, en la actualidad, del télex, el fax, el telefax, el burofax, el teletexto, etc.

— Instrumentos informáticos

Podemos incluir, dentro de este grupo, todos los instrumentos que derivan de la utilización de los medios informáticos, y, particularmente, los discos magnéticos, CD Rom, disquetes, DVD Rom, *pen drive*, discos duros de almacenamiento, etc.

— Instrumentos derivados de la utilización de aparatos de control o medición

Dentro de este grupo, se incluyen todos los instrumentos que derivan de la utilización de aparatos de control o medición de materias, sustancias o fenómenos físicos, químicos, fisiológicos, biológicos, etc. En este sentido, podemos citar medición de vibraciones, ruidos, sonidos o escalas de intensidad sonora a definir en decibelios; medición de luminosidad o escalas de intensidad lumínica; control de emisiones de gases, vertidos de líquidos, radiaciones ionizantes, liberación de energía nuclear o elementos radioactivos; medición de las capacidades fisiológicas como, por ejemplo, los encefalogramas, los electrocardiogramas, las fonocardiografías, etc.

— Instrumentos derivados de la utilización de aparatos registradores

En este grupo se incluirían las cintas magnéticas para la entrada y salida de datos en las calculadoras electrónicas, cintas de cajas registradoras, etc.

3. NATURALEZA JURÍDICA

La doctrina ha discutido acerca de la naturaleza jurídica de la prueba electrónica en el proceso civil. A tal efecto, podemos distinguir tres teorías:

— Teoría autónoma

Esta primera teoría sostiene que la prueba electrónica es independiente de los medios de prueba tradicionales y, en particular, de la prueba documental. Esta diferenciación vendría avalada por el distinto tratamiento normativo, pues mientras la prueba documental tradicional se contempla en los artículos 317 a 334 LEC, la prueba electrónica por «medios o instrumentos» se contempla en los artículos 382 a 384 LEC.

Se alude a las diferencias que existen con el documento tradicional, especialmente, por la exigencia práctica de reproducción de lo grabado o de los datos del dispositivo informático que serán examinados por el Tribunal.

— Teoría analógica

Esta teoría considera que la prueba documental y la prueba audiovisual o por instrumentos informáticos son de naturaleza equiparable. En efecto, los nuevos medios han superado el concepto estricto de documento como «escrito en soporte papel» para alcanzar la idea de representación en cualquier tipo de soporte. Por tanto, nos encontraríamos ante actualización de los medios clásicos de prueba.

Una de las ventajas de este planteamiento es que permite la aplicación analógica del régimen jurídico de la prueba documental, al menos en determinados aspectos como, por ejemplo, momento procesal de su aportación (artículos 265 a 270 LEC), posible impugnación o reconocimiento en la audiencia previa (artículo 427.1 LEC) y el deber de exhibición documental (artículos 328 y siguientes LEC).

Sin embargo, este planteamiento no se puede sostener respecto del valor probatorio por cuanto la prueba electrónica —como veremos— se valora de acuerdo a las reglas de la sana crítica (artículos 382.3 y 384.3 LEC), mientras que la prueba documental pública y la privada cuya autenticidad no se ha impugnado se ajusta a un sistema de valoración tasada (artículos 319 y 326 LEC).

— Teoría de la equivalencia funcional

Esta teoría sostiene que el documento en soporte electrónico y el documento en papel despliegan identidad de efectos jurídicos. Sin embargo, esta equiparación de efectos jurídicos exige que el documento electrónico cumpla una serie de requisitos [116]:

---

[116] Vid. ILLÁN FERNÁNDEZ, J. M.ª., La prueba electrónica, eficacia y valoración en el proceso civil. Nueva oficina judicial, comunicaciones telemáticas (Lexnet) y el expediente judicial electrónico. Análisis comparado legislativo y jurisprudencial, Aranzadi, Navarra, 2009, pp. 381-382.

— Que el documento electrónico resulte legible mediante sistemas de *software* y *hardware*.

— Que el contenido del documento emitido por el autor sea igual al de la otra parte.

— Que sea posible su conservación y tenga la posibilidad de recuperación.

— Que el documento creado en un entorno electrónico o informático pueda traducirse a lenguaje convencional.

— Que se pueda identificar a los sujetos participantes en el documento.

— Que se pueda atribuir a una persona determinada la autoría del documento.

— Que el documento reúna las condiciones de autenticidad y fiabilidad, así como los sistemas utilizados para su certificación o incorporación de forma electrónica del documento.

Según el Magistrado ABEL LLUCH [117], la LEC de 2000 se mantiene a caballo entre la teoría autónoma y la teoría analógica por dos razones. En primer lugar, porque crea *ex novo* y *ad hoc* los medios de prueba audiovisuales e instrumentos informáticos en una sección independiente y con una regulación autónoma (artículos 382 a 384 LEC). Y, en segundo lugar, porque anuncia un tratamiento procesal analógico a los documentos escritos y postula una regulación unitaria de la prueba documental que acoja —como reza la Exposición de Motivos— *«la utilización de nuevos instrumentos probatorios, como soportes, hoy no convencionales, de datos, cifras y cuentas, a los que, en definitiva, haya de otorgárseles una consideración análoga a la de las pruebas documentales»*.

---

117 *Vid.* ABEL LLUCH, X., «Prueba electrónica», en ABEL LLUCH, X. y PICÓ I JUNOY, J. (directores), *La prueba electrónica*, Colección de Formación Continua Facultad de Derecho ESADE, J. M. Bosch editor, 2011, pp. 112-113.

4. APORTACIÓN AL PROCESO

La LEC ha equiparado el **régimen de aportación de la prueba electrónica al establecido para la prueba documental**. En consecuencia, las partes deberán aportar las pruebas electrónicas junto con la demanda o la contestación (artículo 265.1.2.° LEC).

La consecuencia de no cumplir esta carga procesal es la pérdida de oportunidad de aportar esa prueba electrónica al proceso. En este sentido, el artículo 269.1 LEC establece que la falta de presentación en el momento adecuado supone que «no podrá ya la parte presentar el documento posteriormente, ni solicitar que se traiga a los autos». Asimismo, si la parte pretende aportar con posterioridad a los momentos procesales establecidos en la ley, el Tribunal, por medio de providencia, lo inadmitirá, de oficio o a instancia de parte, mandando devolverlo a quien lo hubiera presentado. Contra esta resolución no cabe recurso alguno, sin perjuicio de hacerse valer en la segunda instancia (artículo 272 LEC).

Esta regla general, no obstante, tiene las siguientes **excepciones**:

— **Imposibilidad de aportación en el momento inicial**

Si las partes, al presentar la demanda o contestación, no pueden disponer de las pruebas electrónicas de las que pretendan valerse, podrán designar el archivo, protocolo o lugar en que se encuentren (artículo 265.2 LEC).

Esta excepción no se aplica cuando la prueba electrónica se encuentre en un archivo, protocolo, expediente o registro del que se puedan pedir y obtener copias fehacientes.

— **Aportación en la audiencia previa (juicio ordinario) o en la vista (juicio verbal)**

El actor puede presentar en la audiencia previa (en el juicio ordinario) o en la vista (del juicio verbal) las pruebas electrónicas relativas al fondo del asunto, cuyo interés o relevancia solo se pongan de manifiesto a consecuencia de alegaciones efectuadas por el demandado en la contestación a la demanda.

En este punto, debemos recordar que la Ley 42/2015, de 5 de octubre, ha modificado la tramitación del juicio verbal, introduciendo, al igual que en el juicio ordinario, la contestación escrita a la demanda (artículo 438.1 LEC). De esta manera, el actor conoce, antes de la celebración de la vista, la postura procesal del demandado, lo que resulta más acorde con el derecho de defensa del actor que, en muchas ocasiones, se veía sorprendido con las alegaciones orales y los documentos que presentaba el demandado en el acto de la vista.

Debido a esta modificación, se permite al actor aportar nuevos documentos al acto de la vista cuando su necesidad venga impuesta por las alegaciones del demandado en la contestación a la demanda.

— **Presentación de documentos en momento no inicial del proceso**

La LEC permite en determinados supuestos excepcionales aportar pruebas electrónicas después de la demanda y la contestación o, incluso, después de la audiencia previa (en el juicio ordinario). Las tres excepciones son las siguientes:

— Ser de fecha posterior a la demanda o a la contestación o, en su caso, a la audiencia previa al juicio, siempre que no se hubiesen podido confeccionar ni obtener con anterioridad a dichos momentos procesales.

— Tratarse de documentos, medios o instrumentos anteriores a la demanda o contestación o, en su caso, a la audiencia previa al juicio, cuando la parte que los presente justifique no haber tenido antes conocimiento de su existencia.

— No haber sido posible obtener con anterioridad los documentos, medios o instrumentos, por causas que no sean imputables a la parte, siempre que haya hecho oportunamente la designación a que se refiere el apartado 2 del artículo 265, o en su caso, el anuncio al que se refiere el número 4.° del apartado primero del artículo 265 LEC.

En cualquier caso, existe un momento procesal en el que se produce la **preclusión definitiva de la presentación de pruebas electrónicas**. En este sentido, el artículo 271.1 LEC establece que «*no se* *admitirá a las partes ningún documento, instrumento, medio, informe o dictamen que se presente después de la vista o juicio, sin perjuicio de lo previsto en la regla tercera del artículo 435, sobre diligencias finales en el juicio ordinario».* La única excepción a esta regla son las *«sentencias o resoluciones judiciales o de autoridad administrativa, dictadas o notificadas en fecha no anterior al momento de formular las conclusiones, siempre que pudieran resultar condicionantes o decisivas para resolver en primera instancia»* (artículo 271.2 LEC).

5. FORMA DE APORTACIÓN

La LEC no ha regulado de forma expresa la forma de aportación de la prueba electrónica. En efecto, los artículos 382 a 384 LEC solo hacen referencia a dos cuestiones. En primer lugar, cuando la prueba sean instrumentos de filmación, grabación y semejantes que contengan palabras, imágenes y sonidos, la parte que los proponga deberá aportar la trascripción escrita de las palabras contenidas en el soporte de que se trate y que resulten relevantes para el caso [118] (artículo 382.1 LEC). Y, en segundo lugar, cuando se trate de instrumentos que permitan archivar, conocer o reproducir datos relevantes para el proceso, la parte deberá aportar (en caso de que el Tribunal no disponga de ellos) los medios necesarios para poder examinar su contenido (artículo 384.1 LEC).

Dado que no se puede aportar materialmente el ordenador o servidor en el que consta la información, deberá recogerse la misma en un **soporte idóneo**, ya sea un *pen drive*, un CD, DVD o dispositivo análogo de almacenamiento. De igual manera, podrá imprimirse la información que consta digitalizada para servir de medio auxiliar al Tribunal, debiendo indicarse dónde se encuentra el archivo auténtico y original con el que puede ser cotejado [119]. De igual manera,

---

[118] La exigencia de acompañar una trascripción escrita de las palabras contenidas en el soporte se ha introducido tras la reforma de la Ley 42/2015, de 5 de octubre, de reforma de la Ley de Enjuiciamiento Civil.

[119] *Vid.* García Paredes, A., «La prueba en juicio: ¿y si es electrónica?», *Revista de Contratación Electrónica*, núm. 62, julio 2005, p. 6.

resulta conveniente identificar el *software* y *hardware* utilizado para confeccionar el documento en orden a facilitar posteriormente su reproducción ante el Tribunal [120].

Las pruebas electrónicas, por tanto, pueden aportarse a través de documentos multimedia que son aptos para almacenar la información relevante para el proceso. Sin embargo, siguiendo a ABEL LLUCH [121] y a ALONSO-CUEVILLAS SAYROL, [122] podemos apuntar **otras formas de incorporarse al proceso:**

— **Interrogatorio de partes y de testigos**

Las pruebas personales son aptas para trasladar las nuevas fuentes de prueba electrónica. Así, por ejemplo, el contenido de una página *web*, de e-mail o la grabación de una videocámara puede exhibirse a las partes o a los testigos de forma similar a un documento escrito para que manifiesten si los reconocen o qué conocimiento tienen de los mismos. De igual manera, se si trata de un testigo-perito (artículo 370.4 LEC), podrá añadir juicios derivados de sus conocimientos científicos, artísticos o prácticos.

— **Prueba documental**

En este caso, la prueba electrónica podría acceder al proceso de dos formas.

En primer lugar, a través de documentos privados (artículo 324 LEC). Sería el caso, por ejemplo, en que la parte imprime un e-mail o una página *web* y lo incorpora al proceso como un documento. En este caso, la LEC dispone, en relación con los documentos privados, que deben aportarse en «*original o mediante copia autenticada por el fedatario público competente y se unirán a los autos o se dejará testimonio de ellos, con devolución de los originales o copias fehacientes presentadas, si así lo solicitan los interesados*», pudiendo,

---

120   *Vid*. CABEZUDO RODRÍGUEZ, N., ob. cit., p. 1.705.
121   *Vid*. ABEL LLUCH, X., ob. cit., pp. 68-77.
122   *Vid*. ALONSO-CUEVILLAS SAYROL, J., «Internet y prueba civil», *Revista Jurídica de Catalunya*, Vol. 100, núm. 4, 2001, pp. 1.079 y ss.

además, aportarse «*mediante imágenes digitalizadas, incorporadas a anexos firmados electrónicamente*» (artículo 268.1 LEC). Si la parte solo dispone de la copia simple del documento privado electrónico, podrá presentar ésta, ya sea en soporte papel o mediante imagen digitalizada en la forma comentada anteriormente (artículo 268.2 LEC).

En segundo lugar, a través de documentos públicos (artículo 317 LEC). En este caso, la parte debe presentarlo «*en soporte papel o, en su caso, en soporte electrónico a través de imagen digitalizada incorporada como anexo que habrá de ir firmado mediante firma electrónica reconocida y, si se impugnara su autenticidad, podrá llevarse a los autos original, copia o certificación del documento con los requisitos necesarios para que surta efectos probatorios*» (artículo 267 LEC). El otorgamiento de documentos públicos notariales electrónicos está regulado de forma detallada en el artículo 17 bis de la Ley del Notariado, precepto que establece que dichos instrumentos «*al igual que los autorizados sobre papel, gozan de fe pública y su contenido se presume veraz e íntegro*».

En relación con los documentos públicos [123], debemos mencionar, al menos, tres tipos de actas notariales [124] que tienen relación con la prueba electrónica: acta de presencia, de protocolización y de depósito.

■

[123] No podemos olvidar que los documentos públicos —en este caso, los notariales— gozan de una oficacia probatoria tasada, por lo que su aportación al proceso puede ser de gran interés para acreditar los hechos relevantes según la pretensión de la parte. En este sentido, el artículo 319.1 LEC establece: «*Con los requisitos y en los casos de los artículos siguientes, los documentos públicos comprendidos en los número 1.º a 6.º del artículo 317 harán prueba plena del hecho, acto o estado de cosas que documenten, de la fecha en que se produce esa documentación y de la identidad de los fedatarios y demás personas que, en su caso, intervengan en ella*».

[124] El artículo 198 del Reglamento Notarial define las actas de la siguiente manera: «*Los notarios, previa instancia de parte en todo caso, extenderán y autorizarán actas en que se consignen los hechos y circunstancias que presencien o les consten, y que por su naturaleza no sean materia de contrato*».

En primer lugar, las actas de presencia «*acreditan la realidad o verdad del hecho que motiva su autorización*» (artículo 199 del Reglamento Notarial). En el caso que nos ocupa, se otorgaría, por ejemplo, cuando un particular solicita al Notario que navegue por una página *web*, que acceda a una cuenta de correo electrónico o que observe determinadas imágenes, datos o archivos que constan en un dispositivo de almacenamiento, siempre que pueda efectuarse con los conocimientos del fedatario público. El Notario imprimirá los correos electrónicos o la información digital que resulte de interés para su incorporación al acta, consignando «*lo que presencie o perciba por sus propios sentidos, en los detalles que interesen al requirente, si bien no podrá extenderse a hechos cuya constancia requieran conocimientos periciales*».

En segundo lugar, el acta de protocolización «*hará relación al hecho de haber sido examinado por el Notario el documento que deba ser protocolizado, a la declaración de la voluntad del requirente para la protocolización o cumplimiento de la providencia que la ordene, al de quedar unido el expediente al protocolo, expresando el número de folios que contenga y los reintegros que lleve unidos*» (artículo 211 del Reglamento Notarial). Esta acta se extenderá, por ejemplo, cuando un particular imprime un correo electrónico o el contenido de una página *web* y, posteriormente, acude a la Notaría para su incorporación al protocolo. En este caso, el Notario extiende un acta haciendo constar los datos de identidad del requirente, el hecho de la entrega del documento ya impreso, así como la fecha de entrega, sin que la fe pública notarial se extienda a la existencia de la página *web* o del e-mail.

Y, en tercer lugar, el acta de depósito (artículo 216 del Reglamento Notarial). En relación con la prueba electrónica, podría tener, básicamente, dos finalidades. En primer lugar, podrían depositarse ordenadores, teléfonos, dispositivos electrónicos o de almacenamiento que contengan datos de interés para el proceso. De esta manera, se garantiza la integridad, no manipulación, de dicha fuente de prueba, así como su acceso por peritos informáticos cuando sea conveniente emitir un dictamen. Y, en segundo lugar, podrían depositarse documentos que estén extendidos en soporte informático. En este último caso, «*en el acta de depósito, o en el documento en que deba quedar unido, bastará con hacer referencia depósito con reseña de las características del documento electrónico y de su soporte, tales como su fecha, formato y su extensión, si las tiene, la unidad de medida, en su caso, así como las demás características técnicas que permitan identificarlos»* (artículo 216.1.º del Reglamento Notarial). De igual manera, la Dirección General de los Registros y del Notariado, podrá acordar, *«cuando innovaciones técnicas lo hagan aconsejable, el traslado sistemático del contenido de documentos informáticos depositados a un nuevo soporte, más adecuado para su conservación, lectura o reproducción, dictando las normas que garanticen la fiabilidad de las copias. En todo caso, deberá citarse a los interesados, quienes podrán oponerse retirando el documento».* En el caso de documentos en soporte informático que deban depositarse, el Reglamento Notarial prevé que *«podrá realizarse, con la misma finalidad, el traslado a un nuevo soporte a instancia de la persona que depositó el documento o sus causahabientes. El traslado del contenido del documento deberá hacerse por medios técnicos adecuados que aseguren la fiabilidad de la copia».*

— Prueba pericial informática

La prueba pericial también puede ser un instrumento para el acceso de la prueba electrónica al proceso. El dictamen de peritos informáticos puede servir bien para valorar adecuadamente la prueba electrónica (artículo 352 LEC) o bien para ilustrar al Tribunal sobre determinados hechos relevantes para el proceso que no resultan perceptibles por los sentidos y requieran de unos especiales conocimientos informáticos (artículo 335 LEC). Dada la importancia de este medio de prueba, será objeto de estudio detenido en otro capítulo.

Podrían depositarse ante Notario ordenadores, teléfonos, dispositivos electrónicos o de almacenamiento que contengan datos de interés para el proceso. De esta manera, se garantiza la integridad, no manipulación, así como su acceso por peritos informáticos cuando sea conveniente emitir un dictamen

— Cibernavegación judicial

La prueba electrónica también podría acceder al proceso a través del reconocimiento judicial (artículos 353 a 359 LEC). En efecto, este medio de pruebas se practicará, previa solicitud de parte, «*cuando para el esclarecimiento o apreciación de los hechos sea necesario o convenientes que el tribunal examine por sí mismo algún lugar, objeto o persona*» (artículo 353.1 LEC).

Como señala ALONSO-CUEVILLAS SAYROL[125], el entorno digital es susceptible de reconocimiento, pues la percepción judicial directa se instrumentaliza a través de la navegación por la red o cibernavegación. Las partes podrían solicitar en el acto de la audiencia previa (en el juicio ordinario) o en la vista (en el juicio verbal) que el Tribunal acceda a una determinada cuenta de correo electrónico para comprobar que determinados e-mails constan en la bandeja de enviados o recibidos, así como que navegue por una página *web* para comprobar, por ejemplo, que se publicitan artículos con vulneración de los derechos de propiedad industrial. En este caso, el Tribunal debe disponer, o las partes suministrar, los medios informáticos necesarios para acceder al contenido de la prueba electrónica.

Una vez admitida esta prueba, el Letrado de la Administración de Justicia señalará con cinco días de antelación, por lo menos, el día y hora en que va a practicarse (artículo 353.3 LEC). Las partes, sus Procuradores y Abogados, pueden concurrir al reconocimiento judicial y hacer al Tribunal, de palabra, las observaciones que estimen oportunas (artículo 354.2 LEC). En el caso que nos ocupa, puede ser especialmente útil que el Tribunal acuerde que se practique en el mismo acto la prueba pericial informática, lo que, seguramente, ayudará a una mejor compresión de la información que conste en los medios o instrumentos electrónicos (artículo 356 LEC). Se prevé la utilización de medios de grabación del sonido y de la imagen u otros instrumentos semejantes para dejar constancia del reconocimiento judicial y de las manifestaciones de quienes intervengan en él (artículo 359 LEC).

---

[125] *Vid.* ALONSO-CUEVILLAS SAYROL, J., ob. cit., p. 1.084.

6. DEBER DE EXHIBICIÓN

El deber de exhibición documental se regula en los artículos 328 a 334 LEC. Dichos preceptos se refieren a la prueba documental *strictu sensu* y no a los medios o instrumentos previstos en los artículo 382 a 384 LEC.

En esta tesitura, como señala ABEL LLUCH [126], existen **dos opciones**. La primera, considerar que el silencio legal significa que el legislador ha querido excluir la prueba multimedia del deber de exhibición. Y, la segunda, que consiste en aplicar de manera analógica el régimen jurídico establecido para los documentos convencionales, si bien teniendo en cuenta las diferencias existentes entre ambos medios de prueba.

La **doctrina mayoritaria** opta por esta segunda opción [127]. Sin embargo, no podemos olvidar que las características de la prueba electrónica pueden hacer más complejo el deber de exhibición. Piénsese, por ejemplo, en la información electrónica existente en un ordenador. En este caso, no tiene sentido que la parte actora solicite que se aporte el soporte físico *strictu sensu* al proceso, sino que lo adecuado sería requerir a la contraparte para que copie la información a algún dispositivo que permita su posterior lectura y examen. Esta solución, a su vez, plantea ciertos problemas, porque si la copia de la información se hace de manera privada por la contraparte, nada garantiza que se trate de una copia íntegra, fiel y exacta de la información relevante para el proceso. Quizá en este supuesto lo adecuado sería solicitar la intervención de un perito informático para que obtenga una copia con las debidas garantías. Esta posibilidad se encontraría amparada en el artículo 336.5 LEC, según el cual, «*A instancia de parte, el juzgado o tribunal podrá acordar que se per-*

---

[126] *Vid.* ABEL LLUCH, ob. cit., p. 130.
[127] En este sentido, *vid.* MONTERO AROCA, J., *La prueba en el proceso civil*, 5.ª edición, Civitas, Madrid, 2008, p. 196; SANCHÍS CRESPO, C., y CHAVELI DONET, E. A., *La prueba por medios audiovisuales e instrumentos de archivo en la LEC 1/2000 (Doctrina, jurisprudencia y formularios)*, Tirant lo Blanch, Valencia, 2002, pp. 120-121.

mita al demandado examinar por medio de abogado o perito las cosas y los lugares cuyo estado y circunstancias sean relevantes para su defensa o para la preparación de los informes periciales que pretenda presentar» [128].

Otra de las dificultades asociadas a la exhibición de la prueba electrónica es que **la solicitud debe ir acompañada de copia simple** (artículo 328.2 LEC). La distinción entre original y copia está clara en los documentos convencionales. Sin embargo, plantea mayores problemas en la prueba electrónica dado que, en definitiva, la copia y el original pueden ser idénticos, dada la facilidad de su reproducción, salvando, lógicamente, el criterio cronológico y los llamados «datos de tráfico». Para salvar estas dificultades, ABEL LLUCH [129] considera que por «copia simple» debe entenderse la versión del documento no escrito aportado por la parte proponente (por ejemplo, copia de un e-mail, página web o de un SMS). No obstante, en caso de impugnación, deberá probarse la autenticidad del documento con una prueba pericial informática o, en su caso, a través de los restantes medios de prueba que se practiquen en el juicio.

Sobre esta cuestión, debemos traer a colación el artículo 333 LEC, modificado por la Ley 42/2015, que se refiere a la extracción de copias de documentos que no sean textos escritos. Este precepto dispone que *«Cuando se trate de dibujos, fotografías, croquis, planos, mapas y otros documentos que no incorporen predominantemente textos escritos, si sólo existiese el original, la parte podrá solicitar que en la exhibición se obtenga copia, a presencia del secretario judicial, que dará fe de ser fiel y exacta reproducción del original».* En este caso, la presencia del Letrado de la Administración de Justicia garantiza, mediante la fe pública judicial, la exactitud e integridad de las copias obtenidas. Dada la utilización del sistema LexNet para la remisión de escritos y documentos [130], el citado precepto matiza que *«Si estos*

---

[128] Este párrafo se ha introducido por la Ley 42/2015, de 5 de octubre, de reforma de la Ley 1/2000, de 7 de enero, de Enjuiciamiento Civil.

[129] *Vid.* ABEL LLUCH, X., ob. cit., p. 132.

[130] *Vid.* artículo 273 LEC, modificado por la Ley 42/2015, de 5 de octubre, de reforma de la Ley 1/2000, de 7 de enero, de Enjuiciamiento Civil

documentos se aportan de forma electrónica, las copias realizadas por medios electrónicos por la oficina judicial tendrán la consideración de copias auténticas».

Una vez apuntadas algunas de las dificultades asociadas al deber de exhibición de la prueba electrónica, debemos hacer referencia al **régimen jurídico** previsto en la LEC. A tal efecto, podemos distinguir los siguientes supuestos:

— **Exhibición documental entre partes**

En este caso, la solicitud debe ir acompañada de una copia simple del documento o, si no existiera o no se dispusiera de ella, se indicará en los términos más exactos posibles su contenido (artículo 328.2 LEC).

En caso de que la parte aporte la correspondiente prueba electrónica solicitada (por ejemplo, impresión de los e-mails intercambiados, historial de mensajes de WhatsApp, datos almacenados en un servidor o un dispositivo electrónico, etc.), se tendrá por cumplido el deber de exhibición, surtiendo los efectos probatorios que, en su caso, procedan.

Si, por el contrario, la parte requerida no aporta la prueba electrónica, existen dos posibilidades (artículo 329 LEC):

— Que el Tribunal atribuya valor probatorio a la copia simple presentada por el solicitante de la exhibición o a la versión que del contenido del documento hubiese dado.

— Que el Tribunal formule requerimiento, mediante providencia, para que se aporten los documentos solicitados cuando así lo aconsejen las características de dichos documentos, las restantes pruebas aportadas, el contenido de las pretensiones formuladas por la parte solicitante y lo alegado para fundamentarlas.

— **Exhibición documental por terceros**

Esta posibilidad se utiliza de forma excepcional, pues el Tribunal solo requiere a los terceros no litigantes para que aporten documentos de su propiedad cuando su conocimiento resulta trascendente para dictar sentencia.

Si el tercero voluntariamente quiere exhibir el documento, puede solicitar al Letrado de la Administración de Justicia que acuda a su domicilio para testimoniarlos (artículo 330.1 *in fine* LEC). Esta posibilidad —como se puede advertir— presenta ciertos inconvenientes en la prueba electrónica, porque el Letrado de la Administración de Justicia requerirá, en muchas ocasiones, un equipo informático que le permita obtener copias de los archivos o información digital, así como la asistencia de un perito o experto informático.

En otro supuesto, el Tribunal ordenará una comparecencia personal del tercero propietario del documento y, tras oírle, resolverá lo que proceda en relación con la aportación al proceso del documento (artículo 330.1 LEC). Si el tercero no quiere desprenderse del documento, se extenderá testimonio por el Letrado de la Administración de Justicia en la sede del Tribunal, si así lo solicitara (artículo 331 LEC).

— Exhibición documental por entidades oficiales

Tanto las Administración territoriales (Estado, CCAA, Provincias y Entidades Locales) como las demás entidades de Derecho Público tienen la obligación de exhibir las pruebas electrónicas que obren en sus dependencias y archivos, excepto que se trate de documentación legalmente declarada reservada o secreta (artículo 332.1 LEC). En este último caso, la entidad pública dirigirá al Tribunal una exposición razonada sobre dicho carácter del documento.

7. ADMISIÓN DE LA PRUEBA ELECTRÓNICA

La admisión de las pruebas electrónicas en el proceso civil debe cumplir los requisitos generales exigidos para cualquier otro medio de prueba: pertinencia, utilidad y legalidad (artículo 283 LEC)[131].

---

[131] En este punto, seguimos en parte la explicación de ABEL LLUCH, X., «A propósito del juicio sobre la admisión de los medios de prueba», disponible en el siguiente enlace: http://itemsweb.esade.edu/research/ipdp/a-proposito-del-juicio.pdf [Consultado 19-8-2016].

La **pertinencia** hace referencia a la relación que guarda el medio de prueba propuesto con el tema de prueba [132]. El artículo 283.1 LEC establece que «*no deberá admitirse ninguna prueba que, por no guardar relación con lo que sea objeto del proceso, haya de considerarse impertinente*». Según ABEL LLUCH, el Tribunal debe inadmitir por impertinentes las pruebas que versen sobre hechos no alegados por las partes, dado que aquélla debe tratar necesariamente sobre «*los hechos que guarden relación con la tutela judicial que se pretende obtener en el proceso*» (artículo 281.1 LEC). De igual manera, tampoco debe admitirse pruebas que versen sobre hechos admitidos de adverso, puesto que la conformidad de los litigantes exonera de prueba [133], salvo en determinados procesos especiales no dispositi-

---

[132] La pertinencia es un requisito de admisibilidad de la prueba que se ha elevado a rango constitucional. En este sentido, el artículo 24.2 CE establece que todos tienen derecho «*a utilizar los medios de prueba pertinentes para su defensa*». Este derecho fundamental, sin embargo, no es absoluto pues está condicionado al cumplimiento de los requisitos establecidos en la ley para que dichas pruebas puedan admitirse válidamente en juicio. Por tal motivo, la vulneración de este derecho fundamental —según reiterada jurisprudencia del Tribunal Supremo y del Tribunal Constitucional— requiere la concurrencia de los siguientes requisitos: 1) Que la prueba se haya solicitado en la forma y momento legalmente establecidos; 2) Que la falta de práctica de la prueba admitida sea imputable al órgano judicial, o que se hayan inadmitido pruebas relevantes para la decisión final sin motivación alguna o mediante una interpretación y aplicación de la legalidad arbitraria o irrazonable; 3) Que la falta de actividad probatoria se haya traducido en una efectiva indefensión del recurrente, es decir, que la prueba inadmitida sea decisiva en términos de defensa. Este último requisito requiere que el recurrente, en primer lugar, justifique la relación entre los hechos que se quisieron y no se pudieron probar y las pruebas inadmitidas; y, en segundo lugar, argumente de modo convincente que la resolución final del proceso a quo podría haberle sido favorable, de haberse aceptado y practicado la prueba propuesta. En definitiva, se requiere justificar la trascendencia de la prueba en orden a posibilitar una modificación del sentido del fallo.

[133] El artículo 281.3 LEC establece: «*Están exentos de prueba los hechos sobre los que exista plena conformidad de las partes, salvo en los casos en que la materia objeto del proceso esté fuera del poder de disposición de los litigantes*».

vos [134] (capacidad, filiación, matrimonio y menores). Tampoco se admitirán por impertinentes las pruebas sobre hechos que gocen de notoriedad [135] y sobre hechos irrelevantes, es decir, que no tengan influencia sobre la cuestión controvertida.

A fin de lograr la admisión de la prueba, resulta esencial fijar cuál es el *thema decidendi*, esto es, fijar los hechos sobre los que exista controversia entre las partes. Esta delimitación se realiza en la audiencia previa del juicio ordinario (artículo 428 LEC) y en el acto de la vista del juicio verbal (artículo 443.3 LEC). En la práctica forense, en algunas ocasiones no se da la importancia que merece a esta fijación del objeto de controversia. Sin embargo, si no se realiza (porque se omite este acto) o no se ejecuta de forma adecuada, se corre el peligro de que el Tribunal admita pruebas que no guardan relación con el debate de las partes, lo que, desde luego, redundará en una prolongación innecesaria del juicio y, lógicamente, en la resolución final del litigio. Si el Tribunal no presta atención a este trámite procesal, deben ser los Abogados quienes interesen de aquél que se fije el objeto de controversia, lo que, desde luego, será de vital importancia para dilucidar qué pruebas son pertinentes y cuáles no.

La **utilidad** hace referencia a la idoneidad del medio de prueba para acreditar el hecho controvertido. El artículo 283.2 LEC dispone que «*tampoco deben admitirse, por inútiles, aquellas pruebas que, según reglas y criterios razonables y seguros, en ningún caso puedan contribuir a esclarecer los hechos controvertidos*». Según DE LA OLIVA SANTOS [136], la prueba inútil es aquélla que, por existir una manifiesta inadecuación de medio a fin, se puede razonablemente conjeturar que no alcanzará el resultado apetecido.

---

134   El artículo 752.2 LEC dispone: «*La conformidad de las partes sobre los hechos no vinculará al tribunal, ni podrá éste decidir la cuestión litigiosa basándose exclusivamente en dicha conformidad o en el silencio o respuestas evasivas sobre los hechos alegados por la parte contraria*».

135   El artículo 281.4 LEC establece: «*No será necesario probar los hechos que gocen de notoriedad absoluta y general*».

136   *Vid.* DE LA OLIVA SANTOS, A., *Derecho Proceso Civil. El proceso de declaración*, Centro de Estudios Ramón Areces, Madrid, 2000, p. 291.

Y, finalmente, la **legalidad** implica que el medio de prueba interesado se ajuste a los parámetros establecidos en la ley. El artículo 283.3 LEC dispone que «*nunca se admitirá como prueba cualquier actividad prohibida por la ley*». Este requisito implica que las partes deben proponer cualquiera de los medios de prueba previstos en la ley (artículo 299.1 LEC) o cualesquiera otros a través de los cuales se pueda obtener certeza sobre hechos relevantes (artículo 299.3 LEC) al asumir la LEC un criterio de *numerus apertus* acorde con las constantes modificaciones tecnológicas que inciden en las relaciones jurídicas. El requisito de la legalidad implica, por otro lado, que la práctica de la prueba debe ajustarse a los términos recogidos en la ley.

Estos requisitos de admisibilidad de las pruebas —como hemos señalado anteriormente— son igualmente aplicables a la prueba electrónica. Sin embargo, las especiales características de este medio de prueba (artículo 382 a 384 LEC) exigen que el proceso por el cual la información se extrae de la realidad digital y se incorpora a las actuaciones se ajuste a determinados parámetros.

Para comprender esta diferencia, ORTUÑO NAVALÓN [137] propone la comparación entre el documento tradicional y el electrónico. La impugnación del documento tradicional puede afectar a tres aspectos: 1) la autenticidad, es decir, la concordancia entre el autor aparente y el real; 2) la exactitud, es decir, la coincidencia entre el original y la copia, testimonio o certificación; y 3) la certeza, esto es, la concordancia entre las declaraciones contenidas en el documento y la realidad.

En el caso del documento electrónico, la impugnación —aparte de los extremos referidos anteriormente— puede referirse a otros tres aspectos: 1) la integridad, es decir, que el soporte en el que se presente no haya sido alterado; 2) la autenticidad, que supone constatar la realidad del sujeto al que se atribuye y del contenido que refleja;

---

[137] *Vid.* ORTUÑO NAVALÓN, M.ª C., *La prueba electrónica ante los Tribunales*, Tirant lo Blanch, Valencia, 2014, p. 110.

y 3) la licitud, que implica que, en su obtención, no se hayan vulnerado derechos o libertades fundamentales.

Aparte de estas tres garantías (integridad, autenticidad y licitud, que examinaremos a continuación), la doctrina [138] ha propuesto unos criterios específicos para decidir sobre la admisión de la prueba electrónica y que serían los siguientes: 1) Identificar debidamente el *hardware* o equipo del que procede el documento electrónico; 2) Acreditar que dicho equipo funciona de modo correcto; 3) Demostrar que los datos introducidos en el ordenador lo han sido conforme a un programa que refleja la exactitud de dicho proceso de registro; 4) Explicar, de modo razonable, que el procedimiento de almacenaje y salida de datos se ha realizado de forma fiable; 5) Acreditar la identidad de quienes participaron en el proceso de elaboración del documento; 6) Acreditar el efectivo control durante el proceso de elaboración del documento.

En cuanto a las **tres garantías de la prueba electrónica**, debemos efectuar un análisis más pormenorizado de las mismas, dada su importancia.

— Garantía de autenticidad

Esta garantía hace referencia a la autoría de la prueba electrónica. En efecto, en los documentos electrónicos puede identificarse el ordenador en el que se ha confeccionado o desde el que se ha remitido, pero no el sujeto que materialmente lo ha realizado [139]. En caso de impugnarse la autenticidad del documento por no quedar determinada la identidad de la persona que lo ha confeccionado, deberá aportarse un dictamen pericial informático que esclarezca esta cuestión.

---

138 *Vid.* DE URBANO CASTRILLO, E., «El documento electrónico: aspectos procesales», en LÓPEZ ORTEGA, J. J. (dir.), *Cuadernos de Derecho Judicial (Ejemplar dedicado a «Internet y derecho Penal»)*, núm. 10, Madrid, 2001, p. 589.

139 *Vid.* ORTUÑO NAVALÓN, M.ª C., ob. cit., p. 111.

No obstante, los documentos que gozan de firma electrónica aportan certeza sobre su autoría. En efecto, la firma electrónica es el método actualmente más fiable para aportar certeza sobre el autor de un documento pues, gracias a ella, se añade al texto del documento una información específica que sirve como autenticación de que quien aparece como firmante es la persona que está detrás del documento porque se basa en un certificado reconocido y está generada mediante un dispositivo seguro. En este sentido, el artículo 3.2 de la Ley 59/2003, de 19 de diciembre, de firma electrónica, dispone que «*la firma electrónica avanzada es la firma electrónica que permite identificar al firmante y detectar cualquier cambio ulterior de los datos firmados, que está vinculada al firmante de manera única y a los datos a que se refiere y que ha sido creada por medios que el firmante puede utilizar, con un alto nivel de confianza, bajo su exclusivo control*». Por su parte, el artículo 3.3 del mismo cuerpo legal establece que «*se considera firma electrónica reconocida la firma electrónica avanzada basada en un certificado reconocido y generada mediante un dispositivo seguro de creación de firma*».

La equivalencia entre la firma manuscrita y la electrónica se produce únicamente en los supuestos de firma electrónica reconocida. En este sentido, el artículo 3.3 de la citada Ley establece que «*la firma electrónica reconocida tendrá respecto de los datos consignados en forma electrónica el mismo valor que la firma manuscrita en relación con los consignados en papel*».

Una firma electrónica reconocida debe cumplir una serie de propiedades: 1) Identificar al firmante; 2) Verificar la integridad del documento firmado; 3) Garantizar el no repudio en el origen; 4) Contar con la participación de un tercero de confianza; 5) Estar basada en un certificado electrónico reconocido; y 6) Debe estar generada con un dispositivo seguro de creación de firma.

Las cuatro primeras características se consiguen gracias al uso de claves criptográficas contenidas en el certificado y en la existencia de una estructura de Autoridades de Certificación que ofrecen confianza en la entrega de certificados.

Sin embargo, la equivalencia de la firma manuscrita a la electrónica requiere, además, el cumplimiento de los dos últimos requisitos. El primero de ellos sería estar basado en un Certificado reconocido por el Ministerio de Industria, Energía y Turismo como habilitado para crear firmas reconocidas, lo que exige el cumplimiento de los requisitos establecidos en el Capítulo II de la Ley 59/2003, de firma electrónica [140]. Y el segundo requisito es que la firma electrónica haya sido generada con un dispositivo seguro de creación de firma, lo que exige: 1) que las claves sean únicas y secretas; 2) que la clave privada no se pueda deducir de la pública y viceversa; 3) que el firmante pueda proteger de forma fiable las claves; 4) que no se altere el contenido del documento original; y 5) que el firmante pueda ver qué es lo que va a firmar.

— Garantía de integridad

La integridad de la prueba electrónica hace referencia a su no manipulación. En efecto, la información contenida en un ordenador puede modificarse de diversas maneras, lo que plantea no pocos problemas probatorios. Resulta, por tanto, esencial garantizar que el material probatorio que examina el Tribunal sea el que documente el estado original de cosas que se pretenda acreditar. Para salvar estas dificultades, resultará aconsejable aportar un dictamen pericial informático que determine si se ha producido algún tipo de modificación y, en caso afirmativo, desde qué terminal y a través de qué método.

La LEC hace referencia a esta garantía al regular la prueba electrónica cuando dispone que «*el material que contenga la palabra,*

---

[140] En este sentido, el artículo 12 de la Ley de Firma Electrónica dispone: «*Antes de la expedición de un certificado reconocido, los prestadores de servicios de certificación deberán cumplir las siguientes obligaciones: a) Comprobar la identidad y circunstancias personales de los solicitantes de certificados con arreglo a lo dispuesto en el artículo siguiente. b) Verificar que la información contenida en el certificado es exacta y que incluye toda la información prescrita para un certificado reconocido. c) Asegurarse de que el firmante tiene el control exclusivo sobre el uso de los datos de creación de firma correspondientes a los de verificación que constan en el certificado. d) Garantizar la complementariedad de los datos de creación y verificación de firma, siempre que ambos sean generados por el prestador de servicios de certificación*».

la imagen o el sonido reproducidos habrá de conservarse por el Secretario judicial [Letrado de la Administración de Justicia], con referencia a los autos del juicio, de modo que no sufra alteraciones» (artículo 383.2 LEC). Estas cautelas también se aplican a los instrumentos de archivo de información, de tal manera que *«la documentación en autos se hará del modo más apropiado a la naturaleza del instrumento, bajo la fe del Secretario Judicial [Letrado de la Administración de Justicia], que, en su caso, adoptará también las medidas de custodia que resulten necesarias»* (artículo 384.2 LEC).

Un aspecto fundamental para garantizar la integridad de la prueba electrónica es la llamada «cadena de custodia». Se trata de un concepto más desarrollado en la jurisdicción penal donde con más intensidad se debe garantizar que las pruebas intervenidas por la Policía Judicial son las mismas que examina el Tribunal sentenciador sin que hayan sufrido alteraciones en su forma o contenido. En efecto, la «cadena de custodia» lo único que garantiza es la indemnidad de las evidencias desde que son recogidas hasta que son analizadas, lo que, en caso de quiebra, puede afectar a la credibilidad del análisis, pero no a su validez.

La STS n.º 587/2014, Sala de lo Penal, de 18 de julio, desarrolla este concepto y finalidad de la cadena de custodia al señalar que *«Constituye un sistema formal de garantía que tiene por finalidad dejar constancia de todas las actividades llevadas a cabo por cada una de las personas que se ponen en contacto con las evidencias. De ese modo la cadena de custodia sirve de garantía formal de la autenticidad e indemnidad de la prueba pericial. No es prueba en sí misma. La infracción de la cadena de custodia afecta a lo que se denomina verosimilitud de la prueba pericial y, en consecuencia, a su legitimidad y validez para servir de prueba de cargo en el proceso penal. Por ello la cadena de custodia constituye una garantía de que las evidencias que se analizan y cuyos resultados se contienen en el dictamen pericial son las mismas que se recogieron durante la investigación criminal, de modo que no existan dudas sobre el objeto de dicha prueba pericial. A este respecto resulta evidente la relación entre la cadena de custodia y la prueba pericial, por cuanto la validez de los resultados de la pericia depende de la garantía sobre la procedencia y contenido de lo que es objeto de análisis».*

En esta misma línea, la STS n.º 777/2013, Sala de lo Penal, de 13 de octubre señala que «*la cadena de custodia sirve para acreditar la "mismidad" del objeto analizado, la correspondencia entre el efecto y el análisis o informe, su autenticidad. No es presupuesto de validez sino de fiabilidad. Cuando se rompe la cadena de custodia no nos adentramos en el campo de la ilicitud o inutilizabilidad probatoria, sino en el de la menor fiabilidad (menoscabada o incluso aniquilada) por no haberse respetado algunas garantías. Son dos planos distintos. La ilicitud no es subsanable. Otra cosa es que haya pruebas que por su cierta autonomía escapen del efecto contaminador de la vulneración del derecho (desconexión causal o desconexión de antijuricidad). Sin embargo la ausencia de algunas garantías normativas, como pueden ser las reglas que aseguran la cadena de custodia, lo que lleva es a cotejar todo el material probatorio para resolver si han surgido dudas probatorias que siempre han de ser resueltas en favor de la parte pasiva; pero no a descalificar sin más indagaciones ese material probatorio*».

Una de las formas de garantizar la cadena de custodia de las pruebas electrónicas en el proceso civil es proceder al depósito de los dispositivos informáticos o electrónicos ante Notario. De igual manera, las operaciones del perito informático podrían realizarse ante Notario a fin de acreditar la fecha, persona y cualificación del que la realiza, así como que se procede a la copia «*bit a bit*» para garantizar la no manipulación del original. También podría acudirse al Notario para que proceda, por sí mismo, en un acta de presencia a examinar una cuenta de correo electrónico o una página web para dar fe de su existencia y contenido, siempre que, lógicamente, no se requieren especiales conocimientos en materia de informática.

El control de la integridad o exactitud del documento —a juicio de Abel Lluch [141]— se puede realizar, entre otras, a través de las siguientes técnicas: 1) Verificar la utilización correcta del código secreto PIN, que consiste en una combinación de cifras que el sujeto conoce y que limita el uso del dispositivo a los conocedores del mismo; 2) Técnicas de desencriptación de documentos, dado que su

---

141 *Vid.* Abel Lluch, X., «Prueba electrónica», ob. cit., pp. 83-84.

información solo resulta inteligible a la persona que posea la clave de desciframiento [142]; y 3) Aplicación de técnicas de biometría [143] que permiten validar un documento mediante características mensurables, propias y únicas de una persona.

Finalmente, debemos señalar que la integridad de la prueba electrónica queda salvada en documentos electrónicos que gozan de firma electrónica avanzada o, en su caso, reconocida. En efecto, esta clase de documentos, una vez firmados, no puede ser modificados, pudiéndose detectar «*cualquier cambio ulterior de los datos firmados*» (artículo 3.2 de la Ley de Firma Electrónica).

[142] Así, por ejemplo, el sistema AES *(Advanced Encryption Standard)* — también llamado Rijndae— es un esquema de cifrado por bloques adoptado por el Gobierno de los Estados Unidos. Fue diseñado en 2000 por los expertos en criptografía Joan Daemen (STMicrolectronics) y Vincent Rijmen (Universidad Católica de Leuven) y fue seleccionado en una competición convocada por el Instituto Nacional de Estándares y Tecnología de Estados Unidos. Actualmente, se utiliza masivamente en la banca por Internet, en comunicaciones y en protección de datos. Para comprender la seguridad del sistema basta señalar que para descifrar una clave del sistema AES-128 se tardarían 2.000 millones de años utilizando un billón de ordenadores que pudiera probar cada uno mil millones de claves por segundo. *Vid.* «El algoritmo de encriptación AES, más vulnerable de lo que se creía», *El País*, 17 de agosto de 2011, disponible en: http://sociedad.elpais.com/sociedad/2011/08/17/actualidad/1313532009_850215.html [Consultado 21-8-2016].

[143] La Biometria consiste en el estudio automático para el reconocimiento único de humanos en uno o más rasgos conductuales o rasgos físicos intrínsecos. Algunos ejemplos serían las huellas dactilares, la retina, el iris, los patrones faciales, de venas de la mano o la geometría de la palma de la mano, así como la voz. Esta rama de conocimiento está encontrando un importante desarrollo en la seguridad de los equipos informáticos ante la debilidad de las contraseñas habitualmente utilizadas por los usuarios (por ejemplo, «1234» o «qwerty»). *Vid.* MENDIOLA ZURIARRAIN, J., «¿Es el fin de las contraseñas?», *El País*, 1 de mayo de 2016, disponible en: http://tecnologia.elpais.com/tecnologia/2016/04/19/actualidad/1461057742_103067.html [Consultado 21-8-2016].

— Garantía de licitud

Esta garantía exige que las pruebas electrónicas se hayan obtenido con pleno respeto a los derechos fundamentales. Así, el artículo 11.1 LOPJ establece que «*no surtirán efecto las pruebas obtenidas, directa o indirectamente, violentando los derechos o libertades fundamentales*». Como complemento a dicho precepto, el artículo 238.2 LOPJ (en los mismos términos que el artículo 225.2 LEC) dispone que «*los actos procesales serán nulos de pleno derecho [...] cuando se realicen bajo violencia o intimidación*».

La doctrina sobre la ilicitud probatoria se ha desarrollado con mayor énfasis en el proceso penal pues, por su propia naturaleza, es el orden jurisdiccional en el que resulta más probable que se obtengan pruebas que lesionen derechos fundamentales. Algunos ejemplos de este tipo de actos de investigación ilícitos serían, por ejemplo, la confesión del imputado obtenida bajo tortura; la interceptación de las comunicaciones o la entrada y registro en un domicilio sin previa autorización judicial o, en su caso, cuando ésta no reúna los requisitos exigidos por la jurisprudencia del Tribunal Constitucional (necesidad, idoneidad, proporcionalidad, control judicial); la obtención de restos biológicos del acusado sin autorización judicial cuando éste se niega a ofrecer los mismos a la Policía, etc.

Las pruebas ilícitas no pueden ser valoradas por el Tribunal y, por tanto, no pueden en ningún caso utilizarse para fundamentar una sentencia condenatoria.

Toda prueba que se obtenga con vulneración de derechos fundamentales ha de reputarse nula. Esta nulidad, en principio, se extiende a todas las demás pruebas que se obtienen gracias al acto previo ilegítimo. Es la llamada «teoría de los frutos del árbol envenenado», elaborada por la jurisprudencia americana. Caso que se daría, por ejemplo, cuando, a consecuencia de una intervención telefónica ilícita, se tiene conocimiento de que la droga se encuentra en un determinado domicilio y el Juez autoriza la entrada y registro en el mismo. Dado que el acto previo (esto es, la intervención telefónica) se había acordado sin autorización judicial, los actos posteriores (entrada y registro) están afectados de nulidad y, por tanto, no pueden utilizarse como prueba en el acto del plenario.

Esta consecuencia de nulidad, sin embargo, se ha matizado por el Tribunal Constitucional a partir del año 1998 [144] con la introducción de la llamada «conexión de antijuridicidad». Este término hace referencia a la relación que existe

> Toda prueba que se obtenga con vulneración de derechos fundamentales ha de reputarse nula. Esta nulidad, en principio, se extiende a todas las demás pruebas que se obtienen gracias al acto previo ilegítimo

entre el medio de prueba ilícito y el reflejo a fin de determinar si aquél es lo suficientemente fuerte para que la ilicitud originaria afecte de manera invalidante a los restantes medios de prueba. De esta manera, se examina la «independencia» entre las pruebas para concluir si existe esa conexión. En caso afirmativo, ambas pruebas serían nulas de pleno derecho y no se podrían utilizar en el procedimiento. En caso negativo, la prueba refleja o indirecta se podrá utilizar válidamente en el proceso y el Tribunal podrá apoyarse en ella para fundamentar una sentencia condenatoria.

Esta doctrina trata de proteger, en cierta medida, la finalidad característica del proceso penal y evitar que determinados fallos durante la investigación de los hechos provoquen la absolución del imputado.

Uno de los ejemplos más característicos de esta doctrina es la confesión del imputado. La jurisprudencia del Tribunal Supremo y la doctrina del Tribunal Constitucional consideran que la confesión voluntaria del acusado es idónea para fundamentar una sentencia de condena aunque verse sobre datos o informaciones obtenidas mediante la violación de un derecho fundamental. Sería el caso del acusado que reconoce en el Juzgado de Instrucción que llevaba una maleta con droga y, posteriormente, se anulan las escuchas telefónicas que permitieron obtener la información que condujo a su

---

[144] Esta teoría se asumió, por primera vez, en la STC, Pleno, n.º 81/1998, de 2 de abril.

detención. Entonces el Tribunal debe disponer de otros medios de prueba para fundamentar la condena y atender, en todo caso, a que la confesión se produjo en un contexto de espontaneidad, libertad y asistido por un Abogado.

El Tribunal Constitucional mantiene que para examinar la «conexión de antijuridicidad» se deben examinar dos factores. En primer lugar, la perspectiva interna, que atiende a la índole y características de la vulneración del derecho fundamental en la prueba originaria, así como el resultado inmediato de la infracción. En este aspecto, por tanto, se deberá examinar qué garantías de la injerencia en el derecho se han visto menoscabadas y de qué forma, así como el conocimiento adquirido a través de la injerencia inconstitucional practicada. Y, en segundo lugar, la perspectiva externa, que contempla las necesidades esenciales de tutela que exige la realidad y efectividad del derecho fundamental.

A pesar de que la doctrina de la prueba ilícita se ha elaborado principalmente para el proceso penal, la LEC también contempla un incidente específico para denunciar la ilicitud de los medios de pruebas, lo que, lógicamente, resulta aplicable a la prueba electrónica. Piénsese, por ejemplo, en el caso de un dispositivo informático que se ha obtenido mediante violencia o intimidación y, posteriormente, se pretende hacer valer su contenido en el proceso. O en el acceso no consentido a una cuenta privada de correo electrónico gracias al cual la parte consigue determinados e-mails en los que basa su demanda.

El artículo 287 LEC regula la tramitación de este incidente de ilicitud probatoria que se ajusta al siguiente esquema:

— Puede iniciarse de oficio o a instancia de parte.

— Se puede denunciar la ilicitud probatoria tanto en la obtención como en el origen de alguna prueba admitida.

— Esta cuestión se resuelve en el acto del juicio (en el juicio ordinario) o en el acto de la vista antes de que dé comienzo la práctica de la prueba (en el juicio verbal).

— El Tribunal dará la palabra a las partes para que efectúen las alegaciones que consideren sobre la ilicitud de la prueba admitida.

— A continuación, las partes, en su caso, pueden solicitar que se practiquen pruebas en el acto sobre el concreto extremo de la ilicitud, admitiéndose por el Tribunal las que sean pertinentes y útiles a dicha finalidad.

— El Tribunal resolverá oralmente sobre la ilicitud o no de la prueba.

— Contra dicha resolución oral cabe interponer recurso de reposición, que se sustanciará y resolverá en el mismo acto del juicio o de la vista, quedando a salvo el derecho de las partes a reproducir la impugnación de la prueba ilícita en la apelación contra la sentencia definitiva.

8. IMPUGNACIÓN DE LA PRUEBA ELECTRÓNICA

La impugnación de la prueba electrónica —como hemos señalado anteriormente— puede versar sobre distintos factores: autenticidad, exactitud, certeza, integridad y licitud. Los efectos de estas impugnaciones varían, pues mientras la ilicitud de la prueba supone su exclusión total del proceso, la falta de exactitud o integridad no impiden su valoración en sentencia. En muchas ocasiones, la forma de reforzar el valor probatorio de la prueba electrónica —tras su impugnación por la contraparte— es aportar un dictamen pericial informático que despeje las dudas existentes gracias a sus conclusiones técnicas.

La **LEC no contiene una reglamentación sobre la impugnación de la prueba electrónica, por lo que se entienden aplicables las normas sobre la prueba documental**, sin olvidar las notables diferencias debidas a su distinta naturaleza. En cualquier caso, la legislación procesal civil prevé un trámite procesal específico en el que las partes deben posicionarse respecto de las pruebas multimedia ya aportadas por las partes. Concretamente, en el juicio ordinario, cada parte debe pronunciarse «*sobre los documentos aportados de contrario hasta ese momento, manifestando si los admite o impugna o reconoce o si, en su caso, propone prueba acerca de su autenticidad*» (artículo 427.1 LEC). En el juicio verbal, sin embargo, no existe este trámite procesal, sin perjuicio de que, tras resolver las cuestiones procesales, pueda llevarse a cabo el mismo, pues ello contribuirá a fijar con mayor precisión los hechos controvertidos sobre los que versará la prueba (artículo 443.3 LEC).

En cuanto a la normativa sobre impugnación de documentos —aplicable por analogía a la prueba electrónica— podemos distinguir dos supuestos:

— **Documentos públicos electrónicos**

El artículo 320.2 LEC dispone que «*el cotejo o comprobación de los documentos públicos con sus originales se practicará por el secretario judicial* [Letrado de la Administración de Justicia], *constituyéndose al efecto en el archivo o local donde se halle el original o matriz, a presencia, si concurrieren, de las partes y de sus defensores, que serán citados al efecto*». Dicho precepto continúa señalando —tras la modificación de la Ley 42/2015, de 5 de octubre— que «*si los documentos públicos estuvieran en soporte electrónico, el cotejo con los originales se practicará por el secretario judicial* [Letrado de la Administración de Justicia] *en la oficina judicial, a presencia, si concurrieren, de las partes y de sus defensores, que serán citados al efecto*».

Dentro de los documentos públicos electrónicos, debemos hacer especial referencia al documento notarial, cuya regulación —como hemos señalado anteriormente— se contiene en el artículo 17 bis de la Ley del Notariado. Dicho precepto dispone que esta clase de documentos, al igual que los autorizados en papel, «*gozan de fe pública y su contenido se presume veraz e íntegro*» (artículo 17 bis, apartado 2, letra d, Ley del Notariado). Conviene matizar que este régimen jurídico solo resulta aplicable a las copias o reproducciones telemáticas, pero no a la matriz, dado que el documento original se elabora y conserva en papel para su custodia en el protocolo de la Notaría [145].

---

[145] En este sentido, la Disposición Transitoria Undécima de la Ley del Notariado —introducida por la Ley 24/20111, de 27 de diciembre, de Medidas Fiscales, Administrativa y del Orden Social— establece que «*Hasta que los avances tecnológicos hagan posible que la matriz u original del documento notarial se autorice o intervenga y se conserve en soporte electrónico, la regulación del documento público electrónico contenida en este artículo se entenderá aplicable exclusivamente a las copias de las*

— Documentos privados electrónicos

El artículo 326.3 LEC establece que «*cuando la parte a quien interese la eficacia de un documento electrónico lo pida o se impugne su autenticidad, se procederá conforme a lo establecido en el artículo 3 de la Ley de Firma Electrónica*».

El artículo 3 de la Ley de Firma Electrónica establece un régimen jurídico distinto según que el documento privado haya sido firmado con firma electrónica reconocida o avanzada.

En el primer caso (documentos con firma electrónica reconocida), se procede a «*comprobar que por el prestador de servicios de certificación, que expide los certificados electrónicos, se cumplen todos los requisitos establecidos en la ley en cuanto a la garantía de los servicios que presta en la comprobación de la eficacia de la firma electrónica, y en especial, las obligaciones de garantizar la confidencialidad del proceso así como la autenticidad, conservación e integridad de la información generada y la identidad de los firmantes*».

En el segundo caso (documentos con firma electrónica avanzada), se puede solicitar el cotejo pericial de letras o proponer cualquier otro medio de prueba que resulte útil y pertinente al efecto, entre ellas, una pericial informática. A resultas de dicha comprobación, se pueden dar dos situaciones. La primera posibilidad es que se acredite que el documento electrónico es auténtico, en cuyo caso las costas, gastos y derechos que origine el cotejo o comprobación serán de cargo de quien hubiera formulado la impugnación, pudiendo el Tribunal, si aprecia temeridad, imponerle el pago de una multa de 120 a 600 euros (artículo 326.2 en relación con el artículo 320.3 LEC). La segunda posibilidad es que no se pueda deducir la autenticidad del documento electrónico o que no se hubiera propuesto prueba alguna sobre este extremo, en cuyo caso el tribunal lo valorará conforme a las reglas de la sana crítica (artículo 326.2, segundo párrafo, LEC).

---

matrices de escrituras y actas así como, en su caso, a la reproducción de las pólizas intervenidas».

9. PRÁCTICA DE LA PRUEBA

La práctica de la prueba electrónica se realiza en el acto del juicio en el juicio ordinario (artículo 431 LEC [146]) o en la vista del juicio verbal (artículo 443.3 LEC).

A diferencia de los documentos tradicionales, la **prueba electrónica por medios o instrumentos (artículo 382 a 384 LEC) exige su reproducción en el acto del juicio.** Por tal motivo, debe practicarse a presencia del Juez o Tribunal sentenciador para garantizar la inmediación [147]. En este sentido, el artículo 289.2 LEC dispone que «*será inexcusable la presencia judicial en el interrogatorio de las partes y de testigos, en el reconocimiento de lugares, objetos o personas, en la reproducción de palabras, sonidos, imágenes y, en su caso, cifras y datos, así como en las explicaciones, impugnaciones, rectificaciones o ampliación de los dictámenes periciales*». En esta misma línea, el artículo 137.1 LEC dispone que «*Los Jueces y los Magistrados*

---

[146] Este precepto hace referencia expresa a la prueba electrónica cuando dispone que «*el juicio tendrá por objeto la práctica de las pruebas de declaración de las partes, testifical, informes orales y contradictorios de peritos, reconocimiento judicial en su caso y reproducción de palabras, imágenes y sonidos*».

[147] La inmediación fue, sin duda, una de las grandes novedades de la LEC de 2000. Su finalidad no es otra que establecer una íntima vinculación personal entre el juzgador y las partes y con los elementos probatorios, a fin de que de dicho juzgador pueda conocer directamente el material del proceso desde su inicio hasta su terminación. La Exposición de Motivos de la LEC de 2000, en su Apartado XII, destacó esta novedad al señalar: «*La Ley diseña los procesos declarativos de modo que la inmediación, la publicidad y la oralidad hayan de ser efectivas. En los juicios verbales, por la trascendencia de la vista; en el ordinario, porque tras demanda y contestación, los hitos procedimentales más sobresalientes son la audiencia previa al juicio y el juicio mismo, ambos con la inexcusable presencia del juzgador*». A su vez, en el Apartado IX recordaba: «*Con tales normas, la presente Ley no exagera la importancia de la inmediación en el proceso civil ni aspira a una utopía, porque, además de la relevancia de la inmediación para el certero enjuiciamiento de toda clase de asuntos, la ordenación de los nuevos procesos civiles en esta Ley impone concentración de la práctica de la prueba y proximidad de dicha práctica al momento de dictar sentencia*».

miembros del tribunal que esté conociendo de un asunto presenciarán las declaraciones de las partes y de testigos, los careos, las exposiciones, explicaciones y respuestas que hayan de ofrecer los peritos, así como la crítica oral de su dictamen y cualquier otro acto de prueba que, conforme a lo dispuesto en esta Ley, deba llevarse a cabo contradictoria y públicamente». La importancia de la inmediación judicial en la práctica de las pruebas alcanza hasta el punto de que, si no se respeta esta garantía, se produce la nulidad de pleno derecho de las actuaciones (artículo 137.3 LEC).

Según el magistrado ABEL LLUCH [148], la normativa antes citada permite extraer **tres conclusiones.** En primer lugar, el carácter inexcusable de la presencia judicial durante la práctica de la prueba electrónica, lo que supone, por tanto, que el incumplimiento de esta previsión determinará la nulidad del acto procesal. En segundo lugar, no se alcanza a comprender la expresión «en su caso», pues parece dar a entender que así como la inmediación siempre es preceptiva en la práctica de la prueba por medios audiovisuales, puede no serlo en el caso de la prueba por instrumentos informáticos. Y, en tercer lugar, tanto si se trata de medios audiovisuales como de instrumentos informáticos, la información debe reproducirse ante el Tribunal a fin de que éste tenga conocimiento de la misma y pueda valorarla a la hora de dictar sentencia.

Por otro lado, debemos señalar que la **prueba electrónica siempre se practica con intermediación de algún tipo de equipo o soporte que permite acceder a la información en él contenida.** A tal efecto, el Tribunal podrá utilizar los medios de que disponga o, en su caso, la parte aporte. Piénsese, por ejemplo, en unas grabaciones de la videocámara que deben reproducirse ante el Tribunal. O en el examen de un dispositivo de almacenamiento donde se contienen los archivos que prueban hechos relevantes en el proceso. En este último caso, la parte podría aportar (si el Juzgado no dispone de ello) un proyector a fin de que las operaciones de examen del dispositivo puedan ser apreciadas directamente por el Tribunal y las partes.

---

148   *Vid.* ABEL LLUCH, X., «Prueba electrónica», ob. cit., pp. 163-164.

Los artículos 382 a 384 LEC efectúan una somera referencia a la **práctica de la prueba electrónica** en los siguientes términos:

— Este medio de prueba se practica en último lugar después del interrogatorio de las partes, de los testigos, peritos y, en su caso, del reconocimiento judicial, salvo que el Tribunal, de oficio o a instancia de parte, modifique el orden de práctica de las pruebas (artículo 300 LEC).

— La parte debe proponer este medio de prueba en la audiencia previa en el juicio ordinario (artículo 429.1 LEC) o en la vista si se trata de un juicio verbal (artículo 433.3 LEC).

Cuando la parte solicite la práctica de prueba por medios audiovisuales, debe acompañar trascripción escrita de las palabras contenidas en el soporte de que se trate y que resulten relevantes para el caso (artículo 382.1 LEC). Antes de la reforma de la Ley 42/2015, la aportación de la transcripción escrita era potestativa.

— En el acto del juicio (en el juicio ordinario) o en la vista (en el juicio verbal) se reproducirá la prueba audiovisual o se examinarán por el Tribunal los instrumentos informáticos (artículo 384.1 LEC).

— El Tribunal puede utilizar los medios que tenga a su disposición, o bien servirse de los que la parte le facilite, para poder examinar los instrumentos informáticos (artículo 384.1 LEC). Aunque la LEC no lo precise, esta disposición también sería aplicable a la prueba audiovisual, pues es posible que el Tribunal no disponga de medios para poder reproducir los CD, DVD o dispositivos semejantes donde consten las imágenes, sonidos y palabras.

— Cuando se practique la prueba audiovisual, se debe levantar acta en la que se consigne cuanto sea necesario para la identificación de las filmaciones, grabaciones y reproducciones llevadas a cabo, así como, en su caso, las justificaciones y dictámenes aportados o las pruebas practicadas (artículo 383.1 LEC).

— Tanto la prueba audiovisual como los instrumentos informáticos deben conservarse por el Letrado de la Administración de Justicia, de modo que no sufran alteraciones (artículo 383.2 LEC).

En el caso de instrumentos informáticos, la documentación en autos «*se hará del modo más apropiado a la naturaleza del instrumentos, bajo la fe del Secretario Judicial* [Letrado de la Administración de Justicia], *que, en su caso, adoptará también las medidas de custodia que resulten necesarias*» (artículo 384.2 LEC).

10. VALOR PROBATORIO

La prueba electrónica en el proceso civil se valora de acuerdo con las reglas de la sana crítica. En el caso de la prueba audiovisual, el artículo 382.3 LEC señala que «*el tribunal valorará las reproducciones [...] según las reglas de la sana crítica*». Sin embargo, en el caso de los instrumentos informáticos, el artículo 384.3 LEC matiza que se valorarán «*conforme a las reglas de la sana crítica aplicables a aquéllos según su naturaleza*» [149].

En relación con la apostilla «*según su naturaleza*» utilizada por el legislador para referirse a los instrumentos informáticos, existen **tres posturas doctrinales** [150]:

Un **primer sector doctrinal** considera que esta expresión no aporta nada, dado que las reglas de la sana crítica, por definición, se refieren siempre a las circunstancias del caso concreto. Se trataría, por tanto, de una redundancia en la medida en que la libre valora-

---

[149] Una de las cuestiones controvertidas consiste en determinar cuál es el valor probatorio del documento electrónico no impugnado. Según ABEL LLUCH, deben aplicarse las reglas de la prueba tasada (artículos 319 y 326.1 LEC) cuando el documento electrónico no se impugne por la parte a la que perjudique. Uno de los argumentos que avalan esta postura es que, si no se aplicaran los criterios de prueba tasada, se llegaría al absurdo de penalizar con el sistema de libre valoración la utilización en el proceso de los avances tecnológicos, premiando, de esta manera, las formas tradicionales. *Vid.* ABEL LLUCH, X., «El documento electrónico no impugnado, ¿puede tener una valoración conforme a las reglas de prueba tasada? Sobre si el documento electrónico no impugnado puede tener una valoración conforme a las reglas de prueba tasada», en ABEL LLUCH, X. y PICÓ I JUNOY, J. (directores), ob. cit., pp. 432-438.

[150] *Vid.* ABEL LLUCH, X., «Prueba electrónica», ob. cit., pp. 169-172.

ción supone siempre tener en cuenta la naturaleza propia del medio probatorio.

Otro **sector doctrinal** entiende que la expresión «según su naturaleza» permitiría distinguir dos tipos de pruebas electrónicas. El primer tipo serían aquellos instrumentos informáticos que son semejantes a los audiovisuales, a los que se aplicarán las mismas reglas de valoración, esto es, la sana crítica (artículo 382.3 LEC). Y el segundo grupo vendría integrado por aquellos otros medios que, por su naturaleza, se aproximan o equiparan a los documentos a los que se les aplicarían las reglas de valoración propias de su clase, ya sean públicos (artículo 319 LEC), privados (artículo 326 LEC) o electrónicos (artículo 3 de la Ley de Firma Electrónica). Esta postura afirma que la expresión «según su naturaleza» constituye una pauta interpretativa que facilita la puesta en conexión de la prueba electrónica con los documentos, ya que pueden considerarse análogos cuando sean la forma de documentación más apta, como, por ejemplo, en la contratación electrónica [151].

Un **tercer sector doctrinal** considera que la prueba electrónica debe valorarse con arreglo a una «sana crítica especialísima». En este caso, se exige del Tribunal prestar especial atención no solo a las cuestiones técnicas de la prueba, sino también a sus aspectos más controvertidos, esto es, autenticidad, integridad e ilicitud. En efecto, como señala DE URBANO CASTRILLO [152], la valoración judicial, aun moviéndose dentro de los parámetros axiológicos usuales, debe recortar los niveles de libre valoración crítica para atender, con mayor cuidado, a las propias conclusiones que expresen la pericial informática.

Desde esta última perspectiva —la que defiende la existencia de una «sana crítica especialísima»—, se han enumerado unos **criterios específicos en la valoración de la prueba electrónica** [153]:

[151] *Vid.* PÉREZ GIL, J., «Documento informático y firma electrónica: aspectos probatorios», en ECHEBARRÍA SÁENZ (coord.), *El comercio electrónico*, Edisofer, Madrid, 2001, p. 238.

[152] *Vid.* DE URBANO CASTRILLO, E., *La valoración de la prueba electrónica*, Tirant lo Blanch, Valencia, 2009, pp. 120-121.

[153] *Ibidem*, pp. 51 y ss.

— Control del uso del conocimiento privado del Juez

En efecto, el Juez al que se le haya turnado el asunto es posible que posea conocimientos en materia de informática, redes sociales, electrónica o medios audiovisuales. También puede darse la situación contraria, esto es, que el Magistrado no tenga dichos conocimientos. La tutela judicial prestada al litigante, sin embargo, no puede depender de tal circunstancia, de tal manera que las partes siempre deberán acompañar los medios oportunos (por ejemplo, una pericial informática) y ofrecer las explicaciones adecuadas a fin de que el Magistrado alcance un razonable nivel de conocimiento sobre la prueba tecnológica practicada.

— Recurso a la pericial informática

El componente científico que presenta la prueba electrónica, en la mayoría de los casos, hace necesaria e imprescindible la pericial informática. En efecto, el dictamen de peritos informáticos se erige en una prueba complementaria y de vital importancia para comprender y valorar adecuadamente la prueba electrónica.

— Comprobación del binomio **hardware** (elemento técnico) y **software** (elemento lógico)

El Tribunal sentenciador, gracias a la pericial informática y al conocimiento privado que posea de las nuevas tecnología, debe comprobar ambos elementos. Así, por un lado, a través del *hardware* podrá constatar las incidencias en la fabricación, acoplamiento y funcionamiento del documento, máxime en los casos que haya sido modificado en distintos terminales. Y, por otro lado, el *software* le permitirá determinar quién confeccionó el programa y la coincidencia entre quien aparece como titular del documento y la persona que se lo atribuye o, en su caso, si se ha empleado su clave por un tercero.

— Comprobar si el documento tiene firma electrónica

La firma del documento electrónico constituye un elemento esencial para constatar su autenticidad e integridad. Para valorar su eficacia probatoria, deben distinguirse tres supuestos: firma electrónica reconocida, simple y avanzada.

En el primer caso (firma electrónica reconocida), su eficacia probatoria se equipara a la firma manuscrita. Esta clase de firma debe cumplir los requisitos de la firma electrónica avanzada (artículo 3.2 Ley de Firma Electrónica) y, además, estar basada en un certificado reconocido [154] y generada mediante un dispositivo seguro de creación de firma [155]. Dadas las garantías que presentan los documentos firmados de esta manera, la ley les atribuye un específico valor probatorio que se concreta en la equivalencia con la firma manuscrita.

En el segundo supuesto (firma electrónica simple), su eficacia probatoria no viene tasada en la Ley de Firma Electrónica. Se admite como prueba documental el soporte en que se encuentran los datos con firma electrónica simple (artículo 3.8 de la Ley de Firma Electrónica). Dado que el soporte se admite como prueba documental, su valor probatorio dependerá de la clase de documento (público o privado) a través del cual se aporte al proceso. En definitiva, como señala ABEL LLUCH [156], la Ley de Firma Electrónica admite también la existencia de esta clase de firma y su incorporación al proceso como prueba documental, si bien no se pronuncia expresamente sobre el alcance de su eficacia probatoria.

Y, finalmente, en el tercer caso (firma electrónica avanzada), la normativa específica tampoco le atribuye un concreto valor probatorio. No obstante, esta clase de firma «*permite identificar al firmante y detectar cualquier cambio ulterior de los datos firmados, que está vinculada al firmante de manera única y a los datos a que se refiere y que ha sido creada por medios que el firmante puede utilizar, con un alto nivel de confianza, bajo su exclusivo control*» (artículo 3.2 Ley de Firma Electrónica). Según ABEL LLUCH [157], a pesar del silencio legal, su eficacia probatoria sería equiparable, cuando menos, a la firma simple.

---

[154] *Vid*. artículos 11, 12 y 13 de la Ley de Firma Electrónica.
[155] *Vid*. artículo 24 de la Ley de Firma Electrónica.
[156] *Vid*. ABEL LLUCH, X., «Prueba electrónica», ob. cit., p. 179.
[157] *Ibidem*, p. 179.

11. LEGISLACIÓN

Ley de Enjuiciamiento Civil (artículos 264 a 272, 319, 326, 328 a 334 y 382 a 384)

CAPÍTULO III

De la presentación de documentos, dictámenes, informes y otros medios e instrumentos

Artículo 264. *Documentos procesales.*—Con la demanda o la contestación habrán de presentarse:

1.º El poder notarial conferido al procurador siempre que éste intervenga y la representación no se otorgue apud acta.

2.º Los documentos que acrediten la representación que el litigante se atribuya.

3.º Los documentos o dictámenes que acrediten el valor de la cosa litigiosa, a efectos de competencia y procedimiento.

Artículo 265. *Documentos y otros escritos y objetos relativos al fondo del asunto.*—1. A toda demanda o contestación habrán de acompañarse:

1.º Los documentos en que las partes funden su derecho a la tutela judicial que pretenden.

2.º Los medios e instrumentos a que se refiere el apartado 2 del artículo 299, si en ellos se fundaran las pretensiones de tutela formuladas por las partes.

3.º Las certificaciones y notas sobre cualesquiera asientos registrales o sobre el contenido de libros registro, actuaciones o expedientes de cualquier clase.

4.º Los dictámenes periciales en que las partes apoyen sus pretensiones, sin perjuicio de lo dispuesto en los artículos 337 y 339 de esta Ley. En el caso de que alguna de las partes sea titular del derecho de asistencia jurídica gratuita no tendrá que aportar con la demanda o con la contestación el dictamen, sino simplemente anunciarlo de acuerdo con lo que prevé el apartado 1 del artículo 339.

5.º Los informes, elaborados por profesionales de la investigación privada legalmente habilitados, sobre hechos relevantes en que aquéllas apoyen sus pretensiones. Sobre estos hechos, si no fueren reconocidos como ciertos, se practicará prueba testifical.

2. Sólo cuando las partes, al presentar su demanda o contestación, no puedan disponer de los documentos, medios e instrumentos a que se refieren los tres primeros números del apartado anterior, podrán designar el archivo, protocolo o lugar en que se encuentren, o el registro, libro registro, actuaciones o expediente del que se pretenda obtener una certificación.

Si lo que pretenda aportarse al proceso se encontrara en archivo, protocolo, expediente o registro del que se puedan pedir y obtener copias fehacientes, se entenderá que el actor dispone de ello y deberá acompañarlo a la demanda, sin que pueda limitarse a efectuar la designación a que se refiere el párrafo anterior.

3. No obstante lo dispuesto en los apartados anteriores, el actor podrá presentar en la audiencia previa al juicio, o en la vista del juicio verbal, los documentos, medios, instrumentos, dictámenes e informes, relativos al fondo del asunto, cuyo interés o relevancia sólo se ponga de manifiesto a consecuencia de alegaciones efectuadas por el demandado en la contestación a la demanda.

4. ...

Artículo 266. *Documentos exigidos en casos especiales.*—Se habrán de acompañar a la demanda:

1.º Los documentos que justifiquen cumplidamente el título en cuya virtud se piden alimentos, cuando éste sea el objeto de la demanda.

2.º Los documentos que constituyan un principio de prueba del título en que se funden las demandas de retracto y, cuando la consignación del precio se exija por ley o por contrato, el documento que acredite haber consignado, si fuere conocido, el precio de la cosa objeto de retracto o haberse constituido caución que garantice la consignación en cuanto el precio se conociere.

3.º El documento en que conste fehacientemente la sucesión mortis causa en favor del demandante, así como la relación de los testigos que puedan declarar sobre la ausencia de poseedor a título de dueño o usufructuario, cuando se pretenda que el Tribunal ponga al demandante en posesión de unos bienes que se afirme haber adquirido en virtud de aquella sucesión.

4.º Aquellos otros documentos que esta u otra ley exija expresamente para la admisión de la demanda.

Artículo 267. *Forma de presentación de los documentos públicos.—* Cuando sean públicos los documentos que hayan de aportarse conforme a lo dispuesto en el artículo 265, podrán presentarse por copia simple, ya sea en soporte papel o, en su caso, en soporte electrónico a través de imagen digitalizada incorporada como anexo que habrá de ir firmado mediante firma electrónica reconocida y, si se impugnara su autenticidad, podrá llevarse a los autos original, copia o certificación del documento con los requisitos necesarios para que surta sus efectos probatorios.

Artículo 268. *Forma de presentación de los documentos privados.—* 1. Los documentos privados que hayan de aportarse se presentarán en original o mediante copia autenticada por el fedatario público competente y se unirán a los autos o se dejará testimonio de ellos, con devolución de los originales o copias fehacientes presentadas, si así lo solicitan los interesados. Estos documentos podrán ser también presentados mediante imágenes digitalizadas, incorporadas a anexos firmados electrónicamente.

2. Si la parte sólo posee copia simple del documento privado, podrá presentar ésta, ya sea en soporte papel o mediante imagen digitalizada en la forma descrita en el apartado anterior, que surtirá los mismos efectos que el original, siempre que la conformidad de aquélla con éste no sea cuestionada por cualquiera de las demás partes.

3. En el caso de que el original del documento privado se encuentre en un expediente, protocolo, archivo o registro público, se presentará copia auténtica o se designará el archivo, protocolo o registro, según lo dispuesto en el apartado 2 del artículo 265.

Artículo 269. *Consecuencias de la falta de presentación inicial. Casos especiales.—* 1. Cuando con la demanda, la contestación o, en su caso, en la audiencia previa al juicio, no se presentara alguno de los documentos, medios, instrumentos, dictámenes e informes que, según los preceptos de esta Ley, han de aportarse en esos momentos o no se designara el lugar en que el documento se encuentre, si no se dispusiese de él, no podrá ya la parte presentar el documento posteriormente, ni solicitar que se traiga a los autos, excepto en los casos previstos en el artículo siguiente.

2. No se admitirán las demandas a las que no se acompañen los documentos a que se refiere el artículo 266.

Artículo 270. *Presentación de documentos en momento no inicial del proceso.*—1. El tribunal después de la demanda y la contestación, o, cuando proceda, de la audiencia previa al juicio, sólo admitirá al actor o al demandado los documentos, medios e instrumentos relativos al fondo del asunto cuando se hallen en alguno de los casos siguientes:

1.º Ser de fecha posterior a la demanda o a la contestación o, en su caso, a la audiencia previa al juicio, siempre que no se hubiesen podido confeccionar ni obtener con anterioridad a dichos momentos procesales.

2.º Tratarse de documentos, medios o instrumentos anteriores a la demanda o contestación o, en su caso, a la audiencia previa al juicio, cuando la parte que los presente justifique no haber tenido antes conocimiento de su existencia.

3.º No haber sido posible obtener con anterioridad los documentos, medios o instrumentos, por causas que no sean imputables a la parte, siempre que haya hecho oportunamente la designación a que se refiere el apartado 2 del artículo 265, o en su caso, el anuncio al que se refiere el número 4.º del apartado primero del artículo 265 de la presente Ley.

2. Cuando un documento, medio o instrumento sobre hechos relativos al fondo del asunto, se presentase una vez precluidos los actos a que se refiere el apartado anterior, las demás partes podrán alegar en el juicio o en la vista la improcedencia de tomarlo en consideración, por no encontrarse en ninguno de los casos a que se refiere el apartado anterior. El tribunal resolverá en el acto y, si apreciare ánimo dilatorio o mala fe procesal en la presentación del documento, podrá, además, imponer al responsable una multa de 180 a 1.200 euros.

Artículo 271. *Preclusión definitiva de la presentación y excepciones a la regla.*—1. No se admitirá a las partes ningún documento, instrumento, medio, informe o dictamen que se presente después de la vista o juicio, sin perjuicio de lo previsto en la regla tercera del artículo 435, sobre diligencias finales en el juicio ordinario.

2. Se exceptúan de lo dispuesto en el apartado anterior, las sentencias o resoluciones judiciales o de autoridad administrativa, dictadas o notificadas en fecha no anterior al momento de formular las conclusiones, siempre que pudieran resultar condicionantes o decisivas para resolver en primera instancia o en cualquier recurso.

Estas resoluciones se podrán presentar incluso dentro del plazo previsto para dictar sentencia, dándose traslado por diligencia de ordenación a las demás partes, para que, en el plazo común de cinco días, puedan alegar y pedir lo que estimen conveniente, con suspensión del plazo para dictar sentencia.

El Tribunal resolverá sobre la admisión y alcance del documento en la misma sentencia.

Artículo 272. *Inadmisión de documento presentado injustificadamente en momento no inicial del proceso.*—Cuando se presente un documento con posterioridad a los momentos procesales establecidos en esta Ley, según los distintos casos y circunstancias, el tribunal, por medio de providencia, lo inadmitirá, de oficio o a instancia de parte, mandando devolverlo a quien lo hubiere presentado.

Contra la resolución que acuerde la inadmisión no cabrá recurso alguno, sin perjuicio de hacerse valer en la segunda instancia.

(…)

Artículo 319. *Fuerza probatoria de los documentos públicos.*—1. Con los requisitos y en los casos de los artículos siguientes, los documentos públicos comprendidos en los números 1.° a 6.° del artículo 317 harán prueba plena del hecho, acto o estado de cosas que documenten, de la fecha en que se produce esa documentación y de la identidad de los fedatarios y demás personas que, en su caso, intervengan en ella.

2. La fuerza probatoria de los documentos administrativos no comprendidos en los números 5.° y 6.° del artículo 317 a los que las leyes otorguen el carácter de públicos, será la que establezcan las leyes que les reconozca tal carácter. En defecto de disposición expresa en tales leyes, los hechos, actos o estados de cosas que consten en los referidos documentos se tendrán por ciertos, a los efectos de la sentencia que se dicte, salvo que otros medios de prueba desvirtúen la certeza de lo documentado.

3. En materia de usura, los tribunales resolverán en cada caso formando libremente su convicción sin vinculación a lo establecido en el apartado primero de este artículo.

(…)

Artículo 326. *Fuerza probatoria de los documentos privados.*—1. Los documentos privados harán prueba plena en el proceso, en los términos del artículo 319, cuando su autenticidad no sea impugnada por la parte a quien perjudiquen.

2. Cuando se impugnare la autenticidad de un documento privado, el que lo haya presentado podrá pedir el cotejo pericial de letras o proponer cualquier otro medio de prueba que resulte útil y pertinente al efecto.

Si del cotejo o de otro medio de prueba se desprendiere la autenticidad del documento, se procederá conforme a lo previsto en el apartado tercero del artículo 320. Cuando no se pudiere deducir su autenticidad o no se hubiere propuesto prueba alguna, el tribunal lo valorará conforme a las reglas de la sana crítica.

3. Cuando la parte a quien interese la eficacia de un documento electrónico lo pida o se impugne su autenticidad, se procederá con arreglo a lo establecido en el artículo 3 de la Ley de Firma Electrónica.

(...)

SECCIÓN 4

De las disposiciones comunes a las dos secciones anteriores

Artículo 328. *Deber de exhibición documental entre partes.—* 1. Cada parte podrá solicitar de las demás la exhibición de documentos que no se hallen a disposición de ella y que se refieran al objeto del proceso o a la eficacia de los medios de prueba.

2. A la solicitud de exhibición deberá acompañarse copia simple del documento y, si no existiere o no se dispusiere de ella, se indicará en los términos más exactos posibles el contenido de aquél.

3. En los procesos seguidos por infracción de un derecho de propiedad industrial o de un derecho de propiedad intelectual, cometida a escala comercial, la solicitud de exhibición podrá extenderse, en particular, a los documentos bancarios, financieros, comerciales o aduaneros producidos en un determinado período de tiempo y que se presuman en poder del demandado. La solicitud deberá acompañarse de un principio de prueba que podrá consistir en la presentación de una muestra de los ejemplares, mercancías o productos en los que se hubiere materializado la infracción. A instancia de cualquier interesado, el tribunal podrá atribuir carácter reservado a las actuaciones, para garantizar la protección de los datos e información que tuvieran carácter confidencial.

Artículo 329. *Efectos de la negativa a la exhibición.—* 1. En caso de negativa injustificada a la exhibición del artículo anterior, el tribunal, tomando en consideración las restantes pruebas, podrá atribuir valor probatorio a la copia simple presentada por el solicitante de la exhibición o a la versión que del contenido del documento hubiese dado.

2. En el caso de negativa injustificada a que se refiere el apartado anterior, el tribunal, en lugar de lo que en dicho apartado se dispone, podrá formular requerimiento, mediante providencia, para que los documentos cuya exhibición se solicitó sean aportados al proceso, cuando así lo aconsejen las características de dichos documentos, las restantes pruebas aportadas, el contenido de las pretensiones formuladas por la parte solicitante y lo alegado para fundamentarlas.

Artículo 330. *Exhibición de documentos por terceros.*—1. Salvo lo dispuesto en esta Ley en materia de diligencias preliminares, sólo se requerirá a los terceros no litigantes la exhibición de documentos de su propiedad cuando, pedida por una de las partes, el tribunal entienda que su conocimiento resulta trascendente a los fines de dictar sentencia.

En tales casos el tribunal ordenará, mediante providencia, la comparecencia personal de aquel en cuyo poder se hallen y, tras oírle, resolverá lo procedente. Dicha resolución no será susceptible de recurso alguno, pero la parte a quien interese podrá reproducir su petición en la segunda instancia.

Cuando estuvieren dispuestos a exhibirlos voluntariamente, no se les obligará a que los presenten en la Oficina judicial, sino que, si así lo exigieren, irá el Secretario judicial a su domicilio para testimoniarlos

2. A los efectos del apartado anterior, no se considerarán terceros los titulares de la relación jurídica controvertida o de las que sean causa de ella, aunque no figuren como partes en el juicio.

Artículo 331. *Testimonio de documentos exhibidos.*—Si la persona de la que se requiera la exhibición según lo dispuesto en los artículos anteriores no estuviere dispuesta a desprenderse del documento para su incorporación a los autos, se extenderá testimonio de éste por el Secretario Judicial en la sede del tribunal, si así lo solicitare el exhibiente.

Artículo 332. *Deber de exhibición de entidades oficiales.*—1. Las dependencias del Estado, Comunidades Autónomas, provincias, Entidades locales y demás entidades de Derecho público no podrán negarse a expedir las certificaciones y testimonios que sean solicitados por los tribunales ni oponerse a exhibir los documentos que obren en sus dependencias y archivos, excepto cuando se trate de documentación legalmente declarada o clasificada como de carácter reservado o secreto. En este caso, se dirigirá al tribunal exposición razonada sobre dicho carácter.

2. Salvo que exista un especial deber legal de secreto o reserva, las entidades y empresas que realicen servicios públicos o estén encargadas de actividades del Estado, de las Comunidades Autónomas, de las provincias, de los municipios y demás Entidades locales, estarán también sujetas a la obligación de exhibición, así como a expedir certificaciones y testimonios, en los términos del apartado anterior.

Artículo 333. *Extracción de copias de documentos que no sean textos escritos.*—Cuando se trate de dibujos, fotografías, croquis, planos, mapas y otros documentos que no incorporen predominantemente textos escritos, si sólo existiese el original, la parte podrá solicitar que en la exhibición se obtenga copia, a presencia del secretario judicial, que dará fe de ser fiel y exacta reproducción del original.

Si estos documentos se aportan de forma electrónica, las copias realizadas por medios electrónicos por la oficina judicial tendrán la consideración de copias auténticas.

Artículo 334. *Valor probatorio de las copias reprográficas y cotejo.* —1. Si la parte a quien perjudique el documento presentado por copia reprográfica impugnare la exactitud de la reproducción, se cotejará con el original, si fuere posible y, no siendo así, se determinará su valor probatorio según las reglas de la sana crítica, teniendo en cuenta el resultado de las demás pruebas.

2. Lo dispuesto en el apartado anterior de este artículo también será de aplicación a los dibujos, fotografías, pinturas, croquis, planos, mapas y documentos semejantes.

3. El cotejo a que el presente artículo se refiere se verificará por el Secretario Judicial, salvo el derecho de las partes a proponer prueba pericial.

(…)

SECCIÓN 8

De la reproducción de la palabra, el sonido y la imagen y de los instrumentos que permiten archivar y conocer datos relevantes para el proceso

Artículo 382. *Instrumentos de filmación, grabación y semejantes. Valor probatorio.*—1. Las partes podrán proponer como medio de prueba la reproducción ante el tribunal de palabras, imágenes y sonidos captados mediante instrumentos de filmación, grabación y otros semejantes. Al proponer esta prueba, la parte deberá acompañar, en su caso, transcripción escrita de las palabras contenidas en el soporte de que se trate y que resulten relevantes para el caso.

2. La parte que proponga este medio de prueba podrá aportar los dictámenes y medios de prueba instrumentales que considere convenientes. También las otras partes podrán aportar dictámenes y medios de prueba cuando cuestionen la autenticidad y exactitud de lo reproducido.

3. El tribunal valorará las reproducciones a que se refiere el apartado 1 de este artículo según las reglas de la sana crítica.

Artículo 383. *Acta de la reproducción y custodia de los correspondientes materiales.*—1. De los actos que se realicen en aplicación del artículo anterior se levantará la oportuna acta, donde se consignará cuanto sea necesario para la identificación de las filmaciones, grabaciones y reproducciones llevada a cabo, así como, en su caso, las justificaciones y dictámenes aportados o las pruebas practicadas.

2. El material que contenga la palabra, la imagen o el sonido reproducidos habrá de conservarse por el Secretario judicial, con referencia a los autos del juicio, de modo que no sufra alteraciones.

Artículo 384. *De los instrumentos que permitan archivar, conocer o reproducir datos relevantes para el proceso.*—1. Los instrumentos que permitan archivar, conocer o reproducir palabras, datos, cifras y operaciones matemáticas llevadas a cabo con fines contables o de otra clase, que, por ser relevantes para el proceso, hayan sido admitidos como prueba, serán examinados por el tribunal por los medios que la parte proponente aporte o que el tribunal disponga utilizar y de modo que las demás partes del proceso puedan, con idéntico conocimiento que el tribunal, alegar y proponer lo que a su derecho convenga.

2. Será de aplicación a los instrumentos previstos en el apartado anterior lo dispuesto en el apartado 2 del artículo 382. La documentación en autos se hará del modo más apropiado a la naturaleza del instrumento, bajo la fe del Secretario Judicial, que, en su caso, adoptará también las medidas de custodia que resulten necesarias.

3. El tribunal valorará los instrumentos a que se refiere el apartado primero de este artículo conforme a las reglas de sana crítica aplicables a aquéllos según su naturaleza.

Reglamento Notarial (artículos 198, 199, 211 y 216)

SECCIÓN 4

Actas notariales

Artículo 198.—1. Los notarios, previa instancia de parte en todo caso, extenderán y autorizarán actas en que se consignen los hechos y circunstancias que presencien o les consten, y que por su naturaleza no sean materia de contrato.

Serán aplicables a las actas notariales los preceptos de la sección segunda, relativos a las escrituras matrices, con las modificaciones siguientes:

1.º En la comparecencia no se necesitará afirmar la capacidad de los requirentes, ni se precisará otro requisito para requerir al notario al efecto, que el interés legítimo de la parte requirente y la licitud de la actuación notarial, salvo que por tratarse del ejercicio de un derecho el notario deba hacer constar de modo expreso la capacidad y legitimación del requirente *a los efectos de su control de legalidad*.

2.º No exigen tampoco la dación de fe de conocimiento, con las excepciones previstas en el párrafo anterior, y salvo el caso de que la identidad de las personas fuere requisito indispensable en consideración a su contenido.

3.º No requieren unidad de acto ni de contexto, pudiendo ser extendidas en el momento del acto o posteriormente. En este caso se distinguirá cada parte del acta como diligencia diferente, con expresión de la hora y sitio, y con cláusula de suscripción especial y separada.

4.º Las diligencias, salvo que, habiendo medios para ello, la persona con quien se entiendan pida que se redacten en el lugar, las podrá extender el notario en su estudio con referencia a las notas tomadas sobre el terreno, haciéndolo constar así, y podrá aquella persona comparecer en la Notaría para enterarse del contenido de la diligencia. Cuando se extienda la diligencia en el lugar donde se practique, invitará el notario a que la suscriban los que en ella tengan interés, así como a cualquier otra persona que esté presente en el acto.

5.º Las manifestaciones contenidas en una notificación o requerimiento y en su contestación tendrán el valor que proceda conforme a la legislación civil o procesal, pero el acta que las recoja no adquirirá en ningún caso la naturaleza ni los efectos de la escritura pública. No será necesario que el notario dé fe de conocimiento de las personas con quienes entienda la diligencia ni de su identificación, salvo en los casos en que la naturaleza del acta exija la identificación del notificado o requerido.

6.º *En todo caso y cualquiera que sea el tipo de acta, el notario deberá comprobar que el contenido de la misma y de los documentos a que haga referencia, con independencia del soporte utilizado, no es contrario a la ley o al orden público.*

[Artículo 198, número 1 apartado 1.º inciso «a los efectos de su control de legalidad» y apartado 6.º, anulados por Sentencia T.S. (Sala 3.ª, Sección 6.ª) de 20 mayo 2008, LA LEY 39222/2008].

7.º Las manifestaciones verbales percibidas por el notario durante la realización de un acta sólo podrán ser recogidas en ésta previa advertencia por el Notario al autor de la existencia y finalidad del acta, del carácter potestativo de la manifestación y de la posibilidad de diferirla a la comparecencia en la notaría en los dos días hábiles siguientes a la entrega de la cédula o copia del acta que las insta. El requerimiento para levantar el acta no podrá referirse en ningún caso a conversaciones telefónicas, ni comprender la realización de preguntas por parte del notario.

Cuando el acta deba ser realizada en el interior de un establecimiento el notario deberá advertir a la persona responsable, o que juzgue más idónea, de su condición y del objeto del acta y no consignará hecho alguno sino los que compruebe una vez autorizada su actuación. Si le fuere negada se limitará a hacerlo constar así.

8.º Las actas notariales se firmarán por los requirentes y se signarán y rubricarán por el notario, salvo que alguno de aquéllos no pudiere o no supiere firmar, en cuyo caso se hará constar así. Quedarán a salvo aquellos supuestos de urgencia libremente apreciados por el notario.

9.º Los notarios se abstendrán de dar fe de incidencias ocurridas en actos públicos sin ponerlo en conocimiento de la persona que los presida, pero ésta no podrá oponerse a que aquellos, después de cumplido este requisito, ejerzan las funciones propias de su ministerio; si ésta se opusiere, se limitará a hacerlo constar así.

2. Cuando un notario sea requerido para dejar constancia de cualquier hecho relacionado con un archivo informático, no será necesaria la transcripción del contenido de éste en soporte papel, bastando con que en el acta se indique el nombre del archivo y la identificación del mismo con arreglo a las normas técnicas dictadas por el Ministerio de Justicia. Las copias que se expidan del acta deberán reproducir única-

mente la parte escrita de la matriz, adjuntándose una copia en soporte informático no alterable según los medios tecnológicos adecuados del archivo relacionado. La Dirección General de los Registros y del Notariado, de conformidad con el artículo 113.2 de la Ley 24/2001, de 27 de diciembre (LA LEY 1785/2001), determinará los soportes en que deba realizarse el almacenamiento, y la periodicidad con la que su contenido debe ser trasladado a un soporte nuevo, tecnológicamente adecuado, que garantice en todo momento su conservación y lectura.

Subsección 1

Actas de presencia

Artículo 199.—Las actas notariales de presencia acreditan la realidad o verdad del hecho que motiva su autorización.

El notario redactará el concepto general en uno o varios actos, según lo que presencie o perciba por sus propios sentidos, en los detalles que interesen al requirente, si bien no podrá extenderse a hechos cuya constancia requieran conocimientos periciales.

En la autorización de actas de presencia que consten hechos susceptibles de publicidad comercial, el notario, al expresar el alcance concreto de la fe pública notarial, hará constar que ésta no puede extenderse a cosas o hechos distintos de los que han sido objeto de su percepción personal.

Se prohíbe el uso publicitario de toda acta que no se haya instado expresamente con la finalidad de tal uso y, en su caso, será necesaria la aprobación previa, por parte del notario autorizante, de los textos e imágenes en que la publicidad se concrete. El nombre del notario no deberá aparecer en publicación autorizada de dichos textos e imágenes. Deberá el notario, igualmente, denegar la autorización cuando pueda inducir a confusión a los consumidores y usuarios sobre el alcance de la intervención notarial. El Consejo General del Notariado creará un archivo telemático de libre consulta por los notarios y los usuarios en que conste la intervención notarial y las bases de los concursos para los que se requiera aquélla. El notario requerido advertirá al requirente de la incorporación de ese acta al archivo telemático indicado a los efectos del ejercicio de los derechos a que se refiere la Ley Orgánica 15/1999, de 13 de diciembre (LA LEY 4633/1999), de protección de datos de carácter personal. Si se negare, no podrá hacer constar la intervención notarial en dicho archivo.

(...)

Artículo 211.—Las actas de protocolización tendrán las características generales de las de presencia, pero el texto hará relación al hecho de haber sido examinado por el Notario el documento que deba ser protocolado, a la declaración de la voluntad del requirente para la protocolización o cumplimiento de la providencia que la ordene, al de quedar unido el expediente al protocolo, expresando el número de folios que contenga y los reintegros que lleve unidos.

(...)

Artículo 216.—Los notarios pueden recibir en depósito los objetos, valores, documentos y cantidades que se les confíen, bien como prenda de contratos, bien para su custodia.

La admisión de depósitos es voluntaria por parte del notario, quien podrá imponer condiciones al depositante, salvo que el depósito notarial se halle establecido en alguna ley, en cuyo caso se estará a lo que en ella se disponga.

El depósito notarial de documentos que estén extendidos en soporte informático se regirá además por las siguientes normas:

1.º El soporte digital que contenga un documento electrónico se entregará en depósito al notario, por el plazo y condiciones que convenga éste con el requirente o requirentes; en el acta de depósito, o en el documento en que deba quedar unido, bastará con hacer referencia depósito con reseña de las características del documento electrónico y de su soporte, tales como su fecha, formato y su extensión, si las tiene, la unidad de medida, en su caso, así como las demás características técnicas que permitan identificarlos.

2.º La Dirección General de los Registros y del Notariado en los términos previstos en el artículo 113.3 de la Ley 24/2001, de 27 de diciembre (LA LEY 1785/2001), podrá acordar, cuando innovaciones técnicas lo hagan aconsejable, el traslado sistemático del contenido de documentos informáticos depositados a un nuevo soporte, más adecuado para su conservación, lectura o reproducción, dictando las normas que garanticen la fiabilidad de las copias. En todo caso, deberá citarse a los interesados, quienes podrán oponerse retirando el documento.

También podrá realizarse, con la misma finalidad, el traslado a un nuevo soporte a instancia de la persona que depositó el documento o sus causahabientes. El traslado del contenido del documento deberá hacerse por medios técnicos adecuados que aseguren la fiabilidad de la copia.

Cuando proceda la devolución de un depósito se extenderá en la misma acta nota expresiva de haberlo efectuado, firmada por la persona que haya impuesto el depósito o por quien traiga de ella su derecho u ostente su representación legal o voluntaria.

Cuando el depósito estuviese constituido bajo alguna condición convenida con un tercero, el notario no efectuará la devolución mientras no se le acredite suficientemente el cumplimiento de la condición estipulada.

Para la devolución del depósito el solicitante tendrá que acreditar al notario el derecho que le asiste.

El notario rechazará todo depósito que pretenda constituirse en garantía de un acto o contrato contrario a las leyes o al orden público.

Si el objeto depositado fuera un programa informático cuyo contenido no pueda ser razonablemente conocido por el notario, éste sólo admitirá el depósito si el requirente depositante manifiesta que el contenido de aquel programa no es contrario a la ley o al orden público.

Ley de Firma Electrónica (artículo 3)

Artículo 3. *Firma electrónica, y documentos firmados electrónicamente.*—1. La firma electrónica es el conjunto de datos en forma electrónica, consignados junto a otros o asociados con ellos, que pueden ser utilizados como medio de identificación del firmante.

2. La firma electrónica avanzada es la firma electrónica que permite identificar al firmante y detectar cualquier cambio ulterior de los datos firmados, que está vinculada al firmante de manera única y a los datos a que se refiere y que ha sido creada por medios que el firmante puede utilizar, con un alto nivel de confianza, bajo su exclusivo control.

3. Se considera firma electrónica reconocida la firma electrónica avanzada basada en un certificado reconocido y generada mediante un dispositivo seguro de creación de firma.

4. La firma electrónica reconocida tendrá respecto de los datos consignados en forma electrónica el mismo valor que la firma manuscrita en relación con los consignados en papel.

5. Se considera documento electrónico la información de cualquier naturaleza en forma electrónica, archivada en un soporte electrónico según un formato determinado y susceptible de identificación y tratamiento diferenciado.

Sin perjuicio de lo dispuesto en el párrafo anterior, para que un documento electrónico tenga la naturaleza de documento público o de documento administrativo deberá cumplirse, respectivamente, con lo dispuesto en las letras a) o b) del apartado siguiente y, en su caso, en la normativa específica aplicable.

6. El documento electrónico será soporte de:

a) Documentos públicos, por estar firmados electrónicamente por funcionarios que tengan legalmente atribuida la facultad de dar fe pública, judicial, notarial o administrativa, siempre que actúen en el ámbito de sus competencias con los requisitos exigidos por la ley en cada caso.

b) Documentos expedidos y firmados electrónicamente por funcionarios o empleados públicos en el ejercicio de sus funciones públicas, conforme a su legislación específica.

c) Documentos privados.

7. Los documentos a que se refiere el apartado anterior tendrán el valor y la eficacia jurídica que corresponda a su respectiva naturaleza, de conformidad con la legislación que les resulte aplicable.

8. El soporte en que se hallen los datos firmados electrónicamente será admisible como prueba documental en juicio. Si se impugnare la autenticidad de la firma electrónica reconocida con la que se hayan firmado los datos incorporados al documento electrónico se procederá a comprobar que se trata de una firma electrónica avanzada basada en un certificado reconocido, que cumple todos los requisitos y condiciones establecidos en esta Ley para este tipo de certificados, así como que la firma se ha generado mediante un dispositivo seguro de creación de firma electrónica.

La carga de realizar las citadas comprobaciones corresponderá a quien haya presentado el documento electrónico firmado con firma electrónica reconocida. Si dichas comprobaciones obtienen un resultado positivo, se presumirá la autenticidad de la firma electrónica reconocida con la que se haya firmado dicho documento electrónico siendo las costas, gastos y derechos que origine la comprobación exclusivamente a cargo de quien hubiese formulado la impugnación. Si, a juicio del tribunal, la impugnación hubiese sido temeraria, podrá imponerle, además, una multa de 120 a 600 euros.

Si se impugna la autenticidad de la firma electrónica avanzada, con la que se hayan firmado los datos incorporados al documento electrónico, se estará a lo establecido en el apartado 2 del artículo 326 de la Ley de Enjuiciamiento Civil (LA LEY 58/2000).

9. No se negarán efectos jurídicos a una firma electrónica que no reúna los requisitos de firma electrónica reconocida en relación a los datos a los que esté asociada por el mero hecho de presentarse en forma electrónica.

10. A los efectos de lo dispuesto en este artículo, cuando una firma electrónica se utilice conforme a las condiciones acordadas por las partes para relacionarse entre sí, se tendrá en cuenta lo estipulado entre ellas.

11. Todos los sistemas de identificación y firma electrónica previstos en la Ley de Procedimiento Administrativo Común de las Administraciones Públicas (LA LEY 15010/2015) y en la Ley de Régimen Jurídico del Sector Público (LA LEY 15011/2015) tendrán plenos efectos jurídicos.

12. JURISPRUDENCIA

1. **SAP Valencia, Sección 8.ª, 10 de noviembre de 2009. Ponente: María Carmen Brines Tarraso (LA LEY 283553/2009)**

El documento electrónico sin firma electrónica carece de las garantías exigibles para gozar de plena eficacia probatoria

«Pero es que además, el documento electrónico (e-mail o correo electrónico) aportado por la recurrente, en cuanto no posee firma electrónica reconocida (Ley 59/2003 de 19 de Diciembre, de firma electrónica) y ha sido obtenido a través de la impresora de un ordenador, carece de las garantías exigibles a juicio del Tribunal para gozar de plena eficacia probatoria, circunstancia que valorada conjuntamente con el resto de las expuestas, nos ha de llevar a concluir en la procedencia de estimar la pretensión deducida por la demandante con desestimación, como ya se había anunciado del recurso de Apelación interpuesto, y resolviendo en consecuencia conforme se dirá en el fallo de la presente Sentencia».

2. SAP Santa Cruz de Tenerife, Sección 4.ª, 18 de noviembre de 2009. Ponente: Pablo José Moscoso Torres (LA LEY 293839/2009)

El documento electrónico puede aportarse impreso en papel para facilitar su traslado a las demás partes

«En este caso y como se ha señalado, la entidad actora acompañó con la demanda la copia en soporte papel del documento electrónico que tenía a su disposición, en el que se reflejaba la transferencia efectuada a favor de su asegurado, en la cuenta corriente bancaria que también se indicaba, por el importe de los daños ocasionados con el siniestro y con referencia de la póliza que lo cubría. Además, hay que tener en cuenta que, primero, la Ley 59/2003, de 19 de diciembre, de firma electrónica, y después la Ley 41/2007, de 7 de diciembre, equipararon plenamente a efectos judiciales los documentos en papel y los documentos multimedia, reformando consecuentemente los arts. 267, 268, 318 y 326 de la Ley de Enjuiciamiento Civil.

No obstante, se podría precisar que la copia del documento multimedia debe aportarse con ese soporte (y a través del medio adecuado —*pen drive*, por ejemplo—) y no en papel, pero su traslado a éste puede representar, de igual modo y para permitir una mayor accesibilidad, una trascripción adecuada en ese soporte del mismo documento; en tales circunstancias y al margen de la impugnación de la autenticidad del traslado o de la trascripción en soporte papel del documento electrónico, o bien de la autenticidad de la copia de éste en su mismo soporte, es posible atribuirle la eficacia que legalmente le corresponda».

3. SAP Sevilla, Sección 6.ª, 13 de marzo de 2008. Ponente: Marcos Antonio Blanco Leira (LA LEY 180430/2008)

El correo electrónico no firmado debe valorarse como un documento privado

«Por tanto, el único motivo de apelación, contenido en la segunda alegación del escrito de recurso es la denuncia del error en la valoración de la prueba practicada; la misma ha consistido en unos correos electrónicos a los que la apelante priva de eficacia por no aparecer firmados electrónicamente a la luz de la Ley 59/2003 sobre firma electrónica. Pero, sin perjuicio de que la convicción del juez *a quo* no se sustenta exclusivamente en tal documental, y de que dichos correos fueron emitidos con anterioridad a la vigencia de la indicada Ley, es lo cierto que al menos como documentos privados, y en el marco de la valoración sujeta a la regla de la sana crítica cuando han sido impugnados, art. 326.2 párrafo segundo de la Ley 1/2000, de 7 de enero, de Enjuiciamiento Civil, sí que podrían ser tenidos en cuenta, sobre todo cuando la parte intentó su autenticidad a través de su reconocimiento por parte de quienes lo emitieron y no fue posible ante el silencio de la demandada frente al requerimiento de identificación de dichos empleados a fin de su declaración testifical, todo lo cual ha sido valorado adecuadamente en la sentencia, así como la incomparecencia del representante legal de la demandada con el alcance del art. 304 de la Ley 1/2000, de 7 de enero, de Enjuiciamiento Civil. Procediendo en consecuencia la íntegra confirmación de aquélla, previa desestimación del recurso».

4. SAP Baleares, Sección 4.ª, 28 de enero de 2002. Ponente: Jaume Massanet i Moragues (LA LEY 22025/2002)

Las cintas magnetofónicas son una clase de prueba electrónica que puede aportarse en el proceso civil, si bien su eficacia probatoria exige certificación de su autenticidad, veracidad y fidelidad

«Hoy en día, con la nueva Ley de Enjuiciamiento Civil, artículos 382 y siguientes, no hay duda de la validez como medio de prueba de las cintas magnetofónicas, y su valor probatorio será valorado por el Tribunal según las reglas de la sana crítica, es decir no tienen, como es natural, un valor tasado.

Sin embargo el pleito se ha seguido en la primera instancia aún bajo la vigencia de la anterior LEC de 1881; ni ésta ley ni el Código Civil por su antigüedad no regulaban tan moderno medio de prueba. Sin embargo la jurisprudencia del Tribunal Supremo (sentencias 14 May. 2001, 12 Jun. 1999, 30 Nov. 1992 y 2 Dic. 1996, entre otras, y de diferentes Audiencias Provinciales, como Barcelona, 1 Jul. 1999, Guipúzcoa 26 Mar. 1999, Córdoba, 15 Jun. 1999, León 29 Jun. 1994) admiten como posibles medios probatorios los mecanismos o elementos derivados de los avances y descubrimientos técnicos de los tiempos actuales, como son las cintas magnetofónicas, de vídeo y cualquier otro medio de reproducción hablada o representación visual del pensamiento humano, los mismos aparecen admitidos por tal jurisprudencia, y debían ser catalogados, dentro de la enumeración contenida en los artículos 1215 del Código Civil y 578 de la Ley de Enjuiciamiento Civil, como prueba documental asimilable a los documentos privados, por cuanto que, al igual que con estos ocurre, si la parte a quien perjudiquen no los reconoce como legítimos, habrán de ser sometidos a la correspondiente verificación o comprobación, por medio de la prueba pericial o, incluso, de reconocimiento o inspección personal del juez, y siendo ello así, o sea (volvemos a decir), admitida la conceptuación como prueba documental de tales elementos o medios técnicos reproductores de la palabra o de la imagen, ha de regir para ellos la misma norma procesal que para los documentos, en el sentido de que aquellos que sean los fundamentales en que la parte actora base su derecho, han de ser presentados con la demanda (artículo 504 de la Ley de Enjuiciamiento Civil), con la única excepción de los que se hallen en alguno de los supuestos del artículo 506 de la citada Ley.

De todas formas, como expresa la Sentencia de la AP de Córdoba la utilización probatoria de cintas magnetofónicas exige siempre, en todo caso, la necesaria y precisa adveración y certificación de autenticidad, veracidad y fidelidad que encuentra cauce procesal adecuado mediante el reconocimiento judicial, sometido a las reglas de procedimiento y valoración previstas».

5. **SAP Barcelona, Sección 13.ª, 2 de mayo de 2007. Ponente: Juan Bautista Cremades Morant (LA LEY 113346/2007)**

La prueba electrónica se sujeta al mismo régimen procesal de aportación que la prueba documental

«Se regula pues, en la nueva L.E.C., la utilización de medios y soportes técnicos para la reproducción y archivo de imágenes, sonidos y datos de una manera autónoma, aun cuando no suponen propiamente nuevos "medios de prueba" independientes, sino nuevas fuentes de prueba. Así, el art. 299.2 establece que "también se admitirán, conforme a lo dispuesto en esta ley, los medios de reproducción de la palabra, el sonido y la imagen, así como los instrumentos que permiten archivar y conocer o reproducir palabras, datos, cifras y operaciones matemáticas, llevadas a cabo con fines contables o de otra clase, relevantes para el proceso", lo que se desarrolla en los arts. 382 a 384 LEC.

Entre las modalidades: A) los medios de reproducción ante el tribunal de la palabra, la imagen y el sonido contenidos en soportes (art. 382 y 383 L.E.C.). Ello impone una serie de precisiones: la palabra, la imagen y el sonido (la palabra es "sonido") son las fuentes de prueba de donde pueden obtenerse los datos relevantes para el proceso; tales fuentes de prueba son captadas con instrumentos de grabación, filmación u otros análogos (magnetófono, cassette, aparato de vídeo,...) y recogidos en un soporte determinado (cinta magnetofónica, cinta de video, soporte informático que recoja imágenes o sonidos), lo que sin duda planteará problemas sobre quién ha de proporcionar el aparato para la reproducción; la prueba es la reproducción ante el tribunal de la palabra, la imagen o el sonido.

En orden a su aportación (art. 382), siguen el mismo régimen que la prueba documental (art. 265 y ss.), con el mismo fundamento (principio de igualdad y prohibición de indefensión); la parte que proponga la prueba, podrá acompañar (potestativo) con el soporte trascripción escrita de las palabras contenidas en el soporte de que se trate y que resulten relevantes para el caso. Por tanto, solo en el caso de las "palabras" (no de imágenes, ni de "sonidos") y solo cuando sean "relevantes", lógicamente a criterio de la parte (cuando debería dejarse a criterio del tribunal el juicio sobre la relevancia y no, exclusivamente, a las partes). Lo fundamental, es el "soporte".

En cuanto a su práctica, como se ha expuesto, el medio de prueba consiste en la "reproducción" ante el tribunal, que la percibe directamente (arts. 289 y 431 L.E.C.); ahora bien, la parte que hubiere propuesto este "medio" de prueba "podrá aportar los dictámenes y medios de prueba instrumentales que considere convenientes", con la finalidad de corroborar la autenticidad y el contenido del soporte (tratando de "acreditar" lo que tiene que "probar"), sin perjuicio de su reconocimiento a quien haya de perjudicar; y aun cuando parezca limitarse a la pericial, nada impide que se practique junto a otros medios de prueba (interrogatorio de las partes, testigos,...); a la vez, si las demás partes cuestionan la autenticidad, en ejercicio de su derecho de defensa, "también... podrán aportar dictámenes y medios de prueba", lógicamente en la audiencia previa (j. ordinario) o en la vista (j. verbal), de forma que podrá darse el caso de dictamen pericial sobre "voces" a manera de "cotejo" (espectrogramas), que requerirá la formación de un "cuerpo de voz", a presencia judicial, ante las partes y en presencia del secretario.

Respecto de su documentación (art. 383 L.E.C.), lo percibido y apreciado por el tribunal, será recogido en un "acta" donde se consignará "cuanto sea necesario para la identificación de las filmaciones, grabaciones y reproducciones llevadas a cabo, así como, en su caso, las justificaciones y dictámenes aportados o las pruebas practicadas"; aun cuando solo se refiere a la "identificación", de que habrá de contener las "percepciones y apreciaciones del tribunal", analógicamente con la prueba de reconocimiento judicial (art. 358 L.E.C.). Es más, "el tribunal podrá acordar mediante providencia que se realice una trascripción literal de las palabras y voces filmadas o grabadas, siempre que sean de relevancia para el caso, la cual se unirá al acta" (art 383.1 pfo. 2 L.E.C.), trascripción "literal" que habrá de efectuarse en presencia del tribunal, ante las partes y dando fe el secretario.

En fin, respecto de su valoración. (arts. 382.3 y 384.3), las reproducciones del art. 382.1 y los instrumentos del art. 384.1, serán valorados por el tribunal según las reglas de la sana crítica».

6. **SAP Guipúzcoa, Sección 3.ª, 15 de mayo de 2006. Ponente: Begoña Argal Lara (LA LEY 219540/2006)**

Las reglas de la sana crítica no constan objetivadas en ninguna norma jurídica

«Las reglas de la sana crítica no constan en norma jurídica positiva alguna (SSTS 12 diciembre 1986, 4 febrero 1997, 25 marzo 1998 y 19 diciembre 1989), pero como pone de relieve la doctrina científica, constituyen el camino del discurrir humano que ha de seguirse para valorar sin voluntarismos ni arbitrariedades los datos suministrados por la prueba. De ahí que la libertad de apreciación del órgano judicial no quiere decir apreciación arbitraria del resultado de la prueba, sino operación crítica y lógica».

7. **SAP Málaga, Sección 5.ª, 21 de diciembre de 2006. Ponente: Antonio Torrecillas Cabrera (LA LEY 267424/2006)**

El Tribunal puede valorar una grabación aportada en un CD aunque no se haya reproducido en el acto del juicio dado que consta que se entregó copia de dicha prueba electrónica a la parte contraria

«La última prueba por analizar es la cinta magnetofónica en la que se recogió una conversación entre el demandante Sr. Tomás y el Sr. Augusto; como se ha indicado en el Segundo Fundamento de Derecho de esta sentencia dicha prueba es válida e incluso su posibilidad está admitida en los arts. 382 y 383 de la LEC; en cuanto a la forma de desarrollarse la misma, es cierto que en el acto del juicio no se reprodujo la misma, sin embargo sí se le entregó una copia en CD a la parte actora, por lo que no puede considerarse que en su práctica se haya infringido ninguna disposición legal; en cuanto a su validez, es cierto que el perito en su informe concluye que la cinta está claramente manipulada, sin embargo, en la vista aclaró que la manipulación a la que se refiere en su informe se debe a que por un lado existen algunos pasajes en los que la grabación se produce sobre una cinta ya utilizada previamente, así como que en algún momento se produce un corte selectivo, es decir que se deja de escuchar algún pasaje de la conversación, no obstante aclara que la manipulación no llega a sustituir las frases o palabras ni a grabar otras expresiones sobre la conversación mantenida entre ambos; de tal forma que realmente la manipulación no supone en modo alguno un falseamiento de lo grabado, habiéndole cambiado el sentido».

Capítulo IV.

La prueba electrónica en el proceso penal

1. LA INVESTIGACIÓN DE LOS DELITOS EN LA ERA DIGITAL

Las innovaciones tecnológicas apoyadas en la informática y en las redes de comunicación mundial han influido decisivamente en la forma de cometer delitos. Gracias a estos nuevos instrumentos, los delincuentes han ampliado su ámbito de actuación hacia un mundo virtual en el que existe un círculo más amplio de víctimas potenciales. Antes de la irrupción de estas tecnologías de comunicación, la esfera de actuación del delincuente era más reducida. Piénsese, por ejemplo, en el caso de un estafador que hacía el «timo del Nazareno» [158] en varias pueblos cercanos. Gracias a las nuevas tecnologías, ese

---

[158] La STS 265/2014, Sala de lo Penal, de 8 de abril, (Ponente: Cándido Conde Pumpido Tourón) analiza en el FJ 4.º esta modalidad de estafa: «[…] el acusado utiliza una técnica muy frecuente en los timos clásicos, como es el conocido timo del nazareno, una modalidad de estafa tan antigua como el timo de la estampita o el tocomocho. En esta modalidad de estafa el timador ("nazareno") se gana la confianza de los perjudicados haciendo pequeños pedidos que paga rápidamente, generando confianza al utilizar como fachada una empresa de apariencia solvente. Una vez generada la confianza en la víctima, el nazareno realiza un pedido o compra de mucho más valor, que no

mismo estafador va a poder captar en Internet a un mayor número de víctimas que resulten perjudicadas por la defraudación [159].

Estas nuevas formas de delincuencia se caracterizan, básicamente, por cuatro factores [160]:

— **Anonimato.** Esta característica elimina las barreras psicológicas que previenen las estafas en las transacciones tradicionales. De igual manera, también la víctima permanece en el anonimato y el estafador no tiene que verle la cara, lo que reduce sus remordimientos.

— **Tecnología de falsificación.** Gracias a los escáneres, impresoras y buenas técnicas de digitalización, es más fácil realizar el robo o falsificación de identidad.

— **Extensión global.** Esta característica dificulta la localización del delincuente, pues puede estar residiendo en España y cometiendo una estafa que afecta a un ciudadano de otro país.

— **Impunidad.** La identificación y persecución penal del estafador resulta más complicada, dado que es necesario rastrear la conexión utilizada y eso requiere la colaboración de las compañías prestadoras de servicios de comunicación, así como, en ocasiones, la remisión de comisiones rogatorias a otros países

paga o paga con letras de cambio o pagarés, que posteriormente resultarán impagados. Cuando ha recibido el producto, el timador revende la mercancía y se apropia del precio recibido [...] El modelo del timo es clásico. Creación de una confianza previa, mediante pequeñas operaciones a las que se responde debidamente. Proposición de un negocio más importante para el que se requiere un desplazamiento patrimonial por parte de los timados. Apariencia de solvencia empresarial en el ramo del negocio de que se trata. Aportación de un cheque o pagaré para reforzar la garantía de la operación, sin ánimo alguno de cumplimiento».

[159] Sobre las distintas modalidades de fraudes en Internet, *vid.* MIRÓ LLINARES, F., «La respuesta penal al ciberfraude. Especial atención a la responsabilidad de los muleros del *phishing*», *Revista Electrónica de Ciencia Penal y Criminología*, núm. 15, 2013, pp. 1-56.

[160] *Vid.* REDONDO ILLESCAS, S. y GARRIDO GENOVÉS, V., *Principios de Criminología*, 4.ª edición, Tirant lo Blanch, Valencia, 2013, pp. 798-799.

cuando la información se encuentre en servidores de empresas ubicadas en el extranjero.

La **ciberdelincuencia** se ha convertido en un problema de primer orden. Se estima que en el año 2014 se cometieron en España más de 70.000 delitos, lo que se traduce en pérdidas para las empresas españolas de más de 14.000 millones de euros a consecuencia de los ciberataques. La empresa *Intel Security* elaboró un estudio sobre estas nuevas formas de delincuencia y concluyó que dos de cada tres correos que se envían en el mundo son «spam» y su único propósito es extorsionar a los receptores para obtener dinero e información. En este mismo sentido, la empresa *McAfee Labs* detectó más de 30 millones de Urls sospechosas de enviar correos fraudulentos [161]. Por tal motivo, el Consejo de Europa impulsó la aprobación del primer tratado internacional que pretende hacer frente a los delitos informáticos y a la utilización de Internet mediante la armonización de las leyes nacionales, la mejora de las técnicas de investigación y el aumento de la cooperación entre los Estados.

La **tipología del cibercrimen** es muy variada, pues abarca ataques contra sistemas informáticos, robo y manipulación de datos, usurpación de identidad, actividades pedófilas, estafas comerciales

> La ciberdelincuencia se ha convertido en un problema de primer orden. Se estima que en el año 2014 las empresas españolas tuvieron pérdidas valoradas en más de 14.000 millones de euros a consecuencia de los ciberataques

---

[161] *Vid.* «España, a la cabeza del cibercrimen», *ABC*, 20 de febrero de 2015.

y bancarias mediante distintas técnicas como el *phishing* [162], difusión de *malware* [163], creación de *botnets* [164] para distintos fines, etc. Según el magistrado VELASCO NÚÑEZ [165], los «delitos informáticos» en el Código Penal español podrían dividirse en tres categorías:

[162] El *phishing* (o «pesca de incautos») es un tipo de abuso informático que se comete mediante el uso de un tipo de ingeniería social caracterizado por intentar adquirir información confidencial de forma fraudulenta (como puede ser una contraseña, datos de una tarjeta de crédito u otro tipo de información bancaria). El cibercriminal, conocido como *phisher*, se hace pasar por una persona o empresa de confianza en una aparente comunicación oficial electrónica, por lo común un correo electrónico, o algún sistema de mensajería instantánea o incluso utilizando llamadas telefónicas.

[163] El *malware* es un término que procede del inglés, *malicious software*. Se trata de un *software* malicioso diseñado específicamente para llevar a cabo acciones no deseadas y sin el consentimiento explícito del usuario. Este tipo de programas están diseñados por cibercriminales con la finalidad de dañar un ordenador, una red, obtener algún tipo de beneficio o hacer mal uso del mismo. El *malware* en muchos casos se instala en nuestro ordenador sin nuestro conocimiento, generalmente a través de descargas o enlaces de carácter engañoso que simulan ser contenido en el que podríamos estar interesados. Una vez que el *malware* se ha instalado en el ordenador, las personas que tienen el control en muchas ocasiones pueden intentar acceder a nuestra información personal. Algunos ejemplos de *malware* serían los «gusanos», que son programas informáticos que se replican automáticamente usando una red informática para enviar a sí mismos a otros ordenadores de la red; o los «troyanos», que permiten, sin conocimiento del usuario, robar información del usuario afectado, dañar el sistema o abrir una puerta trasera para entrar al equipo de forma remota sin ser detectado.

[164] Los *botnets* o «red de ordenadores zombis» es el conjunto formado por ordenador infectados por un tipo de *software* malicioso que permite al atacante controlar dicha red de forma remota. Los equipos que integran la red se denominan «zombis» o «drones». Entre los usos más habituales se encuentra el envío masivo de *spam* a direcciones de correo electrónico, así como los ataques de denegación de servicio que provocan la pérdida de conectividad de la red por el consumo de banda ancha de la red afectada.

[165] *Vid.* VELASCO NÚÑEZ, E., «Los delitos informáticos», *Práctica penal: cuaderno jurídico*, núm. 81, 2015, pp. 14-28.

— En primer lugar, los delitos patrimoniales vinculados a la informática, cuya finalidad es obtener beneficios económicamente evaluables de terceras personas, como, por ejemplo, estafas *online*, daños informáticos, publicidad engañosa o espionaje informático de secretos de empresa.

— En segundo lugar, atentados a la intimidad y privacidad, esto es, la llamada ciberdelincuencia intrusiva. Entre ellos podemos destacar las amenazas y coacciones informáticas, la distribución de material de pornografía infantil, descubrimiento y revelación de secretos o injurias y calumnias.

— En tercer lugar, ataques por medios informáticos a intereses supraindividuales con la finalidad de subvertir el orden político o de convivencia generalmente aceptado. Entre ellos, encontraríamos los delitos de descubrimiento y revelación de secretos relativos a la defensa nacional, o el enaltecimiento del terrorismo o la captación de terroristas a través de medios de comunicación accesibles para el público.

Hasta el año 2015 la Ley de Enjuiciamiento Criminal no regulaba de manera detallada los **medios de investigación** de los que podía servirse la Policía Judicial, el Ministerio Fiscal y el Juez de Instrucción para esclarecer estas nuevas formas de delincuencia [166]. Se trataba de una reforma necesaria por cuanto, ante la falta de previsión normativa, existía una cierta inseguridad jurídica inaceptable en cualquier tipo de proceso judicial y, especialmente, en el proceso penal, donde se ventilan lo que se suponen ataques graves a bienes jurídicos de máxima relevancia constitucional. Esta inseguridad jurídica acerca de estas pruebas electrónicas en el proceso penal conducía, en muchas ocasiones, a sentencias absolutorias, al haberse obtenido pruebas con vulneración de derechos fundamentales que no podían desvirtuar la presunción de inocencia (artículo 11.1 LOPJ). De igual manera, España tenía que ajustar su normativa a las previsiones del

---

[166] Para una visión general de las novedades en esta materia, *vid.* JIMÉNEZ SEGADO, C. y PUCHOL AIGUABELLA, M., «Las medidas de investigación tecnológica limitativas de los derechos a la intimidad, la imagen, el secreto de las comunicaciones y la protección de datos», *Diario La Ley*, núm. 8676, Sección Doctrina, 7 de enero de 2016.

Convenio de Budapest a fin de facilitar la investigación de los delitos informáticos.

La necesidad de la reforma viene expresada en la Exposición de Motivos de la LO 13/2015, de 5 de octubre, cuando afirma: «*La Ley de Enjuiciamiento Criminal no ha podido sustraerse al paso del tiempo. Renovadas formas de delincuencias ligadas al uso de las nuevas tecnologías han puesto de manifiesto la insuficiencia de un cuadro normativo concebido para tiempos bien distintos. Los flujos de información generados por los sistemas de comunicación telemática advierten de las posibilidades que se hallan al alcance del delincuente, pero también proporcionan poderosas herramientas de investigación a los poderes públicos. Surge así la necesidad de encontrar un delicado equilibrio entre la capacidad del Estado para hacer frente a una fenomenología criminal de nuevo cuño y el espacio de exclusión que nuestro sistema constitucional garantiza a cada ciudadano frente a terceros. Por muy meritorio que haya sido el esfuerzo de jueces y tribunales para definir los límites del Estado en la investigación del delito, el abandono a la creación jurisprudencial de lo que ha de ser objeto de regulación legislativa ha propiciado un déficit en la calidad democrática de nuestro sistema procesal, carencia que tanto la dogmática como instancias supranacionales han recordado. Recientemente, el Tribunal Constitucional ha apuntado el carácter inaplazable de una regulación que aborde las intromisiones en la privacidad del investigado en un proceso penal. Hoy por hoy, carecen de cobertura y su subsanación no puede obtenerse acudiendo a un voluntarista expediente de integración analógica que desborda los límites de lo constitucionalmente aceptable. Solo así se podrá evitar la incidencia negativa que el actual estado de cosas está proyectando en relación con algunos de los derechos constitucionales que pueden ser objeto de limitación en el proceso penal*».

El **objetivo de este Capítulo** es profundizar en el tratamiento de la prueba electrónica en el proceso penal atendiendo al Derecho vigente. Para ello, nos detendremos en examinar las principales características de los modernos medios de investigación tecnológica del delito que, tras su válida obtención, se van a incorporar al proceso como auténticas pruebas electrónicas. Nuestra atención, por tanto, se va a centrar en los siguientes medios:

— Interceptación de las comunicaciones telefónicas y telemáticas.

— Captación y grabación de comunicaciones orales mediante la utilización de dispositivos electrónicos.

— Utilización de dispositivos técnicos de captación de la imagen.

— Utilización de dispositivos de seguimiento y de localización.

— Registro de dispositivos de almacenamiento masivo de información.

— Registros remotos sobre equipos informáticos.

— Acústica forense.

— Mensajes enviados a través de redes sociales.

2. INTERCEPTACIÓN DE LAS COMUNICACIONES TELEFÓNICAS Y TELEMÁTICAS

El Tribunal Constitucional ya apuntó hace ahora veinte años [167] la exigencia de habilitación legal para la legitimidad constitucional de la intervención de las comunicaciones telefónicas [168]. Esta idea se desarrolló en la importante STC 49/1999, de 5 de abril, al afirmar que toda injerencia estatal en el ámbito de los derechos fundamentales requiere de una previa habilitación legal. Esta exigencia se desdobla, a su vez, en dos requisitos. En primer lugar, la necesidad de una ley en sentido formal que ampare la injerencia en el derecho fundamental y que, a través de una redacción clara, sencilla y accesible, garantice las expectativas razonables de cualquier ciudadano de

---

[167] STC 49/1996, de 26 de marzo, FJ 3.°.
[168] *Vid.* RODRÍGUEZ MONTAÑÉS, T., «Comentario al artículo 18.3 CE. El secreto de las comunicaciones», en CASAS BAAMONDE, M.ª E. y RODRÍGUEZ-PIÑERO Y BRAVO-FERRER, M. (dir.), PÉREZ MANZANO, M. y BORRAJO INIESTA, I. (coord.), *Comentarios a la Constitución Española, XXX Aniversario*, Fundación Wolters Kluwer, Madrid, 2008, pp. 444-445.

saber cuál va a ser la actuación de los poderes públicos. Y, en segundo lugar, una exigencia material por cuanto dicha ley debe reunir unos estándares de calidad, esto es, de exhaustividad y rigor en su contenido. En el ámbito que nos ocupa y, siguiendo la jurisprudencia del TEDH dictada en los casos *Malone v. Reino Unido* [169] y, especialmente, el caso *Valenzuela v. España* [170], las exigencias de contenido de la ley deben abarcar, al menos, los siguientes extremos:

— La definición de las categorías de personas susceptibles de ser sometidas a una escucha judicial.

— La naturaleza de las infracciones que pueden dar lugar a ella.

— La fijación de un límite de duración de la medida.

— El procedimiento de transcripción de las conversaciones interceptadas.

— Las precauciones que deben observarse para garantizar la autenticidad e integridad de las grabaciones para su posterior control por el Juez y la defensa.

— Las circunstancias en las que puede o debe procederse a borrar o destruir las cintas.

La LECR, antes de la reforma de 2015, regulaba la escuchas telefónicas a través del artículo 579.2, según el cual «*el Juez podrá acordar, en resolución motivada, la intervención de las comunicaciones telefónicas del procesado, si hubiere indicios de obtener por estos medios el descubrimiento o la comprobación de algún hecho o circunstancia importante de la causa*». La redacción de este artículo, al no colmar las exigencias de calidad de la ley, motivó que el Tribunal Constitucional efectuara en numerosos ocasiones una llamada al

---

[169] STEDH, Pleno, de 2 de agosto de 1984.
[170] STEDH de 30 de julio de 1998.

legislador para que regulara pormenorizadamente esta forma de injerencia en los derechos fundamentales [171].

La **reforma efectuada a través de la LO 13/2015** ha incorporado la doctrina del Tribunal Constitucional, incluyendo aquellos requisitos que deben cumplirse para acordar estos medios de investigación que generan siempre una limitación de los derechos fundamentales reconocidos en el artículo 18 CE. En efecto, el proceso para la obtención de estas pruebas electrónicas debe observar determinadas garantías, pues, en caso contrario, se generarían pruebas nulas por vulneración del artículo 24.2 CE, concretamente, el derecho a un proceso con todas las garantías.

Dichos requisitos podríamos resumirlos en los siguientes:

— **Principio de exclusividad jurisdiccional.** Estas medidas solo pueden ser acordadas por el Juez de Instrucción, ya sea de oficio o a instancia del Ministerio Fiscal o de la Policía Judicial (artículo 588 bis l LECR). Para ello, tendrá que dictar Auto motivado, previa audiencia del Ministerio Fiscal, en el plazo de 24 horas desde su solicitud (artículo 588 bis c, apartado 1, LECR).

— **Principio de control judicial.** Estas medidas se supervisan directamente por el Juez de Instrucción. En tal sentido, la Policía Judicial informará al juez de instrucción del desarrollo y los resultados de la medida, en la forma y con la periodicidad que este

---

[171] En este sentido, la STC 184/2003, de 23 de octubre, FJ 5.º, criticaba la parquedad del artículo 579 LECR al señalar: «*[...] De la lectura del transcrito precepto legal resulta la insuficiencia de su regulación sobre el plazo máximo de duración de las intervenciones, puesto que no existe un límite de las prórrogas que se pueden acordar; la delimitación de la naturaleza y gravedad de los hechos en virtud de cuya investigación pueden acordarse; el control del resultado de las intervenciones telefónicas y de los soportes en los que conste dicho resultado, es decir, las condiciones de grabación, y custodia, utilización y borrado de las grabaciones, y las condiciones de incorporación a los atestados y al proceso de las conversaciones intervenidas. Por ello, hemos de convenir en que el art. 579 LECrim no es por sí mismo norma de cobertura adecuada, atendiendo a las garantías de certeza y seguridad jurídica, para la restricción del derecho fundamental al secreto de las comunicaciones telefónicas (art. 18.3 CE)*».

determine y, en todo caso, cuando por cualquier causa se ponga fin a la misma (artículo 588 bis g LECR).

— **Principio de especialidad.** Exige que la medida acordada esté relacionada con la investigación de un delito concreto. Este requisito pretende evitar las llamadas «investigaciones prospectivas», que tienen por objeto prevenir o descubrir delitos o despejar sospechas sin base objetiva (artículo 588 bis a, apartado 2, LECR).

— **Principio de idoneidad.** Este requisito sirve para definir el ámbito objetivo y subjetivo de la medida y la duración de la misma en virtud de su utilidad (artículo 588 bis a, apartado 3, LECR).

— **Principio de excepcionalidad y de necesidad.** Esta exigencia implica que la medida solo puede acordarse cuando se cumplan cualquiera de estas dos circunstancias: 1) cuando no estén a disposición de la investigación, en atención a sus características, otras medidas menos gravosas para los derechos fundamentales del investigado o encausado e igualmente útiles para el esclarecimiento del hecho; o 2) cuando el descubrimiento o la comprobación del hecho investigado, la determinación de su autor o autores, la averiguación de su paradero, o la localización de los efectos del delito se vea gravemente dificultada sin el recurso a esta medida (artículo 588 bis a, apartado 4, LECR).

— **Principio de proporcionalidad.** Este tipo de medidas restrictivas de derechos fundamentales «*solo se reputarán proporcionadas cuando, tomadas en consideración todas las circunstancias del caso, el sacrificio de los derechos e intereses afectados no sea superior al beneficio que de su adopción resulte para el interés público y de terceros. Para la ponderación de los intereses en conflicto, la valoración del interés público se basará en la gravedad del hecho, su trascendencia social o el ámbito tecnológico de producción, la intensidad de los indicios existentes y la relevancia del resultado perseguido con la restricción del derecho*» (artículo 588 bis a, apartado 5, LECR).

La regulación vigente en materia de interceptación de comunicaciones se contempla en los artículos 588 ter a a 588 ter i LECR. En efecto, esta medida resulta especialmente útil en aquellos supuestos en los que los investigados están utilizando dispositivos telefónicos o telemáticos para comunicarse extremos relacionados con su actividad criminal. Piénsese, por ejemplo, en una banda dedicada al tráfico de estupefacientes que utiliza los móviles para concertar puntos de entrega de la mercancía, zona de distribución, precios de venta, etc. En estos casos, la interceptación legal de las comunicaciones se verifica por los agentes de Policía Judicial, tras la oportuna autorización del Juzgado de Instrucción, a través de la plataforma SITEL (Sistema de Integrado de Interceptación de Telecomunicaciones).

El **programa SITEL** es una implementación cuya titularidad ostenta el Ministerio del Interior. Su desarrollo responde a la necesidad de articular un mecanismo moderno, automatizado, simplificador y garantista para la figura o concepto jurídico de la intervención de las comunicaciones. El sistema se articula en tres principios de actuación:

— **Centralización:** El servidor y administrador del sistema se encuentra en la sede central de la Dirección General de la Guardia Civil, distribuyendo la información aportada por las operadoras de comunicaciones a los distintos usuarios implicados.

— **Seguridad:** El sistema establece numerosos filtros de seguridad y responsabilidad, apoyados en el principio anterior. Existen dos ámbitos de seguridad. En primer lugar, el nivel central, al existir un ordenador del sistema para cada sede reseñada, dotado del máximo nivel de seguridad, con unos operarios de mantenimiento específicos, donde se dirige la información a los puntos de acceso periféricos de forma estanca. La misión de este ámbito central es almacenar la información y distribuirla. Y, en segundo lugar, el nivel periférico, pues el sistema cuenta con ordenadores únicos para este empleo en los grupos periféricos de enlace en las Unidades encargadas de la investigación y responsables de la intervención de la comunicación, dotados de sistema de conexión con sede central propia y segura. Se establece codificación de acceso por usuario autorizado y clave personal, garantizando la conexión al contenido de información autorizado para ese usuario, siendo necesario que sea componente de la Unidad de investigación encargada y responsable de la intervención.

— **Automatización:** El sistema responde a la necesidad de modernizar el funcionamiento de las intervenciones de las comunicaciones, dotándole de mayor nivel de garantía y seguridad, reduciendo costes y espacio de almacenamiento.

Respecto a la información aportada por el sistema SITEL, comprende numerosos aspectos relativos a la intervención telefónica: 1) Fecha, hora y duración de las llamadas; 2) Identificador de IMEI y n.º de móvil afectado por la intervención; 3) Distribución de llamadas por día; y 4) Tipo de información contenida (SMS, carpeta audio, etc.).

En relación con el contenido de la intervención de la comunicación y ámbito de información aportado por el sistema, se verifica en los siguientes puntos: 1) Repetidor activado y mapa de situación del mismo; 2) Número de teléfono que efectúa y emite la llamada o contenido de la información; y 3) Contenido de las carpetas de audio (llamadas) y de los mensajes de texto (SMS).

En cuanto al sistema de trabajo, una vez que la intervención ha sido autorizada por el Juzgado de Instrucción, la operadora afectada inicia el envío de información al Servidor Central donde se almacena a disposición de la Unidad encargada y solicitante de la investigación de los hechos, responsable de la intervención de la comunicación. El acceso por parte del personal de esta Unidad se realiza mediante código identificador de usuario y clave personal. Una vez realizada la supervisión del contenido de lo grabado, los agentes de Policía Judicial encargados de la investigación confeccionan las diligencias correspondientes para informar a la Autoridad Judicial. Por su parte, la evidencia legal del contenido de la intervención es aportada por el Servidor Central, responsable del volcado de todos los datos a formato DVD para entrega a la Autoridad Judicial pertinente, constituyéndose como la única versión original. De este modo el espacio de almacenamiento se reduce considerablemente, facilitando su entrega por la Unidad de investigación a la Autoridad Judicial competente, verificándose que en sede central no queda vestigio de la información.

Una vez examinado el funcionamiento del sistema SITEL, debemos analizar brevemente las líneas maestras de la **normativa vigente en materia de interceptación de comunicaciones.**

— Solo puede acordarse esta medida para las formas de delincuencia más graves, por la injerencia que implica para los derechos fundamentales del investigado. Por tal motivo, solo se puede acordar en cuatro supuestos: 1) Delitos dolosos castigados con pena con límite máximo de, al menos, tres años de prisión; 2) Delitos cometidos en el seno de un grupo u organización criminal; 3) Delitos de terrorismo; y 4) Delitos cometidos a través de instrumentos informáticos o de cualquier otra tecnología de la información o de la comunicación o servicio de comunicación (artículos 579.1 y 588 ter a LECR).

— La medida, como regla general, solo puede afectar a los terminales o medios de comunicación utilizados habitual u ocasionalmente por el investigado.

La medida puede extenderse a terceros cuando exista constancia de que el sujeto investigado se sirve de aquellos para transmitir o recibir información o el titular colabora con el investigado en sus fines ilícitos o se beneficia de su actividad (artículo 588 ter c LECR).

También puede acordarse respecto de la víctima cuando sea previsible un grave riesgo para su vida o integridad (artículo 588 ter b, apartado 2, LECR).

— Todos los prestadores de servicios de telecomunicaciones, de acceso a una red de telecomunicaciones o de servicios de la sociedad de la información, así como toda persona que de cualquier modo contribuya a facilitar las comunicaciones a través del teléfono o de cualquier otro medio o sistema de comunicación telemática, lógica o virtual, están obligados a prestar al juez, al Ministerio Fiscal y a los agentes de la Policía Judicial designados para la práctica de la medida la asistencia y colaboración precisas para facilitar el cumplimiento de los autos de intervención de las telecomunicaciones (artículo 588 ter e LECR).

La Policía Judicial pondrá a disposición del Juez de Instrucción, con la periodicidad que este determine y en soportes digitales distintos, la transcripción de los pasajes que considere de interés y las grabaciones íntegras realizadas. Se indicará el origen y destino de cada una de ellas y se asegurará, mediante un sistema de sellado o firma electrónica avanzado o sistema de adveración suficientemente fiable, la autenticidad e integridad de la información volcada desde el ordenador central a los soportes digitales en que las comunicaciones hubieran sido grabadas (artículo 588 ter f LECR).

— La duración máxima de la medida será de 3 meses. Se puede prorrogar por períodos sucesivos de igual duración hasta un plazo máximo de 18 meses (artículo 588 ter g LECR).

En cuanto a la forma en que las **partes personadas en el proceso penal pueden acceder a esta prueba electrónica**, debemos señalar que esta medida de investigación, lógicamente, para que pueda ser útil para el esclarecimiento de los hechos debe sustanciarse en un pieza separada y secreta (artículo 588 bis d LECR), a la que solo tendrá acceso el Ministerio Fiscal y el Juez de Instrucción (artículo 302 LECR).

Las partes, por tanto, solo podrán acceder al resultado de la intervención de las comunicaciones cuando se alce el secreto de las actuaciones. A partir de este momento, el Juzgado de Instrucción actuará de la siguiente manera (artículo 588 ter i LECR):

— Se entregará a las partes copia de las grabaciones y de las transcripciones realizadas por la Policía Judicial.

— Si en la grabación hubiera datos referidos a aspectos de la vida íntima de las personas, solo se entregará la grabación y trascripción de aquellas partes que no se refieran a ellos.

— Las partes tendrán derecho a examinar las grabaciones y, en el plazo que establezca el Juez, pueden solicitar la inclusión en las copias de aquellas comunicaciones que entiendan relevantes y que hayan sido excluidas.

— El Juzgado de Instrucción tiene la obligación de comunicar a las personas intervinientes que sus comunicaciones han sido interceptadas, salvo que sea imposible, exija un esfuerzo desproporcionado o pueda perjudicar futuras investigaciones.

— Las personas notificadas de esta injerencia pueden solicitar del Juzgado de Instrucción que les entregue copia de la grabación o transcripción de tales comunicaciones, siempre que ello no afecte al derecho a la intimidad de otras personas o resulte contrario a los fines del proceso en el que se hubiera adoptado la medida.

Finalmente, debemos referirnos a la **conservación y custodia de estas pruebas electrónicas**. La LECR establece unas pautas acerca de qué hacer con las grabaciones de las conversaciones telefónicas, así como con el resto de evidencias digitales que se obtengan gracias a los medios de investigación tecnológicos. A tal efecto, la normativa distingue dos momentos temporales (artículo 588 bis k LECR):

— **Destrucción de originales**. Se acuerda la destrucción de los originales que puedan constar en los sistemas electrónicos e informáticos utilizados en la ejecución de la medida cuando el procedimiento haya finalizado por medio de sentencia firme. En este caso, el Letrado de la Administración de Justicia debe conservar una copia bajo su custodia.

— **Destrucción de copias**. Se acuerda la destrucción de las copias cuando hayan transcurrido cinco años desde que la pena se haya ejecutado o cuando el delito o la pena hayan prescrito o se haya decretado el sobreseimiento libre o haya recaído sentencia absolutoria firme respecto del investigado, siempre que no fuera precisa su conservación a juicio del Tribunal.

3. CAPTACIÓN Y GRABACIÓN DE LAS COMUNICACIONES ORALES MEDIANTE LA UTILIZACIÓN DE DISPOSITIVOS ELECTRÓNICOS

La reforma de la LECR realizada a través de la LO 13/2015 ha introducido por primera vez en el proceso penal español los llamados «micrófonos ambientales». Se trata de una técnica de investigación que permite grabar las conversaciones de los investigados en la vía pública o en otro espacio abierto, así como en su domicilio o en cualquier otro lugar cerrado.

La necesidad de regular este medio de investigación resultaba absolutamente necesaria por cuanto ya existían algunas resoluciones judiciales que habían anulado dicha prueba por vulneración del derecho al secreto de las comunicaciones. El punto de partida de esta doctrina se encuentra en la STC 145/2014, de 22 de septiembre, que rechazó la validez de la prueba obtenida mediante la intervención de las comunicaciones verbales directas entre los detenidos en dependencias policiales, es decir, que pudieran grabarse las conversaciones que los detenidos mantenían en los calabozos porque este tipo de intervenciones no estaban previstas ni en la LECR y en la Ley Orgánica General Penitenciaria. El Tribunal Constitucional consideró que el artículo 579.2 LECR —antes de su modificación en 2015— se refería de manera incontrovertible a intervenciones telefónicas, no a escuchas de otra naturaleza. Dada la afectación de un derecho fundamental, la sentencia consideró que los jueces no podían efectuar una interpretación extensiva de esta medida, al estar revestida de las más plenas garantías y gozar de autonomía y singularidad normativa.

En esta misma línea, el Auto de la Sala de lo Penal de la Audiencia Nacional, Sección 1.ª, de 18 de febrero de 2015 anuló la instalación de dispositivos electrónicos para la captación del sonido ambiental en varios vehículos utilizados por los imputados en el curso de las investigaciones desplegadas por tráfico de cocaína.

La **normativa vigente** autoriza la colocación de dispositivos electrónicos que permiten la captación y grabación de comunicaciones orales directas que mantenga el investigado en la vía pública o en otro espacio abierto, así como en su domicilio o en cualquier otro lugar cerrado. Los aspectos fundamentales de su regulación son los siguientes:

— La medida tiene que ser autorizada por un Juzgado de Instrucción.

— Solo se acuerda para investigar las formas de delincuencia más graves, esto es, delitos dolosos castigados con pena con límite máximo de, al menos, tres años de prisión; delitos cometidos en el seno de un grupo u organización criminal; y delitos de terrorismo.

— Solo se concederá autorización judicial cuando pueda racionalmente preverse que la utilización de los dispositivos aportará datos esenciales y de relevancia probatoria para el esclarecimiento de los hechos y la identificación de su autor. Por tal motivo, la Policía deberá especificar y el Juez reseñar los encuentros del investigado con otras personas cuyo conocimiento se haya obtenido a través de la investigación.

— La medida puede complementarse con la obtención de imágenes del encuentro del investigado con otras personas cuando expresamente lo autorice la resolución judicial.

— Si la Policía Judicial pretende instalar los dispositivos electrónicos en el interior de un domicilio o en un espacio destinado a la privacidad, el Juzgado de Instrucción deberá extender la motivación de la resolución judicial a la procedencia de acceder a dichos lugares.

— La Policía Judicial deberá poner a disposición del Juzgado de Instrucción el soporte original o copia electrónica de estas grabaciones e imágenes, que deberá ir acompañada de una trascripción de las conversaciones que considere de interés.

4. UTILIZACIÓN DE DISPOSITIVOS TÉCNICOS DE CAPTACIÓN DE LA IMAGEN

Las grabaciones tomadas en el curso de una investigación de la Policía Judicial constituyen otra modalidad de prueba electrónica que pueda aportarse para el completo esclarecimiento de los hechos delictivos.

El **Tribunal Supremo** ha ido perfilando los presupuestos para que este tipo de grabaciones puedan ser eficaces en el proceso penal. Estas cautelas derivan, básicamente, de que estas imágenes se captan por la Policía Judicial sin previa autorización judicial y en el ejercicio de sus funciones de investigación penal (artículo 282 LECR). En este sentido, y siguiendo a ORTUÑO NAVALÓN [172], debemos señalar los siguientes requisitos:

— Deben supervisarse las condiciones en que se han obtenido las grabaciones para comprobar que se ha respetado el derecho a la intimidad personal.

---

172 *Vid.* ORTUÑO NAVALÓN, M.ª C., *La prueba electrónica ante los Tribunales*, Tirant lo Blanch, Valencia, 2014, p. 82.

— La grabación debe ser puesta de inmediato en poder de la Autoridad Judicial, reduciendo así el riesgo de manipulación.

— La Policía Judicial debe aportar las grabaciones originales, lo que reduce su riesgo de manipulación y favorece la práctica de la oportuna prueba pericial en caso de impugnación de las grabaciones por parte de la defensa.

— Se deben aportar de forma íntegra las grabaciones que tengan relación directa con el delito que se pretende investigar, lo que facilitará que el Juez de Instrucción seleccione las que considere más relevantes.

De igual manera, el Tribunal Supremo también admite las grabaciones efectuadas por un testigo presencial de los hechos. En este caso, deberá comparecer en el juicio oral para que sus manifestaciones se sometan a contradicción entre las partes.

La **LECR —tras la reforma de la LO 13/2015—** contempla este medio de investigación en el artículo 588 quinquies e, que establece: «*La Policía Judicial podrá obtener y grabar por cualquier medio técnico imágenes de la persona investigada cuando se encuentre en un lugar o espacio público, si ello fuera necesario para facilitar su identificación, para localizar los instrumentos o efectos del delito u obtener datos relevantes para el esclarecimiento de los hechos*». Esta medida «*puede ser llevada a cabo aun cuando afecte a personas diferentes del investigado, siempre que de otro modo se reduzca de forma relevante la utilidad de la vigilancia o existan indicios fundados de la relación de dichas personas con el investigado y los hechos objeto de la investigación*».

Como se puede observar, la normativa vigente solo permite a la Policía Judicial la captación de estas imágenes en «lugar o espacio público». Si esta grabación afecta a un lugar privado o en el que se desarrollan aspectos de la vida íntima, se requiere previa autorización judicial o el consentimiento del titular [173].

---

[173] En este sentido, el artículo 6.5 de la LO 4/1997, de 4 de agosto, por la que se regula la utilización de videocámaras por las Fuerzas y Cuerpos de Seguridad en lugares públicos establece: «*No se podrán*

En relación con esta cuestión, debemos destacar la reciente **STS, Sala de lo Penal, de 13 de abril de 2016, que analiza por primera vez las implicaciones jurídicas de la utilización de prismáticos por los agentes de la Autoridad** y su potencial incidencia en el derecho a la inviolabilidad del domicilio (artículo 18.2 CE). En efecto, los precedentes jurisprudenciales sobre la materia están relacionados con la utilización de prismáticos para observar una acción delictiva que se desarrolla en la vía pública y a considerable distancia de la escena observada.

La sentencia citada anula una condena por delito de tráficos de drogas porque los agentes de Policía utilizaron prismáticos para ver, desde un edificio cercano, lo que hacía en el interior de la vivienda uno de los acusados, que se encontraba en el décimo piso de un inmueble de una ciudad gallega. Tras observar que estaba manipulando sustancia estupefaciente, los agentes le interceptaron a la salida del edificio. Dado que la intervención de la sustancia derivaba de la previa observación por los agentes gracias a los prismáticos, la clave del asunto radicaba en la validez de dicha prueba.

El Tribunal Supremo considera que la protección constitucional del domicilio, cuando los agentes utilizan instrumentos ópticos que convierten la lejanía en proximidad, no puede neutralizarse con el argumento de que el propio morador no ha colocado obstáculos que impidan la visión exterior. Esta afirmación implica que el domicilio no pierde tal carácter por el hecho de que las cortinas no se hallan debidamente cerradas. En efecto, existe una expectativa de intimidad que no desaparece cuando el titular o usuario de la vivienda no haya reforzado los elementos de exclusión (cortinas, estores, etc.) asociados a cualquier inmueble. Por tal motivo, el TS considera que el hecho de que el morador no haya bajado las persianas no supone

---

utilizar videocámaras para tomar imágenes ni sonidos del interior de las viviendas, ni de sus vestíbulos, salvo consentimiento del titular o autorización judicial, ni de los lugares incluidos en el artículo 1 de esta Ley cuando se afecte de forma directa y grave a la intimidad de las personas, así como tampoco para grabar conversaciones de naturaleza estrictamente privada. Las imágenes y sonidos obtenidos accidentalmente en estos casos deberán ser destruidas inmediatamente, por quien tenga la responsabilidad de su custodia».

una autorización implícita para la observación del interior del inmueble. Admitir lo contrario implicaría debilitar de forma irreparable el contenido material del derecho a la inviolabilidad domiciliaria.

En este sentido, el Tribunal Supremo, consciente de los modernos sistemas de intrusión (por ejemplo, drones con cámaras de videovigilancia), considera que la protección del domicilio debe abarcar tanto la entrada física como la «entrada virtual». En definitiva, se vulnera ese espacio constitucionalmente protegido del domicilio cuando, sin autorización judicial y para sortear los obstáculos propios de la tarea de fiscalización por la Policía Judicial, se recurre a un utensilio óptico que permite ampliar las imágenes y salvar la distancia entre el observante y el observado.

5. UTILIZACIÓN DE DISPOSITIVOS TÉCNICOS DE SEGUIMIENTO Y LOCALIZACIÓN

Una de las modernas técnicas de investigación consiste en la utilización de **dispositivos técnicos de seguimiento y localización**, que permiten el control remoto de personas, vehículos, embarcaciones, etc. Siguiendo a LLAMAS y GORDILLO [174], podemos distinguir cinco tipos de tecnologías capaces de realizar esta forma de control a distancia:

— Sistema **GPS** *(Global Positioning System)*. Se trata de un sistema desarrollado e instalado por el Departamento de Defensa de los Estados Unidos que permite determinar en toda la Tierra, gracias a la trilateración de 24 satélites, la posición de un objeto con alta precisión. Por su parte, la Federación Rusa utiliza un sistema homólogo, llamado GLONASS, y Europa está

---

[174] *Vid.* LLAMAS FERNÁNDEZ, M. y GORDILLO LUQUE, J. M., «Medios técnicos de vigilancia», en AA.VV., *Los nuevos medios de investigación en el proceso penal. Especial referencia a la tecnovigilancia, Cuadernos de Derecho Judicial*, núm. 2, 2007, pp. 205-250.

desarrollado el sistema Galileo, que previsiblemente estará operativo en 2020 [175].

— **Sistema Alpha**. Se trata de una tecnología basada en módulos de satélites independientes cuya cobertura no es total, sino que controlan espacios predeterminados y vuelcan la información generada en estaciones base que, a su vez, la remiten al controlador.

— **Sistema de impulso por radio**. Se trata de una tecnología que consiste en la emisión de una señal vía radio cuya intensidad y fuerza se mide teniendo en cuenta la dirección desde la que procede. El *software* interpreta la intensidad y dirección de esa señal para determinar hacia dónde y a qué distancia está el objetivo.

— **Comunicación GSM**. Esta tecnología está sustentada en la misma base técnica que la anterior. Se conoce la ubicación a partir del repetidor de señal GSM que tiene registrado como conectado el terminal (la baliza). La distribución geográfica de repetidores GSM de los terminales que se conectan a ellos permite determinar la ubicación de la celda digital que el terminal objeto de seguimiento está haciendo uso en cada momento, mientras dura la comunicación o, cuando, habiendo terminado ésta, queda reseñado desde qué BTS se ha hecho la misma.

— **Dispositivos de descarga de localización (Qlog)**. A diferencia de todos los sistemas anteriores —que aspiran a saber en tiempo real la localización del objetivo—, en este sistema se pretenden almacenar las distintas ubicaciones del objetivo medidas en posiciones GPS que se pueden descargar de forma segura cuando sea necesario.

La LECR contempla la utilización de esta técnica de investigación en los artículos 588 quinquies b y c. Los aspectos fundamentales de su regulación son los siguientes:

---

175 *Vid*. «Galileo, el GPS europeo, se retrasa 11 años más», *El País*, 19 de enero de 2011.

— Se exige previa autorización judicial. En efecto, la incidencia que en la intimidad de cualquier persona puede tener el conocimiento por los poderes públicos de su ubicación espacial, hace que la autorización para su práctica se atribuya al Juez de Instrucción.

Sin embargo, existe una excepción: que existan razones de urgencia que hagan razonablemente temer que, de no colocarse inmediatamente el dispositivo, se frustrará la investigación. En este caso, la Policía Judicial puede instalarlo directamente, si bien debe dar cuenta al Juez de Instrucción a la mayor brevedad posible y, en todo caso, en el plazo máximo de 24 horas. Una vez recibida la comunicación, el Juez de Instrucción dictará auto ratificando la medida o acordando su cese inmediato. En este último caso, la información obtenida con el dispositivo colocado carecerá de efectos en el proceso.

— Solo se autoriza este medio de investigación cuando se acrediten razones de necesidad y proporcionalidad.

— El Auto debe especificar el medio técnico que va a utilizarse.

— La duración inicial de la medida es de 3 meses a partir de la fecha de la autorización. Excepcionalmente, el Juez puede autorizar prórrogas sucesivas por el mismo o inferior plazo hasta un máximo de 18 meses.

— La Policía Judicial debe entregar el Juez de Instrucción los soportes originales o copias electrónicas auténticas que contengan la información recogida cuando éste se lo solicite y, en todo caso, cuando terminen las investigaciones.

— La información obtenida —especialmente sensible por afectar al derecho a la intimidad— debe ser debidamente custodiada para evitar su utilización indebida.

6. REGISTRO DE DISPOSITIVOS DE ALMACENAMIENTO MASIVO DE INFORMACIÓN

El Tribunal Supremo ha manifestado recientemente que existe un **derecho al propio entorno virtual**. A tal efecto, ha señalado: «*en* él se integraría, sin perder su genuina sustantividad como manifestación de derechos constitucionales de nomen iuris propio, toda la información en formato electrónico que, a través del uso de las nuevas tecnologías, ya sea de forma consciente o inconsciente, con voluntariedad o sin ella, va generando el usuario, hasta el punto de dejar un rastro susceptible de seguimiento por los poderes públicos. Surge entonces la necesidad de dispensar una protección jurisdiccional frente a la necesidad del Estado de invadir, en las tareas de investigación y castigo de los delitos, ese entorno digital» [176].

La reforma de la LO 13/2015 ha introducido los medios de acceso a ese entorno digital para obtener pruebas que luego puedan ser incorporadas válidamente al proceso penal. En efecto, los artículos 588 sexies a al 588 sexies c LECR contemplan el registro de dispositivos de almacenamiento masivo de información. Como señala DELGADO MARTÍN [177], la nota característica de estos dispositivos es la utilización de un lenguaje binario a través de un sistema que trasforma impulsos o estímulos eléctricos o fotosensibles, y por cuya descomposición y recomposición informática grabada en un formato electrónico, genera y almacena la información. Dicho lenguaje es un código ininteligible para aquéllos que no son informáticos. En consecuencia, la visualización del texto en pantalla es una traducción en lenguaje alfabético común.

Esta característica implica, a juicio de DELGADO MARTÍN, una **serie de diferencias de esta prueba electrónica** frente a otras.

— El material (datos), que se encuentra en formato digital o electrónico, es lo que debe ser incorporado al proceso. En efecto, la información contenida en los dispositivos puede incidir directamente en las circunstancias determinantes de la responsabilidad penal. Así, por ejemplo, cuando alguna prueba se encuentra en formatos tales como conversaciones de chat, vídeos, e-mails,

---

176 STS 342/2013, de 17 de abril, Sala de lo Penal, FJ 8.º (Ponente: Manuel Marchena Gómez).

177 Vid. DELGADO MARTÍN, J., «Investigación del entorno virtual: el registro de dispositivos digitales tras la reforma por LO 13/2015», Diario La Ley, núm. 8693, Sección Doctrina, 2 de febrero de 2016.

fotografías digitales, etc., su incorporación al proceso va a generar una serie de dificultades porque es necesario acceder al dispositivo o a la red de comunicación donde se encuentre el archivo. De igual manera, dicha información debe incorporarse válidamente al proceso para que surta plenos efectos probatorios.

— Resulta necesario utilizar instrumentos o dispositivos que posibiliten la lectura del lenguaje binario, por ejemplo, un ordenador o un teléfono móvil.

— Existe un peligro evidente de manipulación de pruebas porque los datos pueden ser fácilmente modificados, sobrescritos o borrados. En consecuencia, resulta estrictamente necesario garantizar la autenticidad e integridad durante la tramitación del proceso, lo que se denomina «cadena de custodia».

La **jurisprudencia del Tribunal Supremo** ha manifestado que el acceso de los poderes públicos al contenido del ordenador de un investigado no puede verificarse a través de un acto unilateral de las Fuerzas y Cuerpos de Seguridad del Estado. El ordenador y los dispositivos de almacenamiento masivo son algo más que una pieza de convicción que, una vez aprehendida, queda expuesta en su integridad al control de los investigadores. El contenido de esta clase de dispositivos no puede degradarse a la simple condición de instrumento que contiene una serie de datos con mayor o menor relación con el derecho a la intimidad de su usuario. Asimismo, en el ordenador coexisten datos técnicos y datos personales susceptibles de tutela constitucional en el ámbito del derecho a la intimidad y la protección de datos. Por tales motivos, el acceso a los contenidos de cualquier ordenador por los agentes de Policía debe contar con la previa autorización judicial, pues de esta manera se garantiza la protección al imputado frente al acto de injerencia de los poderes públicos[178].

---

[178] *Vid*. ATS, Sala de lo Penal, 10 de marzo de 2016, FJ 2.º (Ponente: Francisco Monterde Ferrer).

La **normativa vigente** en esta materia permite distinguir los siguientes supuestos:

— Acceso a datos contenidos en dispositivos incautados en una entrada y registro domiciliario

En este caso, el Juzgado de Instrucción debe ampliar la fundamentación jurídica del Auto que autoriza la entrada y registro a las razones que legitiman el acceso de los agentes a la información contenida en los dispositivos incautados. En consecuencia, la motivación de la resolución judicial se extenderá a la injerencia en el derecho a la inviolabilidad domiciliaria (respecto del domicilio *strictu sensu*) y en el derecho a la intimidad (respecto del contenido de los dispositivos de almacenamiento masivo).

La normativa, además, prevé que la simple incautación de cualquiera de los dispositivos, practicada durante el transcurso de la diligencia de registro domiciliario, no legitima el acceso a su contenido, sin perjuicio de que

> El acceso de los poderes públicos al contenido del ordenador de un investigado no puede verificarse a través de un acto unilateral de las Fuerzas y Cuerpos de Seguridad del Estado

dicho acceso pueda ser autorizado ulteriormente por el juez competente.

Sin embargo, en los casos de urgencia en que se aprecie un interés constitucional legítimo que haga imprescindible el acceso a los dispositivos incautados, la Policía Judicial podrá llevar a cabo el examen directo de los datos contenidos en el dispositivo, comunicándolo inmediatamente, y en todo caso dentro del plazo máximo de veinticuatro horas, por escrito motivado al juez competente, haciendo constar las razones que justificaron la adopción de la medida, la actuación realizada, la forma en que se ha efectuado y su resultado. El juez competente deberá revocar o confirmar, de forma motivada, tal actuación en un plazo máximo de 72 horas desde que fue ordenada la medida.

Según Delgado Martín [179], esta posibilidad excepcional exige el cumplimiento de tres requisitos:

— Urgencia en el acceso a los datos. La STC 115/2013, de 9 de mayo, entendió que la intervención resultó urgente por la necesidad de averiguar la identidad de alguna de las personas que huyeron al ser sorprendidas *in fraganti* custodiando un alijo de droga para proceder a su detención, de tal manera que no se sustrajeran definitivamente a la acción de la Justicia.

— Necesidad de obtener la información. El registro ha de resultar estrictamente necesario para la finalidad de la investigación, esto es, solamente podrá acordarse cuando el mismo fin no pueda lograrse por otro medio menos gravoso para el afectado.

— Proporcionalidad en la actuación. La STC 115/2013 analiza el caso del examen por la Policía Judicial de la agenda de contactos de un teléfono móvil. El Tribunal Constitucional consideró que se trató de una medida ponderada o equilibrada, por derivarse de ella más beneficios o ventajas para el interés general que perjuicios sobre otros bienes o valores en conflicto, dada la naturaleza y gravedad del delito investigado y la leve injerencia que comporta en el derecho a la intimidad del recurrente el examen de la agenda de contactos de su teléfono móvil.

— **Acceso a los datos contenidos en dispositivos incautados fuera del domicilio del investigado**

En este caso, la Policía Judicial interviene los dispositivos al margen de una diligencia de entrada y registro en el domicilio del investigado. Piénsese, por ejemplo, en el caso en el que se detenga a un investigado por presunto delito de pornografía infantil en el mismo momento en el que llevaba encima un ordenador portátil donde, presuntamente, se guardan archivos relacionados con esta infracción criminal.

---

[179] *Vid.* Delgado Martín, J., ob. cit., p. 7.

La Policía Judicial debe poner en conocimiento del Juez la incautación de tales efectos y, si considera indispensable el acceso a la información albergada en su contenido, otorgará la correspondiente autorización judicial.

En este caso, también se puede prescindir de la previa autorización judicial cuando existan razones de urgencia como en el supuesto comentado anteriormente.

— Acceso a repositorios telemáticos de datos *(cloud computing)*

Se trata de aquellos supuestos en los que la información se almacena de forma temporal o permanente en una «nube» en servidores alojados en cualquier parte del mundo[180]. En estos casos, el Juez tendrá que ampliar la autorización para acceder a los datos, siempre que se realice de forma lícita por medio del sistema inicial.

Sin embargo, en casos de urgencia, la Policía Judicial o el Fiscal podrán llevarlo a cabo, informando al juez inmediatamente, y en todo caso dentro del plazo máximo de veinticuatro horas, de la actuación realizada, la forma en que se ha efectuado y su resultado. El juez competente, también mediante auto motivado, revocará o confirmará tal actuación en un plazo máximo de setenta y dos horas desde que fue ordenada la interceptación.

Una vez incautados los dispositivos, ya sea en el domicilio del investigado, fuera de él o en una «nube», la LECR establece una serie de **prevenciones para garantizar la integridad y no manipulación de la información** contenida en su interior. En este sentido, el artículo 588 sexies a, apartado 1, establece que el Juez de Instrucción «*fijará los términos y alcance del registro y podrá autorizar la realización de copias de los datos informáticos*» y fijará «*también las condiciones necesarias para asegurar la integridad de los datos y las garantías de su preservación para hacer posible, en su caso, la práctica de un dictamen pericial*».

---

[180] Algunos ejemplos de este tipo de «nube» serían la aplicación Dropbox, OneDrive de Microsoft o el servicio ICloud de Apple.

Por tal motivo, debe garantizarse la cadena de custodia, de tal manera que la información sometida a valoración probatoria del Tribunal de enjuiciamiento sea la misma que se obtuvo de los dispositivos de almacenamiento durante la instrucción de la causa. La manera de llevar a cabo este procedimiento es mediante un volcado de datos para facilitar la realización de una pericial informática. Así, por ejemplo, si la Policía Judicial obtiene autorización del Juzgado de Instrucción para acceder al contenido del disco duro incautado a un investigado por existir sospechas de que en el mismo se encuentran imágenes de pornografía infantil, será necesario realizar una copia de la información obtenida con la finalidad de poder peritar su contenido.

Este volcado de datos se realiza —como señala DELGADO MARTÍN [181]— a través de dos actuaciones. La primera, mediante un clonado, que consiste en la realización de una «copia espejo» o *bit a bit* de la información original en el mismo lugar donde se encuentra el dispositivo o en una diligencia posterior mediante una herramienta de *hardware*. La segunda, mediante la fijación del código *hash* que se calcula a partir de un algoritmo de cifrado estándar que posibilita concluir que los datos hallados en el dispositivo en el momento de su aprehensión no han sido objeto de ulterior manipulación. Estas operaciones deberán ser presenciadas por el Letrado de la Administración de Justicia a fin de preservar debidamente la cadena de custodia.

A través de este procedimiento, existirá, por tanto, un «original» de los datos contenidos en el dispositivo intervenido en fase de instrucción, y al que se le aplican máximas garantías de preservación hasta el plenario; y una «copia» sobre la que los peritos de la Brigada correspondiente de Policía Judicial efectuarán las oportunas operaciones de examen con la finalidad de elaborar un dictamen pericial sobre el contenido del dispositivo.

Para finalizar este apartado, debemos mencionar dos cuestiones de especial interés en este medio de investigación tecnológica:

[181] *Vid.* DELGADO MARTÍN, J., ob. cit., p. 14.

— Se debe evitar la incautación de los soportes físicos que contengan los datos o archivos informáticos cuando ello puede causar un grave perjuicio a su titular o propietario y se pueda obtener una copia de ellos en condiciones que garanticen la autenticidad e integridad de los datos.

La excepción a esta regla es que dichos soportes físicos sean el objeto o instrumento del delito o existan otras razones que lo justifiquen.

— Se establece un deber de colaboración con las autoridades y agentes encargados de la investigación, dado que éstos pueden ordenar a cualquier persona que conozca el funcionamiento del sistema informático o las medidas aplicadas para proteger los datos informáticos contenidos en el mismo, siempre que de ello no derive una carga desproporcionada para el afectado.

En este caso, la persona requerida colaborará con los agentes a ayudarles a conocer el funcionamiento del sistema informático o a facilitar las claves de acceso al mismo.

En caso de no atender dicho requerimiento, la persona afectada podría cometer un delito de desobediencia (artículo 556.1 CP).

Esta obligación, sin embargo, no se puede exigir a las siguientes personas:

— En primer lugar, al investigado, pues ello iría en contra del derecho fundamental a no declarar contra sí mismo (artículo 24.2 CE), una de cuyas manifestaciones es no colaborar con las autoridades en la obtención de pruebas que posteriormente pueden fundamentar su condena.

— En segundo lugar, las personas que están dispensadas de la obligación de declarar por razones de parentesco, esto es, los parientes del procesado en línea directa ascendente y descendente, su cónyuge o persona unida por relación de hecho análoga a la matrimonial, sus hermanos consanguíneos o uterinos y los colaterales consanguíneos hasta el segundo grado civil (artículo 416.1 LECR).

Todas estas personas no tienen que atender dicho requerimiento, pues ello podría suponer la obtención de pruebas que resulten perjudiciales, lo que les colocaría en una delicada situación y supondría, *de facto*, una vulneración del contenido efectivo de la dispensa de declarar.

— En tercer lugar, el Abogado del investigado respecto a los hechos que éste le hubiese confiado en su calidad de defensor (artículo 416.2 LECR). En este mismo sentido, el artículo 32 del Estatuto General de la Abogacía Española establece «*los abogados deberán guardar secreto de todos los hechos o noticias que conozcan por razón de cualquiera de las modalidades de su actuación profesional, no pudiendo ser obligados a declarar sobre los mismos*».

7. REGISTROS REMOTOS SOBRE EQUIPOS INFORMÁTICOS

La intromisión en sistemas, programas o datos informáticos ajenos con la finalidad de investigar hechos delictivos se ha convertido en algo imprescindible. Como señala ORTUÑO NAVALÓN [182], en pocos años se ha pasado de la búsqueda y descubrimiento de las medidas de seguridad tradicionales (contraseñas, claves de acceso, usuarios, *password*, etc.) a la puesta en marcha de programas de interceptación de comunicaciones o que directamente las graban y reproducen en el ordenador *(keyloggers)*. Sobre este último sistema se han diseñado programas que almacenan cada una de las pulsaciones que se hagan en el teclado de un ordenador y posteriormente se transmiten al investigador por una red local o de telecomunicación. Una de las fases de este «*hacking* legal» es la correspondiente a la adquisición de información en la red, en la que destaca el método «*bit stream image*», que permite actuar sobre el disco duro a través de instrumentos especiales de forma no invasiva, esto es, sin alterar los archivos existentes por la vía de generar «huellas digitales».

---

182   *Vid.* ORTUÑO NAVALÓN, M.ª C., ob. cit., pp. 69-70.

La LECR vigente contempla los llamados **registros remotos sobre equipos informáticos** en los artículos 588 septies a al 588 septies c. Esta medida de investigación consiste en que la Policía Judicial, previa autorización judicial, pueda instalar en una ordenador, *smartphone*, tableta o cualquier otro dispositivo de similar naturaleza un programa malicioso («troyano» o *«software espía»*) que permita su control de manera remota, acceder a su contenido, etc.

En tal sentido, el artículo 588 septies a, apartado 1, LECR establece que «*el juez competente podrá autorizar la utilización de datos de identificación y códigos, así como la instalación de un software, que permitan, de forma remota y telemática, el examen a distancia y sin conocimiento de su titular o usuario del contenido de un ordenador, dispositivo electrónico, sistema informático, instrumento de almacenamiento masivo de datos informáticos o base de datos*».

Se trata de una **medida especialmente gravosa** para el derecho a la intimidad (artículo 18.1 CE), el derecho al secreto de las comunicaciones (artículo 18.3 CE) y el derecho a la autodeterminación informativa (artículo 18.4 CE), pues supone el control continuo de ciertas áreas de la persona estrechamente vinculadas con su dignidad. A diferencia de otras medidas de investigación que suponen una injerencia puntual en ciertos derechos fundamentales —por ejemplo, la grabación de ciertos encuentros del investigado que son reveladores de su dedicación a una actividad delictiva—, en este caso el control remoto se extiende durante un cierto lapso temporal y puede abarcar muchos aspectos de la vida privada de la persona, dada la variedad de actuaciones cotidianas (comunicaciones, compras, gestiones bancarias, consultas de Internet, etc.) que se realizan a través de los modernos dispositivos de comunicación.

Esta medida guarda estrecha relación con el llamado **«agente encubierto informático»** contemplado en el artículo 282 bis, apartados 7 y 8, LECR. Esta técnica de investigación consiste en autorizar a un funcionario de Policía Judicial para actuar bajo identidad supuesta en comunicaciones mantenidas en canales cerrados de comunicación [183] con el fin de esclarecer determinadas infracciones penales, entre ellas, delitos de tráfico de órganos humanos, secuestro de personas, determinados delitos patrimoniales, así como delitos cometidos en el seno de un grupo u organización criminal, delitos de terrorismo o delitos cometidos a través de instrumentos informáticos o cualquier tecnología de la información o la comunicación o servicio de comunicación.

En estos casos, el Juez de Instrucción podrá autorizar al agente encubierto que intercambie o envíe por sí mismo archivos ilícitos por razón de su contenido y analizar los resultados de los algoritmos aplicados para la identificación de dichos archivos ilícitos. De esta manera se permite, previa autorización judicial, que un agente pueda, por ejemplo, crear un perfil falso en una red social o programa de intercambio de archivos para descubrir a los autores de un delito de distribución de pornografía infantil. Asimismo, previa autorización judicial, el agente encubierto podrá obtener imágenes y la grabación de las conversaciones que puedan mantenerse en los encuentros entre el agente y el investigado, aun cuando se desarrollen en el interior de un domicilio. Estas pruebas electrónicas posteriormente deberán ser incorporadas al proceso a efectos de su debida valoración por el Tribunal de enjuiciamiento.

---

[183] Sobre la distinción entre canal abierto y cerrado de comunicación, la STC 170/2013, de 7 de octubre, FJ 4.º (Ponente: Andrés Ollero Tassara) señala: «*Asimismo, en nuestra labor de delimitación del ámbito de cobertura del derecho, hemos precisado que el art. 18.3 CE protege únicamente ciertas comunicaciones: las que se realizan a través de determinados medios o canales cerrados. En consecuencia no "gozan de la protección constitucional del art. 18.3 CE aquellos objetos que, pudiendo contener correspondencia, sin embargo la regulación legal prohíbe su inclusión en ellos, pues la utilización del servicio comporta la aceptación de las condiciones del mismo". Así pues "quedan fuera de la protección constitucional aquellas formas de envío de la correspondencia que se configuran legalmente como comunicación abierta, esto es, no secreta". Así ocurre "cuando es legalmente obligatoria una declaración externa de contenido, o cuando bien su franqueo o cualquier otro signo o etiquetado externo evidencia que, como acabamos de señalar, no pueden contener correspondencia". En tales casos "pueden ser abiertos de oficio o sometidos a cualquier otro tipo de control para determinar su contenido" (STC 281/2006, de 9 de octubre, FJ 3.b])*».

Volviendo al **registro remoto de equipos informáticos**, la normativa vigente ha sometido dicha materia al cumplimiento de una serie de requisitos:

— Solo puede autorizarse esta medida para investigar determinadas infracciones penales, que constituyen un *numerus clausus*. En concreto, la ley menciona los siguientes delitos:

• Delitos cometidos en el seno de organizaciones criminales.

• Delitos de terrorismo.

• Delitos cometidos contra menores o personas con capacidad modificada judicialmente.

• Delitos contra la Constitución, de traición y relativos a la defensa nacional.

• Delitos cometidos a través de instrumentos informáticos o de cualquier otra tecnología de la información o la telecomunicación o servicio de comunicación.

— Se requiere, en todo caso, previa autorización del Juez de Instrucción. Dada la mayor intensidad e injerencia en derechos fundamentales del investigado, no se prevé que la medida se adopte por la Policía Judicial en casos de urgencia.

— La resolución judicial debe especificar los siguientes extremos:

• Los ordenadores, dispositivos electrónicos, sistemas informáticos o parte de los mismos, medios informáticos de almacenamiento de datos o bases de datos, datos u otros contenidos digitales objeto de la medida.

• El alcance de la misma, la forma en la que se procederá al acceso y aprehensión de los datos o archivos informáticos relevantes para la causa y el *software* mediante el que se ejecutará el control de la información.

• Los agentes autorizados para la ejecución de la medida.

• La autorización, en su caso, para la realización y conservación de copias de los datos informáticos.

• Las medidas precisas para la preservación de la integridad de los datos almacenados, así como para la inaccesibilidad o supresión de dichos datos del sistema informático al que se ha tenido acceso.

— Se prevé el deber de colaboración de cualquier persona que conozca el funcionamiento del sistema informático o de las medidas aplicadas para proteger los datos informáticos en los mismos términos analizados anteriormente.

— La duración máxima de la medida será de un mes, que podrá prorrogarse por períodos iguales hasta un máximo de tres meses.

8. ACÚSTICA FORENSE

La acústica forense es una parte de la criminalística que engloba la aplicación de técnicas desarrolladas por la ingeniería del sonido para el esclarecimiento de los delitos y la averiguación de la identidad de quienes los cometen.

La primera tecnología que recibió un nombre propio dentro del ámbito policial y forense —como recuerda LUCENA MOLINA [184]— la encontramos en los Estados Unidos en la década de los sesenta. La denominada técnica del «voiceprint» estuvo unida a un instrumento de medida, el espectrógrafo, cuya aparición tuvo lugar en 1941, empleándose en investigaciones de habla y música relacionadas con sistemas de comunicaciones. Este instrumento fue usado por Lawrence G. Kersta en los Laboratorios Bell, a principios de la mencionada década, para lograr identificar a las personas por la voz. El instrumento generaba un gráfico de la señal de voz teniendo en cuenta la información frecuencial, temporal y energética, que se denominó espectrograma o sonograma. Kersta comenzó sus investigaciones partiendo de la hipótesis de que la voz de cada persona

---

[184] *Vid.* LUCENA MOLINA, J. J., «La acústica forense», Instituto Universitario de Investigación sobre Seguridad Interior, disponible en el siguiente enlace: http://www.iuisi.es/15_boletines/15_2005/doc037-2005.pdf [Consultado 2-8-2016].

es tan única como la huella dactilar, pudiéndose determinar lo que él llamaba «huella acústica» utilizando el análisis espectrográfico.

La Sociedad Americana de Acústica cuenta con un Grupo de Trabajo (WG-12 *Working Group on Forensic Audio*, 1991) que fue publicando estándares que pudieran servir de guía para una buena práctica técnico-científica relacionada con la elaboración de informes periciales de acústica forense. Dentro de los objetivos perseguidos por el citado Grupo de Trabajo se encuentra la autentificación de grabaciones de audio y se cita expresamente en el prólogo del documento denominado AES27 (1996) que se siguen los criterios expuestos en un trabajo realizado en 1974 para el Tribunal de Distrito del Estado de Columbia de los Estados Unidos [185]. Se detallaron las normas técnicas de referencia que se tuvieron en cuenta en la elaboración del documento y se definieron una serie de términos que son de especial relieve para la correcta intelección de los trabajos desarrollados por los peritos: grabación segura, grabación autentificada, análisis de autenticidad, magnetófono original, grabación magnetófono original, grabación original y grabación cuestionada, entre otras [186].

La **jurisprudencia española** ha admitido la validez de este tipo de pruebas electrónicas que pueden, básicamente, tener dos finalidades.

La primera de ellas engloba aquellos informes periciales que, tras analizar los registros indubitados de voz del investigado y otras muestras dubitadas, determinan la correspondencia o no de la voz en ellos registrada. Se trata de una prueba especialmente útil cuando se ha acordado la intervención de las comunicaciones y el investigado niega que sea su voz la que se escucha en dichas grabaciones. En estos casos, agentes especializados de la Unidad de Acústica Forense realizan una serie de operaciones periciales (examen físico del soporte de la grabación, escucha crítica, análisis de forma de onda, análisis frecuencial, análisis espectrográfico y aná-

---

185   *Ibidem*, p. 1.
186   *Ibidem*, p. 8.

lisis espacial) para determinar si la voz grabada en el curso de la intervención telefónica es la del investigado.

El segundo tipo de pruebas acústicas o sonométricas se refieren a la determinación del nivel de sonido existente en un determinado lugar para comprobar si infringe la normativa vigente, lo que puede tener trascendencia, por ejemplo, en un delito de contaminación acústica (artículo 325 CP). Sobre este tipo de pruebas, el Tribunal Supremo ha indicado que su validez exige que se hayan utilizado sonómetros de precisión perfectamente calibrados, en absoluto silencio interior, con las ventanas cerradas y sin audición de ruidos procedentes de la calle [187].

9. MENSAJES ENVIADOS A TRAVÉS DE REDES SOCIALES

Las redes sociales y servicios de mensajería instantánea permiten remitir de manera rápida y clara comunicaciones a cualquier persona que se encuentre en cualquier parte del mundo con conexión a Internet. La irrupción de estas redes sociales plantea numerosos interrogantes en el marco del proceso penal, entre ellos, su validez, aportación y valor probatorio. Por tal motivo, urge la necesidad de regular modernos medios de investigación penal que permitan la obtención de estas pruebas con pleno respeto de los derechos fundamentales.

Una de las características de estos modernos sistemas de comunicaciones interactivas es que potencian el llamado «**anonimato de las redes sociales**», que entraña numerosos peligros. En efecto, la apertura de una cuenta en cualquiera de estas redes sociales no exige una previa comprobación de la identidad ni tampoco de la certeza de las afirmaciones realizadas a través de ella. Por tal motivo, se deben extremar las precauciones con las pruebas electrónicas que se puedan obtener a través de estos medios, pues pueden haber

---

187 *Vid.* STS 52/2013, Sala de lo Penal, 24 de febrero de 2003, FJ 2.º (Ponente: Carlos Granados Pérez).

sido manipuladas, ser falsas, incluir imágenes distorsionadas o montajes.

Ante la ausencia de una regulación legal específica, la escasa jurisprudencia sobre la materia ha ido creando una base doctrinal que constituye el punto de partida. Lógicamente, a medida que los mensajes de redes sociales se aporten con mayor frecuencia a los procedimientos en todos los órdenes jurisdiccionales (por ejemplo, un mensaje de WhatsApp en el que una persona reconoce una deuda de 900 euros que es objeto de reclamación en un juicio verbal), la jurisprudencia irá efectuando mayores aportaciones y perfilando la doctrina al albur de las innovaciones tecnológicas que vayan surgiendo.

En el proceso penal, la doctrina esencial sobre la materia se contiene en la conocida **STS n.º 300/2015, Sala de lo Penal, de 19 de mayo**. El Tribunal Supremo debía resolver el recurso de casación formulado por un condenado por delito de abusos sexuales que había impugnado la validez de una conversación de Tuenti mantenida por la víctima con un amigo [188]. El caso versaba sobre un matrimonio con dos hijas que decidió poner fin a su relación. Con el paso del tiempo una de las hijas, Ana Belén, se quedó residiendo con la madre mientras que la otra hija, Micaela, fue a convivir con el padre. Posteriormente, la madre de las niñas rehízo su vida con otra persona, Luis Francisco, quien empezó a convivir en la casa en la que habitaban la madre y su hija Ana Belén. En el transcurso de dos años, la menor de edad refirió distintos episodios de abuso sexual por parte de Luis Francisco consistentes en tocamientos genitales por encima de la ropa.

Estos hechos fueron confesados por la menor a distintos amigos antes de ponerlo en conocimiento de una profesora que lo denunció a la Guardia Civil. El tema clave de la sentencia radica en una de

---

[188] *Vid*. BUENO DE MATA, F., «La validez de los pantallazos como prueba electrónica: comentarios y reflexiones sobre la STS 300/2015 y las últimas reformas procesales en materia tecnológica», *Diario La Ley*, núm. 8728, Sección Tribuna, 23 de marzo de 2016.

las confesiones de la menor a un amigo a través de la red social Tuenti y que se incorporó al proceso a través de un «pantallazo».

El Tribunal Supremo establece las siguientes conclusiones sobre esta prueba electrónica:

— La prueba de una comunicación bidireccional mediante cualquiera de los múltiples sistemas de mensajería instantánea debe ser abordada con todas las cautelas por la posibilidad de manipulación de los archivos digitales mediante los que se materializa ese intercambio de ideas. En efecto, el anonimato y la libre creación de cuentas con una identidad fingida son perfectamente posibles, lo que podría llevar a aparentar una comunicación en la que un único usuario se relaciona consigo mismo.

— Si cualquiera de las partes impugna la autenticidad de la conversación, cuando se aporta al proceso mediante la impresión de la conversación, se desplaza la carga de la prueba hacia quien pretende aprovechar su idoneidad probatoria.

— Para solventar esta impugnación, la parte a quien le interese hacer valer la conversación aportada como «pantallazo» debe aportar una prueba pericial que identifique tres cuestiones: 1) el verdadero origen de esa comunicación; 2) la identidad de los interlocutores; y 3) la integridad de su contenido.

A pesar de estas precisiones, en el caso analizado el Tribunal Supremo consideró'que no era necesaria la aportación de dicho informe pericial informático por dos razones. En primer lugar, porque la propia víctima facilitó al Juez de Instrucción su contraseña de Tuenti a fin de que, si esa conver-

La parte a quien le interese hacer valer la conversación aportada como «pantallazo» debe aportar una prueba pericial que identifique: 1) el verdadero origen de esa comunicación; 2) la identidad de los interlocutores; y 3) la integridad de su contenido

sación llegara a ser cuestionada, pudiera asegurarse a través de informe pericial. Y, en segundo lugar, porque el amigo al que confesó haber sido víctima de los abusos acudió al plenario para corroborar dichas afirmaciones.

Posteriormente, el Tribunal Supremo reiteró esta doctrina en el **STS n.º 754/2015, Sala de lo Penal, de 27 de noviembre.** En este caso, se analiza el recurso de casación formulado por un condenado por un delito de homicidio en grado de tentativa y un delito de amenazas en el ámbito de violencia de género. El condenado había remitido a la víctima a través del sistema *«WeChat»* (versión china del WhatsApp) diversos mensajes en los que la amenazaba con sufrir un atentando contra su vida o la de su familia. La Sala de lo Penal reitera la doctrina anteriormente analizada sobre el valor probatorio de estos «pantallazos». Sin embargo, aprovecha esta ocasión para destacar la importancia del dictamen pericial cuando se impugna la autenticidad de los mensajes. En este sentido, la sentencia considera que no es suficiente para enervar el derecho a la presunción de inocencia la manifestación del perjudicado de que recibió tales mensajes y el posterior volcado intervenido por el Letrado de la Administración de Justicia. Debe aportarse un dictamen pericial informático, salvo en dos supuestos: 1) cuando el investigado reconozca expresamente haber enviado tales mensajes; y 2) cuando existen signos o modos de expresión de los que indudablemente se pueda entender que no tienen más procedencia que la del acusado, si bien, en este último caso, debe actuarse con total cautela. En el caso analizado, el Tribunal Supremo consideró que, aunque no se había aportado dictamen pericial, no había duda de que los mensajes se habían remitido por el acusado con la finalidad de atemorizar a su ex pareja a través de las amenazas proferidas a sus familiares.

La realización de este dictamen pericial ha planteado algunas cuestiones relativas a la forma de su elaboración [189]. En este sentido, se ha apuntado que la confección de estos informes no va a resultar sencilla, al requerir herramientas complejas y costosas que no van

---

[189] En este sentido, *vid.* SÁEZ-SANTURTÚN PRIETO, M., «La prueba obtenida a través de mensajes en redes sociales a raíz de la STS 19 de mayo de 2015», *Diario La Ley*, núm. 8637, Sección Tribuna, 3 de noviembre de 2015.

a estar al alcance de todas las personas. Uno de los problemas de este tipo de periciales radica en que la información puede estar almacenada fuera del territorio nacional. También es posible que los terceros no consientan en colaborar con el perito para la obtención de la información alegando que vulnera el derecho a la intimidad o el secreto de las comunicaciones, con lo que será necesario recabar el auxilio judicial. También se plantean interrogantes sobre la idoneidad del perito designado, dado que no es lo mismo analizar datos de redes sociales que plataformas de mensajería instantánea. Con relación a estas últimas (por ejemplo, *Skype*, *WhatsApp* o *Telegram*, entre otras), debe tenerse en cuenta que estos sistemas carecen de un servidor externo que mantenga la información, que solo se almacena en los dispositivos utilizados para la comunicación [190], con el inconveniente de que utilizan protocolos de seguridad que garantizan el cifrado de la información. En efecto, en abril de 2016, la empresa *WhatsApp* introdujo el llamado cifrado «*end-to-end*» en virtud del cual los mensajes, fotos, llamadas y videos que envían los usuarios solo puede consultarse por el emisor y el receptor [191]. De esta manera, ni tan siquiera la propia compañía puede acceder a su contenido. Ello es consecuencia de que los mensajes están seguros con un candado y sólo los interlocutores disponen del código/llave que les permite abrirlos y leer su contenido. Para mayor protección, asimismo, cada mensaje tiene su propio candado y código único. Este sistema, por tanto, garantiza que los mensajes no son interceptados por terceras personas no autorizadas [192], lo que puede generar ciertos problemas prácticos en la elaboración de los informes periciales sobre la autenticidad de las conversaciones mantenidas en estos servicios de mensajería instantánea.

[190] *Vid.* DELGADO MARTÍN, J., «La prueba del WhatsApp», *Diario La Ley*, núm. 8605, Sección Tribuna, 15 de septiembre de 2015.

[191] *Vid.* «WhatsApp activa el cifrado de los mensajes para todos los usuarios», *El País*, 6 de abril de 2016.

[192] El cofundador de WhatsApp, Jan Koum, explicaba esta novedad con las siguientes palabras: «nadie puede acceder al contenido de ese mensaje: ni los criminales, ni los *hackers*, ni los regímenes opresivos. Ni siquiera nosotros mismos».

Finalmente, debemos hacer mención a la reciente **Sentencia de la Audiencia Provincial de Burgos n.º 189/2016, Sección 1.ª, de 13 de mayo de 2016,** que analiza por primera vez si subir una fotografía de contenido íntimo al perfil de usuario de *WhatsApp* supone la comisión de un delito contra la intimidad. En este caso, el acusado había modificado una fotografía de su ex pareja en la que aparecía sin la parte superior del bañador cubriendo con sus manos los pechos, introduciendo una viñeta con la palabra «Wow». Posteriormente, se la envió a su actual pareja que colocó la misma en su perfil de *WhatsApp* con el siguiente texto «Quien juega con fuego… arde!!! (y todavía hay 100 más)».

La Audiencia Provincial, al resolver el recurso de apelación, revoca la sentencia del Juzgado de lo Penal n.º 1 de Burgos y condena a los acusados por un delito de revelación de secretos del artículo 197.2 del Código Penal —en su redacción anterior a la reforma de la LO 1/2015, de 30 de marzo— que castiga «*al que, sin estar autorizado, se apodere, utilice o modifique, en perjuicio de tercero, datos reservados de carácter personal o familiar de otro que se hallen registrados en ficheros o soportes informáticos, electrónicos o telemáticos, o en cualquier otro tipo de archivo o registro público o privado. Iguales penas se impondrán a quien, sin estar autorizado, acceda por cualquier medio a los mismos y a quien los altere o utilice en perjuicio del titular de los datos o de un tercero*».

La Sala consideró que concurrían todos los elementos del citado tipo penal por varias razones. En efecto, los acusados utilizaron y modificaron una fotografía que poseían ilícitamente para posteriormente divulgarla sin autorización. La sentencia entiende que no cabe duda de la intencionalidad de los acusados pues, al subir la foto al perfil de *WhatsApp*, podía ser visualizada por terceras personas, sin olvidar que la manipulación de la misma, al insertar la expresión «Wow», tenía un evidente tinte vejatorio contra la dignidad personal de la afectada.

Por todo ello, la Sala, además de condenar a los acusados a la pena de un año de prisión y multa de doce meses con cuota diaria de seis euros, les impone la obligación de abonar en concepto de daño moral la cantidad de 3.000 euros. Sobre esta cuestión, la sentencia destaca «*el sentimiento social de reparación ante la ofensa producida, dado que el conocimiento de la publicidad de la fotografía y el texto contenido en la misma necesariamente le tuvieron que generar un sentimiento de zozobra e intranquilidad».*

10. LEGISLACIÓN

Código Penal (artículo 26)

Artículo 26.—A los efectos de este Código se considera documento todo soporte material que exprese o incorpore datos, hechos o narraciones con eficacia probatoria o cualquier otro tipo de relevancia jurídica.

Ley de Enjuiciamiento Criminal (artículos 579 a 588 octies)

CAPÍTULO III

De la detención y apertura de la correspondencia escrita y telegráfica

Artículo 579. *De la correspondencia escrita o telegráfica.*—1. El juez podrá acordar la detención de la correspondencia privada, postal y telegráfica, incluidos faxes, burofaxes y giros, que el investigado remita o reciba, así como su apertura o examen, si hubiera indicios de obtener por estos medios el descubrimiento o la comprobación del algún hecho o circunstancia relevante para la causa, siempre que la investigación tenga por objeto alguno de los siguientes delitos:

1.° Delitos dolosos castigados con pena con límite máximo de, al menos, tres años de prisión.

2.° Delitos cometidos en el seno de un grupo u organización criminal.

3.° Delitos de terrorismo.

2. El juez podrá acordar, en resolución motivada, por un plazo de hasta tres meses, prorrogable por iguales o inferiores períodos hasta un máximo de dieciocho meses, la observación de las comunicaciones postales y telegráficas del investigado, así como de las comunicaciones de las que se sirva para la realización de sus fines delictivos.

3. En caso de urgencia, cuando las investigaciones se realicen para la averiguación de delitos relacionados con la actuación de bandas armadas o elementos terroristas y existan razones fundadas que hagan imprescindible la medida prevista en los apartados anteriores de este artículo, podrá ordenarla el Ministro del Interior o, en su defecto, el Secretario de Estado de Seguridad. Esta medida se comunicará inme-

diatamente al juez competente y, en todo caso, dentro del plazo máximo de veinticuatro horas, haciendo constar las razones que justificaron la adopción de la medida, la actuación realizada, la forma en que se ha efectuado y su resultado. El juez competente, también de forma motivada, revocará o confirmará tal actuación en un plazo máximo de setenta y dos horas desde que fue ordenada la medida.

4. No se requerirá autorización judicial en los siguientes casos:

a) Envíos postales que, por sus propias características externas, no sean usualmente utilizados para contener correspondencia individual sino para servir al transporte y tráfico de mercancías o en cuyo exterior se haga constar su contenido.

b) Aquellas otras formas de envío de la correspondencia bajo el formato legal de comunicación abierta, en las que resulte obligatoria una declaración externa de contenido o que incorporen la indicación expresa de que se autoriza su inspección.

c) Cuando la inspección se lleve a cabo de acuerdo con la normativa aduanera o proceda con arreglo a las normas postales que regulan una determinada clase de envío.

5. La solicitud y las actuaciones posteriores relativas a la medida solicitada se sustanciarán en una pieza separada y secreta, sin necesidad de que se acuerde expresamente el secreto de la causa.

Artículo 579 bis. *Utilización de la información obtenida en un procedimiento distinto y descubrimientos casuales.*—1. El resultado de la detención y apertura de la correspondencia escrita y telegráfica podrá ser utilizado como medio de investigación o prueba en otro proceso penal.

2. A tal efecto, se procederá a la deducción de testimonio de los particulares necesarios para acreditar la legitimidad de la injerencia. Se incluirán entre los antecedentes indispensables, en todo caso, la solicitud inicial para la adopción, la resolución judicial que la acuerda y todas las peticiones y resoluciones judiciales de prórroga recaídas en el procedimiento de origen.

3. La continuación de esta medida para la investigación del delito casualmente descubierto requiere autorización del juez competente, para la cual, éste comprobará la diligencia de la actuación, evaluando el marco en el que se produjo el hallazgo casual y la imposibilidad de haber solicitado la medida que lo incluyera en su momento. Asimismo se informará si las diligencias continúan declaradas secretas, a los efec-

tos de que tal declaración sea respetada en el otro proceso penal, comunicando el momento en el que dicho secreto se alce.

Artículo 580.—Es aplicable a la detención de la correspondencia lo dispuesto en los artículos 563 y 564.

Podrá también encomendarse la práctica de esta operación al Administrador de Correos y Telégrafos o Jefe de la oficina en que la correspondencia debe hallarse.

Artículo 581.—El empleado que haga la detención remitirá inmediatamente la correspondencia detenida al Juez instructor de la causa.

Artículo 582.—Podrá asimismo el Juez ordenar que por cualquiera Administración de Telégrafos se le faciliten copias de los telegramas por ella transmitidos, si pudieran contribuir al esclarecimiento de los hechos de la causa.

Artículo 583.—El auto motivado acordando la detención y registro de la correspondencia o la entrega de copias de telegramas transmitidos determinará la correspondencia que haya de ser detenida o registrada, o los telegramas cuyas copias hayan de ser entregadas, por medio de la designación de las personas a cuyo nombre se hubieren expedido, o por otras circunstancias igualmente concretas.

Artículo 584.—Para la apertura y registro de la correspondencia postal será citado el interesado.

Este, o la persona que designe, podrá presenciar la operación.

Artículo 585.—Si el procesado estuviere en rebeldía, o si citado para la apertura no quisiere presenciarla ni nombrar persona para que lo haga en su nombre, el Juez instructor procederá sin embargo a la apertura de dicha correspondencia.

Artículo 586.—La operación se practicará abriendo el Juez por sí mismo la correspondencia y después de leerla para sí apartará la que haga referencia a los hechos de la causa y cuya conservación considere necesaria.

Los sobres y hojas de esta correspondencia, después de haber tomado el mismo Juez las notas necesarias para la práctica de otras diligencias de investigación a que la correspondencia diere motivo, se rubricarán por el Secretario judicial y se sellarán con el sello del Juzgado, encerrándolo todo después en otro sobre, al que se pondrá el rótulo necesario, conservándose durante el sumario, también bajo responsabilidad del Secretario judicial.

Este pliego podrá abrirse cuantas veces el Juez lo considere preciso, citando previamente al interesado.

Artículo 587.—La correspondencia que no se relacione con la causa será entregada en el acto al procesado o a su representante.

Si aquél estuviere en rebeldía, se entregará cerrada a un individuo de su familia, mayor de edad.

Si no fuere conocido ningún pariente del procesado, se conservará dicho pliego cerrado bajo la responsabilidad del Secretario judicial hasta que haya persona a quien entregarlo, según lo dispuesto en este artículo.

Artículo 588.—La apertura de la correspondencia se hará constar por diligencia, en la que se referirá cuanto en aquélla hubiese ocurrido.

Esta diligencia será firmada por el Juez instructor, el Secretario y demás asistentes.

CAPÍTULO IV

Disposiciones comunes a la interceptación de las comunicaciones telefónicas y telemáticas, la captación y grabación de comunicaciones orales mediante la utilización de dispositivos electrónicos, la utilización de dispositivos técnicos de seguimiento, localización y captación de la imagen, el registro de dispositivos de almacenamiento masivo de información y los registros remotos sobre equipos informáticos

Artículo 588 bis a. *Principios rectores.*—1. Durante la instrucción de las causas se podrá acordar alguna de las medidas de investigación reguladas en el presente capítulo siempre que medie autorización judicial dictada con plena sujeción a los principios de especialidad, idoneidad, excepcionalidad, necesidad y proporcionalidad de la medida.

2. El principio de especialidad exige que una medida esté relacionada con la investigación de un delito concreto. No podrán autorizarse medidas de investigación tecnológica que tengan por objeto prevenir o descubrir delitos o despejar sospechas sin base objetiva.

3. El principio de idoneidad servirá para definir el ámbito objetivo y subjetivo y la duración de la medida en virtud de su utilidad.

4. En aplicación de los principios de excepcionalidad y necesidad solo podrá acordarse la medida:

a) cuando no estén a disposición de la investigación, en atención a sus características, otras medidas menos gravosas para los derechos fundamentales del investigado o encausado e igualmente útiles para el esclarecimiento del hecho, o

b) cuando el descubrimiento o la comprobación del hecho investigado, la determinación de su autor o autores, la averiguación de su paradero, o la localización de los efectos del delito se vea gravemente dificultada sin el recurso a esta medida.

5. Las medidas de investigación reguladas en este capítulo solo se reputarán proporcionadas cuando, tomadas en consideración todas las circunstancias del caso, el sacrificio de los derechos e intereses afectados no sea superior al beneficio que de su adopción resulte para el interés público y de terceros. Para la ponderación de los intereses en conflicto, la valoración del interés público se basará en la gravedad del hecho, su trascendencia social o el ámbito tecnológico de producción, la intensidad de los indicios existentes y la relevancia del resultado perseguido con la restricción del derecho.

Artículo 588 bis b. *Solicitud de autorización judicial.*—1. El juez podrá acordar las medidas reguladas en este capítulo de oficio o a instancia del Ministerio Fiscal o de la Policía Judicial.

2. Cuando el Ministerio Fiscal o la Policía Judicial soliciten del juez de instrucción una medida de investigación tecnológica, la petición habrá de contener:

1.º La descripción del hecho objeto de investigación y la identidad del investigado o de cualquier otro afectado por la medida, siempre que tales datos resulten conocidos.

2.º La exposición detallada de las razones que justifiquen la necesidad de la medida de acuerdo a los principios rectores establecidos en el artículo 588 bis a, así como los indicios de criminalidad que se hayan puesto de manifiesto durante la investigación previa a la solicitud de autorización del acto de injerencia.

3.º Los datos de identificación del investigado o encausado y, en su caso, de los medios de comunicación empleados que permitan la ejecución de la medida.

4.º La extensión de la medida con especificación de su contenido.

5.º La unidad investigadora de la Policía Judicial que se hará cargo de la intervención.

6.º La forma de ejecución de la medida.

7.º La duración de la medida que se solicita.

8.º El sujeto obligado que llevará a cabo la medida, en caso de conocerse.

Artículo 588 bis c. *Resolución judicial.*—1. El juez de instrucción autorizará o denegará la medida solicitada mediante auto motivado, oído el Ministerio Fiscal. Esta resolución se dictará en el plazo máximo de veinticuatro horas desde que se presente la solicitud.

2. Siempre que resulte necesario para resolver sobre el cumplimiento de alguno de los requisitos expresados en los artículos anteriores, el juez podrá requerir, con interrupción del plazo a que se refiere el apartado anterior, una ampliación o aclaración de los términos de la solicitud.

3. La resolución judicial que autorice la medida concretará al menos los siguientes extremos:

a) El hecho punible objeto de investigación y su calificación jurídica, con expresión de los indicios racionales en los que funde la medida.

b) La identidad de los investigados y de cualquier otro afectado por la medida, de ser conocido.

c) La extensión de la medida de injerencia, especificando su alcance así como la motivación relativa al cumplimiento de los principios rectores establecidos en el artículo 588 bis a.

d) La unidad investigadora de Policía Judicial que se hará cargo de la intervención.

e) La duración de la medida.

f) La forma y la periodicidad con la que el solicitante informará al juez sobre los resultados de la medida.

g) La finalidad perseguida con la medida.

h) El sujeto obligado que llevará a cabo la medida, en caso de conocerse, con expresa mención del deber de colaboración y de guardar secreto, cuando proceda, bajo apercibimiento de incurrir en un delito de desobediencia.

Artículo 588 bis d. *Secreto.*—La solicitud y las actuaciones posteriores relativas a la medida solicitada se sustanciarán en una pieza separada y secreta, sin necesidad de que se acuerde expresamente el secreto de la causa.

Artículo 588 bis e. *Duración.*—1. Las medidas reguladas en el presente capítulo tendrán la duración que se especifique para cada una de ellas y no podrán exceder del tiempo imprescindible para el esclarecimiento de los hechos.

2. La medida podrá ser prorrogada, mediante auto motivado, por el juez competente, de oficio o previa petición razonada del solicitante, siempre que subsistan las causas que la motivaron.

3. Transcurrido el plazo por el que resultó concedida la medida, sin haberse acordado su prórroga, o, en su caso, finalizada ésta, cesará a todos los efectos.

Artículo 588 bis f. *Solicitud de prórroga.*—1. La solicitud de prórroga se dirigirá por el Ministerio Fiscal o la Policía Judicial al juez competente con la antelación suficiente a la expiración del plazo concedido. Deberá incluir en todo caso:

a) Un informe detallado del resultado de la medida.

b) Las razones que justifiquen la continuación de la misma.

2. En el plazo de los dos días siguientes a la presentación de la solicitud, el juez resolverá sobre el fin de la medida o su prórroga mediante auto motivado. Antes de dictar la resolución podrá solicitar aclaraciones o mayor información.

3. Concedida la prórroga, su cómputo se iniciará desde la fecha de expiración del plazo de la medida acordada.

Artículo 588 bis g. *Control de la medida.*—La Policía Judicial informará al juez de instrucción del desarrollo y los resultados de la medida, en la forma y con la periodicidad que este determine y, en todo caso, cuando por cualquier causa se ponga fin a la misma.

Artículo 588 bis h. *Afectación de terceras personas.*—Podrán acordarse las medidas de investigación reguladas en los siguientes capítulos aun cuando afecten a terceras personas en los casos y con las condiciones que se regulan en las disposiciones específicas de cada una de ellas.

Artículo 588 bis i. *Utilización de la información obtenida en un procedimiento distinto y descubrimientos casuales.*—El uso de las informaciones obtenidas en un procedimiento distinto y los descubrimientos casuales se regularan con arreglo a lo dispuesto en el artículo 579 bis.

Artículo 588 bis j. *Cese de la medida.*—El juez acordará el cese de la medida cuando desaparezcan las circunstancias que justificaron su adopción o resulte evidente que a través de la misma no se están obteniendo los resultados pretendidos, y, en todo caso, cuando haya transcurrido el plazo para el que hubiera sido autorizada.

Artículo 588 bis k. *Destrucción de registros.*—1. Una vez que se ponga término al procedimiento mediante resolución firme, se ordenará el borrado y eliminación de los registros originales que puedan constar en los sistemas electrónicos e informáticos utilizados en la ejecución de la medida. Se conservará una copia bajo custodia del secretario judicial.

2. Se acordará la destrucción de las copias conservadas cuando hayan transcurrido cinco años desde que la pena se haya ejecutado o cuando el delito o la pena hayan prescrito o se haya decretado el sobreseimiento libre o haya recaído sentencia absolutoria firme respecto del investigado, siempre que no fuera precisa su conservación a juicio del Tribunal.

3. Los tribunales dictarán las órdenes oportunas a la Policía Judicial para que lleve a efecto la destrucción contemplada en los anteriores apartados.

CAPÍTULO V

La interceptación de las comunicaciones telefónicas y telemáticas

SECCIÓN 1.ª

Disposiciones generales

Artículo 588 ter a. *Presupuestos.*—La autorización para la interceptación de las comunicaciones telefónicas y telemáticas solo podrá ser concedida cuando la investigación tenga por objeto alguno de los delitos a que se refiere el artículo 579.1 de esta ley o delitos cometidos a través de instrumentos informáticos o de cualquier otra tecnología de la información o la comunicación o servicio de comunicación.

Artículo 588 ter b. *Ámbito.*—1. Los terminales o medios de comunicación objeto de intervención han de ser aquellos habitual u ocasionalmente utilizados por el investigado.

2. La intervención judicialmente acordada podrá autorizar el acceso al contenido de las comunicaciones y a los datos electrónicos de tráfico o asociados al proceso de comunicación, así como a los que se produzcan con independencia del establecimiento o no de una concreta comunicación, en los que participe el sujeto investigado, ya sea como emisor o como receptor, y podrá afectar a los terminales o los medios de comunicación de los que el investigado sea titular o usuario.

También podrán intervenirse los terminales o medios de comunicación de la víctima cuando sea previsible un grave riesgo para su vida o integridad.

A los efectos previstos en este artículo, se entenderá por datos electrónicos de tráfico o asociados todos aquellos que se generan como consecuencia de la conducción de la comunicación a través de una red de comunicaciones electrónicas, de su puesta a disposición del usuario, así como de la prestación de un servicio de la sociedad de la información o comunicación telemática de naturaleza análoga.

Artículo 588 ter c. *Afectación a tercero.*—Podrá acordarse la intervención judicial de las comunicaciones emitidas desde terminales o medios de comunicación telemática pertenecientes a una tercera persona siempre que:

1.º exista constancia de que el sujeto investigado se sirve de aquella para transmitir o recibir información, o

2.º el titular colabore con la persona investigada en sus fines ilícitos o se beneficie de su actividad.

También podrá autorizarse dicha intervención cuando el dispositivo objeto de investigación sea utilizado maliciosamente por terceros por vía telemática, sin conocimiento de su titular.

Artículo 588 ter d. *Solicitud de autorización judicial.*—1. La solicitud de autorización judicial deberá contener, además de los requisitos mencionados en el artículo 588 bis b, los siguientes:

a) la identificación del número de abonado, del terminal o de la etiqueta técnica,

b) la identificación de la conexión objeto de la intervención o

c) los datos necesarios para identificar el medio de telecomunicación de que se trate.

2. Para determinar la extensión de la medida, la solicitud de autorización judicial podrá tener por objeto alguno de los siguientes extremos:

a) El registro y la grabación del contenido de la comunicación, con indicación de la forma o tipo de comunicaciones a las que afecta.

b) El conocimiento de su origen o destino, en el momento en el que la comunicación se realiza.

c) La localización geográfica del origen o destino de la comunicación.

d) El conocimiento de otros datos de tráfico asociados o no asociados pero de valor añadido a la comunicación. En este caso, la solicitud especificará los datos concretos que han de ser obtenidos.

3. En caso de urgencia, cuando las investigaciones se realicen para la averiguación de delitos relacionados con la actuación de bandas armadas o elementos terroristas y existan razones fundadas que hagan imprescindible la medida prevista en los apartados anteriores de este artículo, podrá ordenarla el Ministro del Interior o, en su defecto, el Secretario de Estado de Seguridad. Esta medida se comunicará inmediatamente al juez competente y, en todo caso, dentro del plazo máximo de veinticuatro horas, haciendo constar las razones que justificaron la adopción de la medida, la actuación realizada, la forma en que se ha efectuado y su resultado. El juez competente, también de forma motivada, revocará o confirmará tal actuación en un plazo máximo de setenta y dos horas desde que fue ordenada la medida.

Artículo 588 ter e. *Deber de colaboración.*—1. Todos los prestadores de servicios de telecomunicaciones, de acceso a una red de telecomunicaciones o de servicios de la sociedad de la información, así como toda persona que de cualquier modo contribuya a facilitar las comunicaciones a través del teléfono o de cualquier otro medio o sistema de comunicación telemática, lógica o virtual, están obligados a prestar al juez, al Ministerio Fiscal y a los agentes de la Policía Judicial designados para la práctica de la medida la asistencia y colaboración precisas para facilitar el cumplimiento de los autos de intervención de las telecomunicaciones.

2. Los sujetos requeridos para prestar colaboración tendrán la obligación de guardar secreto acerca de las actividades requeridas por las autoridades.

3. Los sujetos obligados que incumplieren los anteriores deberes podrán incurrir en delito de desobediencia.

Artículo 588 ter f. *Control de la medida.*—En cumplimiento de lo dispuesto en el artículo 588 bis g, la Policía Judicial pondrá a disposición del juez, con la periodicidad que este determine y en soportes digitales distintos, la transcripción de los pasajes que considere de interés y las grabaciones íntegras realizadas. Se indicará el origen y destino de cada una de ellas y se asegurará, mediante un sistema de sellado o firma electrónica avanzado o sistema de adveración suficientemente fiable, la autenticidad e integridad de la información volcada desde el ordenador central a los soportes digitales en que las comunicaciones hubieran sido grabadas.

Artículo 588 ter g. *Duración.*—La duración máxima inicial de la intervención, que se computará desde la fecha de autorización judicial, será de tres meses, prorrogables por períodos sucesivos de igual duración hasta el plazo máximo de dieciocho meses.

Artículo 588 ter h. *Solicitud de prórroga.*—Para la fundamentación de la solicitud de la prórroga, la Policía Judicial aportará, en su caso, la transcripción de aquellos pasajes de las conversaciones de las que se deduzcan informaciones relevantes para decidir sobre el mantenimiento de la medida.

Antes de dictar la resolución, el juez podrá solicitar aclaraciones o mayor información, incluido el contenido íntegro de las conversaciones intervenidas.

Artículo 588 ter i. *Acceso de las partes a las grabaciones.*—1. Alzado el secreto y expirada la vigencia de la medida de intervención, se entregará a las partes copia de las grabaciones y de las transcripciones realizadas. Si en la grabación hubiera datos referidos a aspectos de la vida íntima de las personas, solo se entregará la grabación y transcripción de aquellas partes que no se refieran a ellos. La no inclusión de la totalidad de la grabación en la transcripción entregada se hará constar de modo expreso.

2. Una vez examinadas las grabaciones y en el plazo fijado por el juez, en atención al volumen de la información contenida en los soportes, cualquiera de las partes podrá solicitar la inclusión en las copias de aquellas comunicaciones que entienda relevantes y hayan sido excluidas. El juez de instrucción, oídas o examinadas por sí esas comunicaciones, decidirá sobre su exclusión o incorporación a la causa.

3. Se notificará por el juez de instrucción a las personas intervinientes en las comunicaciones interceptadas el hecho de la práctica de la injerencia y se les informará de las concretas comunicaciones en las que haya participado que resulten afectadas, salvo que sea imposible, exija un esfuerzo desproporcionado o puedan perjudicar futuras investigaciones. Si la persona notificada lo solicita se le entregará copia de la grabación o transcripción de tales comunicaciones, en la medida que esto no afecte al derecho a la intimidad de otras personas o resulte contrario a los fines del proceso en cuyo marco se hubiere adoptado la medida de injerencia.

SECCIÓN 2.ª

Incorporación al proceso de datos electrónicos de tráfico o asociados

Artículo 588 ter j. *Datos obrantes en archivos automatizados de los prestadores de servicios.*—1. Los datos electrónicos conservados por los prestadores de servicios o personas que faciliten la comunicación en cumplimiento de la legislación sobre retención de datos relativos a las comunicaciones electrónicas o por propia iniciativa por motivos comerciales o de otra índole y que se encuentren vinculados a procesos de comunicación, solo podrán ser cedidos para su incorporación al proceso con autorización judicial.

2. Cuando el conocimiento de esos datos resulte indispensable para la investigación, se solicitará del juez competente autorización para recabar la información que conste en los archivos automatizados de los prestadores de servicios, incluida la búsqueda entrecruzada o inteligente de datos, siempre que se precisen la naturaleza de los datos que hayan de ser conocidos y las razones que justifican la cesión.

SECCIÓN 3.ª

Acceso a los datos necesarios para la identificación de usuarios, terminales y dispositivos de conectividad

Artículo 588 ter k. *Identificación mediante número IP.*—Cuando en el ejercicio de las funciones de prevención y descubrimiento de los delitos cometidos en internet, los agentes de la Policía Judicial tuvieran acceso a una dirección IP que estuviera siendo utilizada para la comisión algún delito y no constara la identificación y localización del equipo o del dispositivo de conectividad correspondiente ni los datos de identificación personal del usuario, solicitarán del juez de instrucción que requiera de los agentes sujetos al deber de colaboración según el artículo 588 ter e, la cesión de los datos que permitan la identificación y localización del terminal o del dispositivo de conectividad y la identificación del sospechoso.

Artículo 588 ter l. *Identificación de los terminales mediante captación de códigos de identificación del aparato o de sus componentes.*— 1. Siempre que en el marco de una investigación no hubiera sido posible obtener un determinado número de abonado y este resulte indispensable a los fines de la investigación, los agentes de Policía Judicial podrán valerse de artificios técnicos que permitan acceder al conocimiento de los códigos de identificación o etiquetas técnicas del aparato de telecomunicación o de alguno de sus componentes, tales como la numeración IMSI o IMEI y, en general, de cualquier medio técnico que, de acuerdo con el estado de la tecnología, sea apto para identificar el equipo de comunicación utilizado o la tarjeta utilizada para acceder a la red de telecomunicaciones.

2. Una vez obtenidos los códigos que permiten la identificación del aparato o de alguno de sus componentes, los agentes de la Policía Judicial podrán solicitar del juez competente la intervención de las comunicaciones en los términos establecidos en el artículo 588 ter d. La solicitud habrá de poner en conocimiento del órgano jurisdiccional la utilización de los artificios a que se refiere el apartado anterior.

El tribunal dictará resolución motivada concediendo o denegando la solicitud de intervención en el plazo establecido en el artículo 588 bis c.

Artículo 588 ter m. *Identificación de titulares o terminales o dispositivos de conectividad.*—Cuando, en el ejercicio de sus funciones, el Ministerio Fiscal o la Policía Judicial necesiten conocer la titularidad de un número de teléfono o de cualquier otro medio de comunicación, o, en sentido inverso, precisen el número de teléfono o los datos identificativos de cualquier medio de comunicación, podrán dirigirse directamente a los prestadores de servicios de telecomunicaciones, de acceso a una red de telecomunicaciones o de servicios de la sociedad de la información, quienes estarán obligados a cumplir el requerimiento, bajo apercibimiento de incurrir en el delito de desobediencia.

CAPÍTULO VI

Captación y grabación de comunicaciones orales mediante la utilización de dispositivos electrónicos

Artículo 588 quater a. *Grabación de las comunicaciones orales directas.*—1. Podrá autorizarse la colocación y utilización de dispositivos electrónicos que permitan la captación y grabación de las comunicaciones orales directas que se mantengan por el investigado, en la vía pública o en otro espacio abierto, en su domicilio o en cualesquiera otros lugares cerrados.

Los dispositivos de escucha y grabación podrán ser colocados tanto en el exterior como en el interior del domicilio o lugar cerrado.

2. En el supuesto en que fuera necesaria la entrada en el domicilio o en alguno de los espacios destinados al ejercicio de la privacidad, la resolución habilitante habrá de extender su motivación a la procedencia del acceso a dichos lugares.

3. La escucha y grabación de las conversaciones privadas se podrá complementar con la obtención de imágenes cuando expresamente lo autorice la resolución judicial que la acuerde.

Artículo 588 quater b. *Presupuestos.*—1. La utilización de los dispositivos a que se refiere el artículo anterior ha de estar vinculada a comunicaciones que puedan tener lugar en uno o varios encuentros concretos del investigado con otras personas y sobre cuya previsibilidad haya indicios puestos de manifiesto por la investigación.

2. Solo podrá autorizarse cuando concurran los requisitos siguientes:

a) Que los hechos que estén siendo investigados sean constitutivos de alguno de los siguientes delitos:

1.º Delitos dolosos castigados con pena con límite máximo de, al menos, tres años de prisión.

2.º Delitos cometidos en el seno de un grupo u organización criminal.

3.º Delitos de terrorismo.

b) Que pueda racionalmente preverse que la utilización de los dispositivos aportará datos esenciales y de relevancia probatoria para el esclarecimiento de los hechos y la identificación de su autor.

Artículo 588 quater c. *Contenido de la resolución judicial.*—La resolución judicial que autorice la medida, deberá contener, además de las exigencias reguladas en el artículo 588 bis c, una mención concreta al lugar o dependencias, así como a los encuentros del investigado que van a ser sometidos a vigilancia.

Artículo 588 quater d. *Control de la medida.*—En cumplimiento de lo dispuesto en el artículo 588 bis g, la Policía Judicial pondrá a disposición de la autoridad judicial el soporte original o copia electrónica auténtica de las grabaciones e imágenes, que deberá ir acompañado de una transcripción de las conversaciones que considere de interés.

El informe identificará a todos los agentes que hayan participado en la ejecución y seguimiento de la medida.

Artículo 588 quater e. *Cese.*—Cesada la medida por alguna de las causas previstas en el artículo 588 bis j, la grabación de conversaciones que puedan tener lugar en otros encuentros o la captación de imágenes de tales momentos exigirán una nueva autorización judicial.

CAPÍTULO VII

Utilización de dispositivos técnicos de captación de la imagen, de seguimiento y de localización

Artículo 588 quinquies a. *Captación de imágenes en lugares o espacios públicos.*—1. La Policía Judicial podrá obtener y grabar por cualquier medio técnico imágenes de la persona investigada cuando se encuentre en un lugar o espacio público, si ello fuera necesario para facilitar su identificación, para localizar los instrumentos o efectos del delito u obtener datos relevantes para el esclarecimiento de los hechos.

2. La medida podrá ser llevada a cabo aun cuando afecte a personas diferentes del investigado, siempre que de otro modo se reduzca de forma relevante la utilidad de la vigilancia o existan indicios fundados de la relación de dichas personas con el investigado y los hechos objeto de la investigación.

Artículo 588 quinquies b. *Utilización de dispositivos o medios técnicos de seguimiento y localización.*—1. Cuando concurran acreditadas razones de necesidad y la medida resulte proporcionada, el juez competente podrá autorizar la utilización de dispositivos o medios técnicos de seguimiento y localización.

2. La autorización deberá especificar el medio técnico que va a ser utilizado.

3. Los prestadores, agentes y personas a que se refiere el artículo 588 ter e están obligados a prestar al juez, al Ministerio Fiscal y a los agentes de la Policía Judicial designados para la práctica de la medida la asistencia y colaboración precisas para facilitar el cumplimiento de los autos por los que se ordene el seguimiento, bajo apercibimiento de incurrir en delito de desobediencia.

4. Cuando concurran razones de urgencia que hagan razonablemente temer que de no colocarse inmediatamente el dispositivo o medio técnico de seguimiento y localización se frustrará la investigación, la Policía Judicial podrá proceder a su colocación, dando cuenta a la mayor brevedad posible, y en todo caso en el plazo máximo de veinticuatro horas, a la autoridad judicial, quien podrá ratificar la medida adoptada o acordar su inmediato cese en el mismo plazo. En este último supuesto, la información obtenida a partir del dispositivo colocado carecerá de efectos en el proceso.

Artículo 588 quinquies c. *Duración de la medida.*—1. La medida de utilización de dispositivos técnicos de seguimiento y localización prevista en el artículo anterior tendrá una duración máxima de tres meses a partir de la fecha de su autorización. Excepcionalmente, el juez podrá acordar prórrogas sucesivas por el mismo o inferior plazo hasta un máximo de dieciocho meses, si así estuviera justificado a la vista de los resultados obtenidos con la medida.

2. La Policía Judicial entregará al juez los soportes originales o copias electrónicas auténticas que contengan la información recogida cuando éste se lo solicite y, en todo caso, cuando terminen las investigaciones.

3. La información obtenida a través de los dispositivos técnicos de seguimiento y localización a los que se refieren los artículos anteriores deberá ser debidamente custodiada para evitar su utilización indebida.

CAPÍTULO VIII

Registro de dispositivos de almacenamiento masivo de información

Artículo 588 sexies a. *Necesidad de motivación individualizada.*— 1. Cuando con ocasión de la práctica de un registro domiciliario sea previsible la aprehensión de ordenadores, instrumentos de comunicación telefónica o telemática o dispositivos de almacenamiento masivo de información digital o el acceso a repositorios telemáticos de datos, la resolución del juez de instrucción habrá de extender su razonamiento a la justificación, en su caso, de las razones que legitiman el acceso de los agentes facultados a la información contenida en tales dispositivos.

2. La simple incautación de cualquiera de los dispositivos a los que se refiere el apartado anterior, practicada durante el transcurso de la diligencia de registro domiciliario, no legitima el acceso a su contenido, sin perjuicio de que dicho acceso pueda ser autorizado ulteriormente por el juez competente.

Artículo 588 sexies b. *Acceso a la información de dispositivos electrónicos incautados fuera del domicilio del investigado.*—La exigencia prevista en el apartado 1 del artículo anterior será también aplicable a aquellos casos en los que los ordenadores, instrumentos de comunicación o dispositivos de almacenamiento masivo de datos, o el acceso a repositorios telemáticos de datos, sean aprehendidos con independencia de un registro domiciliario. En tales casos, los agentes pondrán en conocimiento del juez la incautación de tales efectos. Si éste considera indispensable el acceso a la información albergada en su contenido, otorgará la correspondiente autorización.

Artículo 588 sexies c. *Autorización judicial.*—1. La resolución del juez de instrucción mediante la que se autorice el acceso a la información contenida en los dispositivos a que se refiere la presente sección, fijará los términos y el alcance del registro y podrá autorizar la realización de copias de los datos informáticos. Fijará también las condiciones necesarias para asegurar la integridad de los datos y las garantías de su preservación para hacer posible, en su caso, la práctica de un dictamen pericial.

2. Salvo que constituyan el objeto o instrumento del delito o existan otras razones que lo justifiquen, se evitará la incautación de los soportes físicos que contengan los datos o archivos informáticos, cuando ello pueda causar un grave perjuicio a su titular o propietario y sea posible la obtención de una copia de ellos en condiciones que garanticen la autenticidad e integridad de los datos.

3. Cuando quienes lleven a cabo el registro o tengan acceso al sistema de información o a una parte del mismo conforme a lo dispuesto en este capítulo, tengan razones fundadas para considerar que los datos buscados están almacenados en otro sistema informático o en una parte de él, podrán ampliar el registro, siempre que los datos sean lícitamente accesibles por medio del sistema inicial o estén disponibles para este. Esta ampliación del registro deberá ser autorizada por el juez, salvo que ya lo hubiera sido en la autorización inicial. En caso de urgencia, la Policía Judicial o el fiscal podrán llevarlo a cabo, informando al juez inmediatamente, y en todo caso dentro del plazo máximo de veinticuatro horas, de la actuación realizada, la forma en que se ha efectuado y su resultado. El juez competente, también de forma motivada, revocará o

confirmará tal actuación en un plazo máximo de setenta y dos horas desde que fue ordenada la interceptación.

4. En los casos de urgencia en que se aprecie un interés constitucional legítimo que haga imprescindible la medida prevista en los apartados anteriores de este artículo, la Policía Judicial podrá llevar a cabo el examen directo de los datos contenidos en el dispositivo incautado, comunicándolo inmediatamente, y en todo caso dentro del plazo máximo de veinticuatro horas, por escrito motivado al juez competente, haciendo constar las razones que justificaron la adopción de la medida, la actuación realizada, la forma en que se ha efectuado y su resultado. El juez competente, también de forma motivada, revocará o confirmará tal actuación en un plazo máximo de 72 horas desde que fue ordenada la medida.

5. Las autoridades y agentes encargados de la investigación podrán ordenar a cualquier persona que conozca el funcionamiento del sistema informático o las medidas aplicadas para proteger los datos informáticos contenidos en el mismo que facilite la información que resulte necesaria, siempre que de ello no derive una carga desproporcionada para el afectado, bajo apercibimiento de incurrir en delito de desobediencia.

Esta disposición no será aplicable al investigado o encausado, a las personas que están dispensadas de la obligación de declarar por razón de parentesco y a aquellas que, de conformidad con el artículo 416.2, no pueden declarar en virtud del secreto profesional.

CAPÍTULO IX

Registros remotos sobre equipos informáticos

Artículo 588 septies a. *Presupuestos.*—1. El juez competente podrá autorizar la utilización de datos de identificación y códigos, así como la instalación de un software, que permitan, de forma remota y telemática, el examen a distancia y sin conocimiento de su titular o usuario del contenido de un ordenador, dispositivo electrónico, sistema informático, instrumento de almacenamiento masivo de datos informáticos o base de datos, siempre que persiga la investigación de alguno de los siguientes delitos:

a) Delitos cometidos en el seno de organizaciones criminales.

b) Delitos de terrorismo.

c) Delitos cometidos contra menores o personas con capacidad modificada judicialmente.

d) Delitos contra la Constitución, de traición y relativos a la defensa nacional.

e) Delitos cometidos a través de instrumentos informáticos o de cualquier otra tecnología de la información o la telecomunicación o servicio de comunicación.

2. La resolución judicial que autorice el registro deberá especificar:

a) Los ordenadores, dispositivos electrónicos, sistemas informáticos o parte de los mismos, medios informáticos de almacenamiento de datos o bases de datos, datos u otros contenidos digitales objeto de la medida.

b) El alcance de la misma, la forma en la que se procederá al acceso y aprehensión de los datos o archivos informáticos relevantes para la causa y el software mediante el que se ejecutará el control de la información.

c) Los agentes autorizados para la ejecución de la medida.

d) La autorización, en su caso, para la realización y conservación de copias de los datos informáticos.

e) Las medidas precisas para la preservación de la integridad de los datos almacenados, así como para la inaccesibilidad o supresión de dichos datos del sistema informático al que se ha tenido acceso.

3. Cuando los agentes que lleven a cabo el registro remoto tengan razones para creer que los datos buscados están almacenados en otro sistema informático o en una parte del mismo, pondrán este hecho en conocimiento del juez, quien podrá autorizar una ampliación de los términos del registro.

Artículo 588 septies b. *Deber de colaboración.*—1. Los prestadores de servicios y personas señaladas en el artículo 588 ter e y los titulares o responsables del sistema informático o base de datos objeto del registro están obligados a facilitar a los agentes investigadores la colaboración precisa para la práctica de la medida y el acceso al sistema. Asimismo, están obligados a facilitar la asistencia necesaria para que los datos e información recogidos puedan ser objeto de examen y visualización.

2. Las autoridades y los agentes encargados de la investigación podrán ordenar a cualquier persona que conozca el funcionamiento del sistema informático o las medidas aplicadas para proteger los datos informáticos contenidos en el mismo que facilite la información que resulte necesaria para el buen fin de la diligencia.

Esta disposición no será aplicable al investigado o encausado, a las personas que están dispensadas de la obligación de declarar por razón de parentesco, y a aquellas que, de conformidad con el artículo 416.2, no pueden declarar en virtud del secreto profesional.

3. Los sujetos requeridos para prestar colaboración tendrán la obligación de guardar secreto acerca de las actividades requeridas por las autoridades.

4. Los sujetos mencionados en los apartados 1 y 2 de este artículo quedarán sujetos a la responsabilidad regulada en el apartado 3 del artículo 588 ter e.

Artículo 588 septies c. *Duración.*—La medida tendrá una duración máxima de un mes, prorrogable por iguales períodos hasta un máximo de tres meses.

CAPÍTULO X

Medidas de aseguramiento

Artículo 588 octies. *Orden de conservación de datos.*—El Ministerio Fiscal o la Policía Judicial podrán requerir a cualquier persona física o jurídica la conservación y protección de datos o informaciones concretas incluidas en un sistema informático de almacenamiento que se encuentren a su disposición hasta que se obtenga la autorización judicial correspondiente para su cesión con arreglo a lo dispuesto en los artículos precedentes.

Los datos se conservarán durante un periodo máximo de noventa días, prorrogable una sola vez hasta que se autorice la cesión o se cumplan ciento ochenta días.

El requerido vendrá obligado a prestar su colaboración y a guardar secreto del desarrollo de esta diligencia, quedando sujeto a la responsabilidad descrita en el apartado 3 del artículo 588 ter e.

11. JURISPRUDENCIA

1. **STS, Sala de lo Penal, 26 de abril de 2016. Ponente: Carlos Granados Pérez (LA LEY 35737/2016)**

Normas de funcionamiento del Sistema Integrado de Interceptación de Telecomunicaciones

«Conviene recordar sobre el sistema SITEL que las acreditaciones individualizadas a los miembros de las unidades de investigación para acceder al sistema, autorizaciones que únicamente permiten visualizar el contenido pero nunca modificarlo, son pues usuarios pasivos de la información. Y cumpliendo lo ordenado por la autoridad judicial proceden a volcar a un soporte, CD/DVD, el contenido de la intervención correspondiente, volcado que implica nueva certificación digital de cada soporte empleado con las siguientes precisiones:

a) Ese volcado se realiza desde los centros remotos y utilizando los terminales del SITEL

b) Se verifica de fecha a fecha, es decir, que comienza con el primer día de la intervención e incorpora la totalidad de las conversaciones y datos asociados producidos hasta la fecha que se indique al sistema, que será la señalada por el juzgado para que se le dé cuenta (semanal o quincenalmente) o la necesaria para solicitar la prórroga de la intervención.

c) La realización de sucesivos volcados de la intervención a los soportes CD/DVD se lleva a cabo sin solución de continuidad, enlazando los periodos temporales hasta que finaliza la intervención, de forma que los CD/DVD aportados de esta manera al Juzgado contienen íntegramente la intervención correspondiente por lo que son los soportes que han de emplear para la solicitud de la prueba, en el caso de que sea necesario, para el acto del juicio oral. Desde un equipo remoto no es posible modificar ni borrar absolutamente nada del servidor central del SITEL. El soporte DVD en el que se vuelca la intervención telefónica se trata de un soporte de solo lectura, porque así lo han acordado llevar a cabo, es decir, se trata de un soporte en el que no se puede grabar sobre el mismo.

d) Las transcripciones de parte de las conversaciones no implican más que una herramienta de facilitación del trabajo al Juez. El contenido de las conversaciones y datos asociados queda íntegramente grabado en el Servidor Central del SITEL, y no es posible su borrado sin autorización judicial específica, sin que sea posible su alteración porque queda registrado en el sistema cualquier intento de manipulación y ello de forma indeleble. La aportación de los soportes CD/DVD en los que se ha volcado la información, se efectúa por los responsables de las unidades de investigación y amparadas por la intervención que realiza el funcionario policial que actúa como secretario de las mismas.

e) En cualquier momento del proceso es posible la verificación de la integridad de los contenidos volcados a los soportes CD/DVD entregados en el juzgado, mediante su contraste con los que quedan registrados en el Servidor Central del SITEL a disposición de la autoridad judicial. Este contraste puede realizarse por el juzgado en los terminales correspondientes para acreditar su identidad con la "matriz" del servidor central».

2. **STS, Sala de lo Penal, 19 de mayo de 2015. Ponente: Manuel Marchena Gómez (LA LEY 57273/2015)**

Deberá aportarse un dictamen pericial cuando se impugne la impresión de conversaciones mantenidas a través de sistemas de mensajería instantánea

«Respecto a la queja sobre la falta de autenticidad del diálogo mantenido por Ana María con Constancio a través del Tuenti, la Sala quiere puntualizar una idea básica. Y es que la prueba de una comunicación bidireccional mediante cualquiera de los múltiples sistemas de mensajería instantánea debe ser abordada con todas las cautelas. La posibilidad de una manipulación de los archivos digitales mediante los que se materializa ese intercambio de ideas, forma parte de la realidad de las cosas. El anonimato que autorizan tales sistemas y la libre creación de cuentas con una identidad fingida, hacen perfectamente posible aparentar una comunicación en la que un único usuario se relaciona consigo mismo. De ahí que la impugnación de la autenticidad de cualquiera de esas conversaciones, cuando son aportadas a la causa mediante archivos de impresión, desplaza la carga de la prueba hacia quien pretende aprovechar su idoneidad probatoria. Será indispensable en tal caso la práctica de una prueba pericial que identifique el verdadero origen de esa comunicación, la identidad de los interlocutores y, en fin, la integridad de su contenido».

3. **STS, Sala de lo Penal, 4 de abril de 2016. Ponente: Francisco Monterde Ferrer (LA LEY 41223/2016)**

Requisitos para acordar la intervención de las comunicaciones del investigado

«En relación a las intervenciones telefónicas efectuadas en la instrucción, es preciso deslindar con claridad dos niveles de control coincidentes con la doble naturaleza que pueden tener tales intervenciones, ya que pueden operar en el proceso como fuente de prueba y por tanto como medio de investigación, o pueden operar como prueba directa en sí. Es claro que la naturaleza y entidad de los requisitos, así como las consecuencias de su inobservancia son substancialmente diferentes. En efecto, como fuente de prueba y medio de investigación, debe respetarse unas claras exigencias de legalidad constitucional, cuya observancia es del todo punto necesaria para la validez de la intromisión en la esfera de la privacidad de las personas, en este sentido los requisitos son tres:

1) Judicialidad de la medida.

2) Excepcionalidad de la medida.

3) Proporcionalidad de la medida.

Y, evidentemente, de la nota de la judicialidad de la medida se derivan como consecuencias las siguientes:

a) Que solo la autoridad judicial competente puede autorizar el sacrificio del derecho a la intimidad.

b) Que dicho sacrificio lo es con la finalidad exclusiva de proceder a la investigación de un delito concreto y a la detención de los responsables, rechazándose las intervenciones predelictuales o de prospección. Esta materia se rige por el principio de especialidad en la investigación.

c) Que por ello la intervención debe efectuarse en el marco de un proceso penal abierto, rechazándose la técnica de las Diligencias Indeterminadas.

d) Al ser medida de exclusiva concesión judicial, esta debe ser fundada en el doble sentido de adoptar la forma de auto y tener suficiente motivación o justificación de la medida, ello exige de la Policía solicitante la expresión de la noticia racional del hecho delictivo a comprobar y la probabilidad de su existencia, así como de la implicación posible de la persona cuyo teléfono es el objeto de la intervención. Los datos que deben ser facilitados por la Policía tienen que tener una objetividad suficiente que los diferencia de la mera intuición policial o conjetura. Tienen que ser objetivos en el doble sentido de ser accesibles a terceros y, singularmente, al Juez que debe autorizarla o no, pues de lo contrario se estaría en una situación ajena a todo posible control judicial, y es obvio que el Juez, como director de la encuesta judicial no puede adoptar el pasivo papel del vicario de la actividad policial que se limita a aceptar sin control alguno lo que le diga la policía en el oficio, y obviamente, el control carece de ámbito si sólo se comunican intuiciones, opiniones, corazonadas o juicios de valor».

4. STS, Sala de lo Penal, 20 de abril de 2016. Ponente: Manuel Marchena Gómez (LA LEY 32932/2016)

Se vulnera la prohibición de adentrarse en el espacio de exclusión protegido cuando, sin autorización judicial y para sortear los obstáculos propios de la tarea de fiscalización, se recurre a un utensilio óptico (prismáticos) que permite ampliar las imágenes y salvar la distancia entre el observante y lo observado

«Lo que se trata de decidir no es otra cosa que la validez de la observación realizada por los agentes de la policía del interior de la vivienda del principal acusado —situada en el décimo piso de un edificio de viviendas— desde un inmueble próximo, valiéndose para ello de unos prismáticos. Los Jueces de instancia concluyen —a partir de un laborioso análisis de precedentes de esta Sala— que no ha existido intromisión ilegítima en el ámbito de la intimidad, pues "... la observación del interior de la morada se produce a través de aquello que los moradores han permitido ver a través de la ventana".

La Sala no puede identificarse con este criterio a la hora de definir el contenido material del derecho a la inviolabilidad del domicilio (art. 18.2 CE). Es cierto que ningún derecho fundamental vulnera el agente que percibe con sus ojos lo que está al alcance de cualquiera. El agente de policía puede narrar como testigo cuanto vio y observó cuando realizaba tareas de vigilancia y seguimiento. Nuestro sistema constitucional no alza ningún obstáculo para llevar a cabo, en el marco de una investigación penal, observaciones y seguimientos en recintos públicos. A juicio de la Sala, sin embargo, la fijación del alcance de la protección constitucional que dispensa el art. 18.2 de la CE sólo puede obtenerse adecuadamente a partir de la idea de que el acto de injerencia domiciliaria puede ser de naturaleza física o virtual. En efecto, la tutela constitucional del derecho proclamado en el apartado 2 del art. 18 de la CE protege, tanto frente a la irrupción inconsentida del intruso en el escenario doméstico, como respecto de la observación clandestina de lo que acontece en su interior, si para ello es preciso valerse de un artilugio técnico de grabación o aproximación de las imágenes. El Estado no puede adentrarse sin autorización judicial en el espacio de exclusión que cada ciudadano dibuja frente a terceros. Lo proscribe el art. 18.2 de la CE. Y se vulnera esa prohibición cuando sin autorización judicial y para sortear los obstáculos propios de la tarea de fiscalización, se recurre a un utensilio óptico que permite ampliar las imágenes y salvar la distancia entre el observante y lo observado.

[...]

La protección constitucional de la inviolabilidad del domicilio, cuando los agentes utilizan instrumentos ópticos que convierten la lejanía en proximidad, no puede ser neutralizada con el argumento de que el propio morador no ha colocado obstáculos que impidan la visión exterior. El domicilio como recinto constitucionalmente protegido no deja de ser domicilio cuando las cortinas no se hallan debidamente cerradas. La expectativa de intimidad, en fin, no desaparece por el hecho de que el titular o usuario de la vivienda no refuerce los elementos de exclusión asociados a cualquier inmueble. Interpretar que unas persianas no bajadas o unas cortinas no corridas por el morador transmiten una autorización implícita para la observación del interior del inmueble, encierra el riesgo de debilitar de forma irreparable el contenido material del derecho a la inviolabilidad domiciliaria».

5.   SAP Barcelona, Sección 7.ª, 29 de enero de 2008. Ponente: Ana Rodríguez Santamaría (LA LEY 1874/2008)

La pericial informática debe realizarse sobre copias clónicas de los originales para garantizar la integridad de la evidencia digital

«Es verdad, que como recuerda Jose Enrique Vocal de la Junta de Gobierno del Colegio Oficial de Ingenieros en Informática de la Comunidad Valenciana (COIICV) en su ponencia sobre la pericial informática, "el objetivo de un peritaje de este tipo es presentar el contenido de archivos que puedan tener relevancia jurídica, informando de su significado y características, teniendo en cuenta además que el peritaje ha de poder ser repetido, por lo que no se pueden alterar los elementos informáticos originales trabajándose siempre sobre copias clónicas". También es verdad que en este caso no se hicieron las copias de seguridad de todos los archivos encontrados, pero no es menos cierto que los peritos ya en la diligencia de apertura de correo electrónico celebrada a presencia judicial, de los inculpados hasta entonces comparecidos y de sus defensas el 20 de junio de 1997, pusieron de manifiesto que no había realizado modificación alguna en los archivos y que tan solo habían introducido una utilidad a fin de poder imprimir».

6.   STS, Sala de lo Penal, 8 de junio de 2016. Ponente: Cándido Conde-Pumpido Tourón (LA LEY 61405/2016)

La cadena de custodia constituye un presupuesto para la valoración de la pieza o elemento intervenido y su ruptura repercute sobre la fiabilidad y autenticidad de las pruebas

«La cadena de custodia es el proceso que transcurre desde que los agentes policiales intervienen un efecto del delito que puede servir como prueba de cargo, hasta que se procede a su análisis, exposición o examen en la instrucción o en el juicio. Proceso que debe garantizar que el efecto que se ocupó es el mismo que se analiza o expone y que no se han producido alteraciones, manipulaciones o sustituciones, intencionadas o descuidadas.

Esta Sala no mantiene una concepción formal, sino material de la cadena de custodia. Así ha establecido que la integridad de la cadena de custodia debe garantizar que desde que se recogen los vestigios relacionados con el delito hasta que llegan a concretarse como pruebas en el momento del juicio, aquello que se ha recogido y aquello sobre lo que recaerá la inmediación, publicidad y contradicción de las partes y, en definitiva, el juicio del Tribunal, es lo mismo.

[...]

También se ha dicho que la regularidad de la cadena de custodia constituye un presupuesto para la valoración de la pieza o elemento de convicción intervenido; se asegura de esa forma que lo que se analiza es justamente lo ocupado y que no ha sufrido alteración alguna (STS 1072/2012, de 11 de diciembre [LA LEY 220299/2012]). Y en cuanto a los efectos que genera lo que se conoce como ruptura de la cadena de custodia, esta Sala tiene afirmado que repercute sobre la fiabilidad y autenticidad de las pruebas (STS 1029/2013 [LA LEY 230059/2013], de 28 de diciembre). Y también se ha advertido que la ruptura de la cadena de custodia puede tener una indudable influencia en la vulneración de los derechos a un proceso con todas las garantías y a la presunción de inocencia, pues resulta imprescindible descartar la posibilidad de que la falta de control administrativo o jurisdiccional sobre las piezas de convicción del delito pueda generar un equívoco acerca de qué fue lo realmente traficado, su cantidad, su pureza o cualesquiera otros datos que resulten decisivos para el juicio de tipicidad. Lo contrario podría implicar una más que visible quiebra de los principios que definen el derecho a un proceso justo».

7. STS, Sala de lo Penal, 17 de marzo de 2006. Ponente: José Ramón Soriano Soriano (LA LEY 21830/2006)

Requisitos para la válida incorporación de grabaciones videográficas al proceso penal

«La forma de incorporar como prueba las referidas grabaciones al proceso infringe la doctrina del Tribunal Constitucional y de esta Sala, impuesta para su validez probatoria, si no ha mediado el correspondiente control judicial, en evitación de alteraciones, trucajes o montajes fraudulentos o simples confusiones, todo ello al solo objeto de garantizar la autenticidad de tal material probatorio.

Nos recuerda el censurante las exigencias requeridas por esta Sala para la eficacia del videograma como prueba de cargo:

a) el primer condicionamiento está integrado por la supervisión judicial de las condiciones de la captación de imágenes, que en todo caso han de ser respetuosas con el derecho a la intimidad personal y a la inviolabilidad domiciliaria.

b) comunicación o puesta a disposición judicial del material videográfico grabado en evitación de manipulaciones.

c) aportación de los soportes originales en los que se incorporan las imágenes captadas.

d) aportación íntegra de lo filmado (lógicamente que tenga relación con la investigación del delito), a fin de posibilitar la selección judicial de las imágenes relevantes para la causa».

Capítulo V.

La prueba electrónica en el proceso laboral

1. NUEVAS TECNOLOGÍAS Y RELACIÓN LABORAL

La Ley Reguladora de la Jurisdicción Social regula de forma flexible los medios de prueba que las partes pueden aportar para defender sus respectivos intereses. En este sentido, el artículo 90 de la citada Ley establece que *«Las partes, previa justificación de la utilidad y pertinencia de las diligencias propuestas, podrán servirse de cuantos medios de prueba se encuentren regulados en la Ley para acreditar los hechos controvertidos o necesitados de prueba, incluidos los procedimientos de reproducción de la palabra, de la imagen y del sonido o de archivo y reproducción de datos, que deberán ser aportados por medio de soporte adecuado y poniendo a disposición del órgano jurisdiccional los medios necesarios para su reproducción y posterior constancia en autos»*.

De esta manera, no se establece una lista cerrada de medios de prueba, sino que, por el contrario —siguiendo la línea del artículo 299.3 LEC— se permite la aportación de otras pruebas que permitan obtener certeza sobre los hechos.

En el ámbito laboral, las cuestiones que resultan más interesantes en la práctica forense son aquellas relacionadas con la aportación de pruebas electrónicas que afectan a derechos fundamentales del trabajador, en concreto, el derecho a la intimidad o el derecho al secreto de las comunicaciones. En efecto, en la «era digital» la prestación laboral se desarrolla en muchas ocasiones en entornos digitales, ya sea a través del tratamiento de información digital (*software*, servidores informáticos, archivos digitales, etc.), ya sea a través de sistemas de comunicación electrónica (e-mails, WhatsApp, SMS, aplicaciones de mensajería instantánea, etc.). Esta actividad digital genera evidencias que pueden ser utilizadas por el empresario para probar determinadas conductas infractoras en el ámbito laboral. Piénsese, por ejemplo, en los casos de competencia desleal, utilización de información confidencial, uso indebido o abusivo de los medios puestos a disposición del trabajador, etc.

La celebración de un contrato de trabajo no implica que el trabajador quede privado de sus derechos, dado que la libertad de empresa (artículo 38 CE) no legitima limitaciones injustificadas de los derechos fundamentales y libertades públicas (SSTC 197/1998, 98/200). Sin embargo, la relación laboral puede modular el alcance de los derechos fundamentales en virtud del poder que la Ley confiere al empresario en el desarrollo de su faceta directiva y de organización. De este modo existe la posibilidad de que el empresario pueda controlar el uso de las herramientas de trabajo, entre ellas, las informáticas. Esta facultad está reconocida en el artículo 20.3 del Texto Refundido del Estatuto de los Trabajadores cuando señala que *«el empresario podrá adoptar las medidas que estime más oportunas de vigilancia y control para verificar el cumplimiento por el trabajador de sus obligaciones y deberes laborales, guardando en su adopción y aplicación la consideración debida a su dignidad y teniendo en cuenta, en su caso, la capacidad real de los trabajadores con discapacidad»*.

Estas medidas, adoptadas en el ejercicio de la potestad de organización empresarial, cuando implican la restricción de derechos fundamentales del trabajador (por ejemplo, el registro de herramientas de trabajo que puedan albergar, además, contenidos íntimos o comunicaciones personales del empleado), deben superar un test de proporcionalidad (STC 96/2012) para que puedan considerarse válidas y eficaces. En tal sentido, la jurisprudencia exige la concurrencia de cuatro requisitos:

— **Idoneidad.** En efecto, la restricción de derechos impuesta al trabajador debe servir para conocer la conducta que desplieguen los trabajadores en el desarrollo de su actividad laboral.

— **Necesidad.** No debe existir otra medida menos gravosa para los derechos fundamentales que tenga igual eficacia.

— **Ponderación.** La medida adoptada por el empresario debe generar más beneficios o ventajas para el interés general que perjuicios sobre los bienes o valores en conflicto.

— **Justificación.** Debe responder a motivaciones objetivas, distintas de la simple conveniencia empresarial, y no responder a un acto arbitrario o caprichoso.

Como hemos comentado anteriormente, en la práctica forense el empresario, en ciertos procedimientos, aporta pruebas electrónicas con las que pretende acreditar incumplimientos laborales. En estos supuestos, surgen dudas acerca de la validez y eficacia probatoria de tales medios propuestos por el empresario. Estas cuestiones resultan de vital importancia por cuanto, si la prueba se ha obtenido con vulneración de algún derecho fundamental, va a ser declarada nula y no se va a poder valorar por el Tribunal (artículo 11.1 LOPJ). Por tal motivo, debemos centrarnos en dos supuestos que se han analizado por la jurisprudencia en repetidas ocasiones, esto es, el control empresarial del ordenador utilizado por el trabajador y la instalación de cámaras de videovigilancia.

2. CONTROL POR EL EMPRESARIO DE LOS MEDIOS INFORMÁTICOS

La doctrina del Tribunal Supremo sobre esta cuestión se asienta, básicamente, en la Sentencia de 26 de septiembre de 2007 y en la Sentencia de 8 de marzo de 2011. En el primer caso, se analiza la procedencia del despido de un directivo que había utilizado el ordenador de la empresa, durante sus horas de trabajo, para visitar páginas de contenido pornográfico. Tras una revisión técnica del ordenador por los fallos que presentaba, se encontraron virus informáticos y una carpeta con archivos temporales de contenido pornográfico que se almacenaron en un dispositivo USB que quedó en custodia de Notario, así como el historial de navegación. En el segundo caso, el trabajador había utilizado el ordenador para visitar de manera asidua y durante su jornada laboral páginas sobre contenido multimedia, piratería informática, anuncios, televisión, contactos, etc. En ambos supuestos la empresa utilizó como prueba electrónica los datos obtenidos mediante el examen directo del ordenador del trabajador para justificar su despido.

El Tribunal Supremo unificó doctrina sobre esta cuestión efectuando las siguientes manifestaciones:

— El uso por el trabajador de los medios informáticos facilitados por la empresa puede producir conflictos que afectan a la intimidad de los trabajadores, tanto en el uso del correo electrónico (en el que también estaría concernido el derecho al secreto de las comunicaciones), como en la navegación por Internet y en el acceso a ciertos archivos personales del ordenador.

— Estos conflictos surgen porque existe una utilización personal y no meramente laboral o profesional del medio facilitado por la empresa. Esta utilización se produce por la dificultad práctica de establecer una prohibición absoluta del uso personal. En este sentido, deben tenerse en cuenta los usos sociales que implican una cierta tolerancia del empresario cuando se realiza un uso moderado de los medios de la empresa.

— Debe tenerse en cuenta que los medios facilitados al trabajador (ordenador, teléfono, fax, etc.) son propiedad de la empresa para que aquel pueda desarrollar adecuadamente su actividad laboral. Por tanto, el uso por el trabajador de estos medios quedaría englobado dentro del ámbito del poder de vigilancia del empresario (artículo 20.3 ET).

— Estas medidas de control por el empresario se extienden, lógicamente, a los medios informáticos. En efecto, el ordenador es un instrumento de producción cuya propiedad es del empresario y éste tiene, por tanto, facultades de control de su uso que incluyen también su examen. Por tal motivo, no se aplican las normas sobre registros de las pertenencias del trabajador (artículo 18 ET). La diferencia entre la taquilla del trabajador y los medios informáticos es que la primera forma parte de la esfera privada de aquel y queda fuera del ámbito de ejecución del contrato de trabajo al que se extiende el poder empresarial.

— Para practicar registros informáticos en el ámbito laboral no hace falta que esté en juego la protección del patrimonial empresarial o de los demás trabajadores de la empresa. Tampoco se 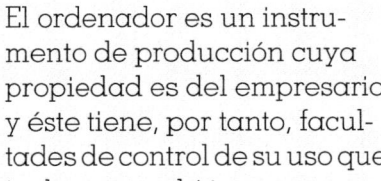 El ordenador es un instrumento de producción cuya propiedad es del empresario y éste tiene, por tanto, facultades de control de su uso que incluyen también su examen

requiere una justificación específica caso por caso. De igual manera, al no aplicarse las garantías reforzadas del registro personal (artículo 18 ET), no se exige que este registro informático se realice en presencia del trabajador y de terceras personas.

— La cuestión principal que se plantea en estos supuestos es determinar qué límites tiene el empresario en su poder de examinar los medios informáticos puestos a disposición del trabajador. Para valorar esta cuestión, debe recordarse que existe un hábito social generalizado de tolerancia con ciertos usos personales moderados de estos medios. Esta tolerancia crea una expectativa general de confidencialidad que no puede ser desconocida por el empresario. Sin embargo, esta expectativa no puede convertirse en un impedimento permanente del control empresarial, pues aunque el trabajador tiene derecho a la intimidad, no puede imponer ese respeto cuando utiliza un medio proporcionado por la empresa en contra de las instrucciones establecidas por ésta para su uso y al margen de los controles previstos para su utilización y para garantizar la permanencia del servicio.

—La empresa está facultada para establecer, de acuerdo con las exigencias de una buena fe, unas reglas de uso de los medios informáticos que pueden incluir prohibiciones absolutas (por ejemplo, no utilizar el ordenador para ningún fin personal) o relativas (no visitar determinados tipos de páginas web). Estas reglas se pueden fijar a través de un protocolo, instrucción, circular o convenio, así como incorporarse expresamente en el contrato de trabajo. En tal caso, se debe informar a los trabajadores del establecimiento de estas medidas de control y de los medios que se van a aplicar para garantizar su efectiva utilización laboral. En esta misma línea, la empresa puede bloquear los ordenadores para evitar determinadas conexiones.

— Si la empresa establece estos controles y el trabajador utiliza estos medios en contra de dichas prohibiciones, no puede entenderse vulnerada, cuando se realice el examen del ordenador o teléfono, la «expectativa razonable de intimidad» en los términos definidos por las Sentencias del Tribunal Europeo de Derechos Humanos en el caso Halford y en el caso Copland[193].

— El derecho a la intimidad se extiende a los archivos personales del trabajador que se encuentran en el ordenador. De igual manera, esta garantía de protección se extiende a los llamados archivos temporales, que son copias que se guardan automáticamente en el disco duro de los lugares visitados a través de Internet. Estas «huellas de la navegación» por Internet se integran dentro del ámbito de pro-

---

[193] *Vid.* STEDH de 3 de abril de 2007 (TEDH/2007/23). En este caso, el TEDH analiza los controles empresariales efectuados a una trabajadora respecto del uso del teléfono, la navegación en Internet y del correo electrónico con objeto de constatar si los utiliza con fines privados. Concretamente, y en los que hace a la navegación por Internet, los controles arbitrados consistieron en el análisis de las páginas webs visitadas, la fecha, hora y duración de las visitas. Por lo que respecta al correo electrónico, el control se efectuó constatando los destinatarios de los mensajes y las horas en que se enviaban. Por último, el uso del teléfono se controló examinando la factura telefónica donde se especificaban las llamadas entrantes y salientes, los números de teléfono a los que se llamaba y la duración de estas llamadas. El TEDH considera que, a pesar de la diferencia entre vida privada y profesional, las llamadas telefónicas que proceden del ámbito laboral también forman parte del concepto «vida privada» y «correspondencia» que contempla el art. 8.1 del CEDH. Siendo así, razona el Tribunal, también debe asignarse esa naturaleza a los correos electrónicos que provienen del lugar de trabajo y a la información que deriva del uso personal de Internet, carácter privado que prevalece en todos los casos al no haber sido advertida la trabajadora de que se la iba a controlar. *Vid.* Carrizosa Prieto, E., «El control empresarial sobre el uso de los equipos informáticos y la protección del derecho a la intimidad de los trabajadores», *Temas Laborales: Revista andaluza de trabajo y bienestar social*, núm. 116, 2012, pp. 251-268.

tección del derecho a la intimidad, pues, en definitiva, esos archivos pueden contener datos sensibles que sean reveladores de ciertos aspectos de la vida privada (ideología, orientación sexual, aficiones personales, etc.).

Posteriormente, el Tribunal Supremo confirmó, en la Sentencia de 6 de octubre de 2011, la validez de las prohibiciones absolutas de uso personal de las herramientas informáticas. En este caso, se trataba del despido de una trabajadora que había utilizado el ordenador de la empresa para visitas constantes a páginas de ventas de artículos de segunda mano, agencias de viajes, páginas de ofertas de empleo, etc. La empresa había comunicado a todo el personal la prohibición de utilizar para asuntos propios cualquier medio de la empresa debido a que averiguó que algún trabajador estaba utilizando el ordenador para «chatear». Con el fin de vigilar el cumplimiento de dicha prohibición, se instaló en el ordenador de la trabajadora un *software* que permitía la visualización posterior de las páginas web que había visitado. Tras ello, se procedió a la visualización del proceso de monitorización del su ordenador, que revelaba su uso indebido. En esta ocasión, el Tribunal Supremo estableció que la prohibición absoluta establecida por la empresa y debidamente comunicada a los trabajadores descartaba cualquier margen de tolerancia y rompía cualquier expectativa de intimidad. La comunicación llevaba implícita la advertencia sobre el posible control por el empresario, que se hacía extensiva también al derecho al secreto de las comunicaciones (artículo 18.3 CE). Al no existir margen de tolerancia, el trabajador debía saber que el uso personal estaba prohibido por el empresario y, por tanto, no podía alegar en su defensa la existencia de una expectativa de intimidad.

El Tribunal Constitucional también ha tenido la ocasión de pronunciarse sobre estas cuestiones. En este sentido, la STC 241/2012 analizaba el caso de dos trabajadoras que, sin autorización ni conocimiento de la empresa, instalaron en el equipo informático que tenían para realizar sus funciones de teleoperadoras un programa de mensajería instantánea con el que llevaron a cabo, entre ellas, diversas conversaciones en las que vertían comentarios críticos, despectivos o insultantes en relación con compañeros de trabajo, superiores y clientes. Dichas conversaciones fueron descubiertas por casualidad por un empleado que intentó utilizar la unidad común de disco duro. Tras informar dicho trabajador a la empresa, se convocó a las trabajadoras a una reunión en las que se leyeron algunas conservaciones. Las trabajadoras reconocieron que habían mantenido dichas conversaciones, aunque estaban sacadas de contexto. La empresa amonestó verbalmente a las trabajadoras, lo que motivó que éstas interpusieran una demanda por vulneración del derecho al secreto de las comunicaciones, el honor y la intimidad.

En el caso comentado, el Tribunal Constitucional consideró que no se vulnera el derecho a la intimidad y al secreto de las comunicaciones, pues las trabajadoras incluyeron las conservaciones que habían mantenido en un ordenador público. En efecto, dichas conversaciones podían leerse por cualquier otro trabajador y podía trascender su conocimiento a terceras personas. Esta organización empresarial, que imponía el uso común del disco duro por todos los empleados, permite considerar que la información archivada en el disco duro era incompatible con los usos personales. En definitiva, las trabajadoras conculcaron una prohibición expresa establecida por la empresa y, por tanto, no existía una situación de tolerancia a la instalación de programas. Por todo ello, no podía existir una expectativa razonable de confidencialidad derivada de la utilización del programa de mensajería instantánea, al tener un acceso totalmente abierto y haberse instalado contraviniendo las facultades de organización interna establecidas por el empresario.

Finalmente, debemos mencionar la STC 170/2013, que analizó un caso interesante: la utilización por un trabajador del correo electrónico y de su teléfono móvil para suministrar información confidencial a empresas de la competencia. Debido a las sospechas que tenía la empresa, se requirió la presencia de un Notario, al que se le entregó el teléfono móvil y un ordenador portátil. El fedatario público comprobó los mensajes de SMS que se habían enviado desde el teléfono del trabajador a una empresa de la competencia. En cuanto al ordenador, se procedió en la Notaría, en presencia de un trabajador y de un técnico informático, a efectuar una copia íntegra del disco duro, sin posibilidad de modificar sus datos. Un informe pericial informático examinó el soporte digital de almacenamiento y concluyó que el trabajador había utilizado dicho ordenador para enviar correos electrónicos a la competencia.

La empresa despidió al trabajador alegando transgresión de la buena fe contractual al haber llevado a cabo conductas de máxima deslealtad. Tras sucesivas instancias judiciales, el Tribunal Constitucional consideró que debía partirse de la prohibición establecida en el Convenio Colectivo del sector sobre la utilización de medios informáticos para fines distintos de la prestación laboral. Dicha prohibición, aunque no se haya plasmado en una instrucción interna de la empresa, debe considerarse válida y vigente siempre que la empresa no la haya atenuado. Esta prohibición expresa implica, a su vez, la facultad del empresario de controlar las herramientas informáticas, lo que hace desaparecer cualquier expectativa de confidencialidad. En esas condiciones, el registro del ordenador, realizado en presencia de fedatario público y del trabajador y por un técnico especialista que garantice la no manipulación del contenido, no vulnera el derecho a la intimidad pues, en definitiva, el «canal» de comunicación debe considerarse abierto. Como se puede observar, en este caso, la empresa actuó con suma diligencia a la hora de recopilar las pruebas que posteriormente iba a utilizar en defensa de sus derechos en un hipotético juicio.

En definitiva, el Tribunal Constitucional entendió que la medida empresarial fue proporcionada al cumplir los siguientes requisitos. En primer lugar, había «justificación para llevarla a cabo», dado que existían sospechas de comportamiento irregular del trabajador. En segundo lugar, la medida era «idónea y necesaria», pues pretendía verificar la comisión de la irregularidad mediante la aportación del texto de los correos electrónicos que servían de prueba del incumplimiento laboral. Y, finalmente, era una medida «proporcionada», porque solo se accedió a la información relativa a la actividad empresarial, sin incluir aspectos personales del trabajador.

3. VIDEOVIGILANCIA EN EL ÁMBITO LABORAL

Las grabaciones de las cámaras de videovigilancia constituyen, en ocasiones, prueba electrónicas que el empresario aporta en juicio para justificar el despido de un trabajador. Piénsese, por ejemplo, en una grabación donde se observa a un trabajador coger dinero de la caja o sustraer mercancías.

Al igual que en el caso de los e-mails y otros medios informáticos, la cuestión fundamental relativa a esta prueba electrónica radica en analizar su validez y eficacia en el proceso laboral.

En este caso, el Tribunal Constitucional considera que el derecho fundamental afectado por la medida es el derecho a la libertad informática o derecho a la autodeterminación informativa previsto en el artículo 18.4 CE. Este derecho fundamental —fruto de las modernas técnicas de comunicación y el tratamiento masivo de datos de carácter personal— tiene por objeto garantizar la facultad de las personas para conocer y acceder a las informaciones que les conciernen, archivadas en bancos de datos *(habeas data)*; controlar su calidad, lo cual implica la posibilidad de corregir o cancelar los asientos inexactos o indebidamente procesados; disponer sobre su transmisión,...; en definitiva, este derecho entraña una facultad de decidir sobre la revelación y el uso de los datos personales, en todas las fases de elaboración y utilización de los mismos, es decir, su acumulación, su transmisión, su modificación y cancelación [194].

Una de las primeras sentencias dictadas por el Tribunal Constitucional en esta materia analizaba el caso de una empresa que, tras advertir que en la sección textil existía un importante descuadre de caja que pudiera deberse a un comportamiento irregular de los cajeros, encargó a una empresa de seguridad la instalación de un circuito cerrado de televisión. Dicho sistema se instaló de manera completamente secreta y enfocaba únicamente las tres cajas registradoras existentes en la sección y los correspondientes mostradores de paso de las mercancías. Dichas actuaciones de la empresa permitieron descubrir que tres cajeros estaban cometiendo graves irregularidades, por las que fueron sancionados, si bien solo se despidió a uno de ellos.

En este caso, la STC 186/2000 consideró que la empresa tenía derecho a la captación de imágenes mediante cámaras de video. El

---

[194] En la línea de la STEDH 2000/130, de 4 de mayo (Caso Rotaru). *Vid.* DE VICENTE PACHES, F.: «Las facultades empresariales de vigilancia y control en las relaciones de trabajo», *Tribuna Social*, núm. 57, 2004, p. 30.

parámetro de enjuiciamiento de estas medidas —según el Tribunal Constitucional— debía ser exclusivamente la idoneidad, estricta necesidad y proporcionalidad. Por tal motivo, denegó el amparo al recurrente y consideró válida la prueba electrónica aportada por la empresa, al no existir otros medios de control más inocuos para el derecho a la intimidad del trabajador.

Unos años más tarde, el Tribunal Constitucional, en la STC 29/2013, analizó por primera vez esta cuestión desde la vertiente del derecho a la autodeterminación informativa. En este caso, la Universidad de Sevilla había utilizado las imágenes obtenidas por cámaras de videovigilancia instaladas en los accesos y recintos universitarios, sin ponerlo en conocimiento del trabajador, para sancionarle con suspensión de empleo y sueldo por incumplimiento de su jornada laboral. El punto de partida de la sentencia es el artículo 6.2 de la LO 15/1999, de 13 de diciembre, de protección de datos de carácter personal, según el cual: «*No será preciso el consentimiento cuando los datos de carácter personal se recojan para el ejercicio de las funciones propias de las Administraciones públicas en el ámbito de sus competencias; cuando se refieran a las partes de un contrato o precontrato de una relación negocial, laboral o administrativa y sean necesarios para su mantenimiento o cumplimiento; cuando el tratamiento de los datos tenga por finalidad proteger un interés vital del interesado en los términos del artículo 7, apartado 6, de la presente Ley, o cuando los datos figuren en fuentes accesibles al público y su tratamiento sea necesario para la satisfacción del interés legítimo perseguido por el responsable del fichero o por el del tercero a quien se comuniquen los datos, siempre que no se vulneren los derechos y libertades fundamentales del interesado*».

Dicho precepto establece, por tanto, la no necesidad de recabar el consentimiento del trabajador cuando los datos de carácter personal se refieren a las partes de un contrato laboral. Sin embargo, sí que existe la obligación del empresario de informar al trabajador sobre qué datos posee, cuáles quiere recopilar y con qué finalidad. La clave, por tanto, del enjuiciamiento de estas pruebas electrónicas se sitúa en la información previa suministrada al trabajador por cuanto la videovigilancia implica tratamiento de datos personales. De esta manera, el canon de enjuiciamiento no va a ser la idoneidad de la medida para el fin pretendido (control empresarial), sino el respeto al contenido efectivo del derecho a la autodeterminación informativa (artículo 18.4 CE).

Dado que la empresa no había informado previamente el trabajador de la instalación del sistema de videovigilancia en los accesos de la Universidad, el Tribunal Constitucional consideró que dicha prueba electrónica se había obtenido de manera ilícita por vulnerar el derecho a la autodeterminación informativa y, por tanto, era nula.

El Tribunal Constitucional en esta relevante sentencia, establece los requisitos de validez de estas pruebas electrónicas de videovigilancia, que son los siguientes [195]:

— Debe existir una sospecha razonable y objetivamente fundada de la existencia de un incumplimiento de las obligaciones por el trabajador o la realización de conductas ilícitas, especialmente si afectan al patrimonio de las empresas o de los compañeros de trabajo.

— Se debe respetar el principio de ponderación que se despliega, a su vez, en tres elementos: a) Idoneidad, esto es, la medida ha de permitir conseguir el objetivo propuesto. b) Necesidad, pues sólo se utilizará cuando no exista una posibilidad menos lesiva. c) Proporcionalidad en sentido estricto, de modo que sea equilibrada y de su utilización se deriven más ventajas que perjuicios.

— Debe ofrecerse información previa y expresa, clara e inequívoca, de la finalidad de control de la actividad laboral que tienen los dispositivos de filmación utilizados. A tal efecto, la empresa debe concretar las características y alcance de la recopilación de datos, debiendo especificarse especialmente si dichas imágenes pueden llegar a utilizarse para la imposición de sanciones disciplinarias por incumplimientos de las obligaciones derivadas del contrato de trabajo.

---

[195] *Vid.* Rodríguez Escanciano, S., «Posibilidades y límites en el uso de cámaras de videovigilancia dentro de la empresa. A propósito de la sentencia del Tribunal Constitucional de 3 de marzo de 2016», *Diario La Ley*, núm. 8747, 2016.

Por último, debemos mencionar la reciente STC 39/2016, que analiza el caso de una trabajadora de una cadena de ropa despedida tras observar, a través de las cámaras de videovigilancia, que se apropiaba de dinero de la caja. Tras detectar una serie de irregularidades, la cadena de ropa contrató los servicios de una empresa de seguridad para que instalara una cámara de seguridad. Dicho extremo no fue comunicado a los trabajadores, si bien en el escaparate del establecimiento, en lugar visible, se colocó un distintivo informativo, concretamente, el distintivo previsto en la Instrucción 1/1006, de 8 de noviembre, de la Agencia Española de Protección de Datos.

El Tribunal Constitucional consideró que el derecho a la autodeterminación informativa no se vulnera cuando los datos obtenidos a través de las cámaras de videovigilancia se utilicen exclusivamente para el control de la relación laboral (artículos 4 y 6.2 de la LO 15/1999). En consecuencia, cuando la finalidad del tratamiento de datos no guarda relación directa con el mantenimiento, desarrollo o control de la relación laboral, el empresario está obligado a solicitar el consentimiento de los trabajadores afectados.

La sentencia desestima el recurso de amparo al considerar que la trabajadora disponía de información previa sobre la instalación de la cámara de videovigilancia a través del distintivo informativo. Es suficiente, por tanto, que la trabajadora conozca la existencia del sistema de grabación, sin que la empresa tenga la obligación de especificar, más allá de la mera vigilancia, la finalidad exacta que persigue ese control. Lógicamente, deberá comprobarse que el dato obtenido a través de la videovigilancia guarde relación directa con el control de la relación laboral, pues en caso contrario, el empresario debe recabar el consentimiento expreso del trabajador afectado. En el caso enjuiciado, la sentencia destacó que la grabación de las imágenes se limitó a la zona de caja, lo que descartaba cualquier lesión al derecho a la intimidad personal.

De esta manera, el Tribunal Constitucional perfila su doctrina sobre esta materia, al considerar, en definitiva, que la instalación del distintivo informativo «Zona Videovigilada» cumple las exigencias de información al trabajador, sin que aquél deba informar de manera específica sobre la finalidad de dicho tratamiento de datos de carácter personal, siempre que, lógicamente, se desarrolle en el ámbito de la relación laboral (artículo 6.2 LO 15/1999). En cualquier caso, para que la prueba videográfica obtenida a través de estos medios sea lícita deberá superar el juicio de proporcionalidad en los términos anteriormente analizados, esto es, debiendo probarse su idoneidad, necesidad y justificación en el caso concreto.

4. LEGISLACIÓN

Estatuto de los Trabajadores (artículo 20)

Artículo 20. *Dirección y control de la actividad laboral.*—1. El trabajador estará obligado a realizar el trabajo convenido bajo la dirección del empresario o persona en quien este delegue.

2. En el cumplimiento de la obligación de trabajar asumida en el contrato, el trabajador debe al empresario la diligencia y la colaboración en el trabajo que marquen las disposiciones legales, los convenios colectivos y las órdenes o instrucciones adoptadas por aquel en el ejercicio regular de sus facultades de dirección y, en su defecto, por los usos y costumbres. En cualquier caso, el trabajador y el empresario se someterán en sus prestaciones recíprocas a las exigencias de la buena fe.

3. El empresario podrá adoptar las medidas que estime más oportunas de vigilancia y control para verificar el cumplimiento por el trabajador de sus obligaciones y deberes laborales, guardando en su adopción y aplicación la consideración debida a su dignidad y teniendo en cuenta, en su caso, la capacidad real de los trabajadores con discapacidad.

4. El empresario podrá verificar el estado de salud del trabajador que sea alegado por este para justificar sus faltas de asistencia al trabajo, mediante reconocimiento a cargo de personal médico. La negativa del trabajador a dichos reconocimientos podrá determinar la suspensión de los derechos económicos que pudieran existir a cargo del empresario por dichas situaciones.

Ley reguladora de la Jurisdicción Social (artículo 90)

Artículo 90. *Admisibilidad de los medios de prueba.*—1. Las partes, previa justificación de la utilidad y pertinencia de las diligencias propuestas, podrán servirse de cuantos medios de prueba se encuentren regulados en la Ley para acreditar los hechos controvertidos o necesitados de prueba, incluidos los procedimientos de reproducción de la palabra, de la imagen y del sonido o de archivo y reproducción de datos, que deberán ser aportados por medio de soporte adecuado y poniendo a disposición del órgano jurisdiccional los medios necesarios para su reproducción y posterior constancia en autos.

2. No se admitirán pruebas que tuvieran su origen o que se hubieran obtenido, directa o indirectamente, mediante procedimientos que supongan violación de derechos fundamentales o libertades públicas. Esta cuestión podrá ser suscitada por cualquiera de las partes o de oficio por el tribunal en el momento de la proposición de la prueba, salvo que se pusiese de manifiesto durante la práctica de la prueba una vez admitida. A tal efecto, se oirá a las partes y, en su caso, se practicarán las diligencias que se puedan practicar en el acto sobre este concreto extremo, recurriendo a diligencias finales solamente cuando sea estrictamente imprescindible y la cuestión aparezca suficientemente fundada. Contra la resolución que se dicte sobre la pertinencia de la práctica de la prueba y en su caso de la unión a los autos de su resultado o del elemento material que incorpore la misma, sólo cabrá recurso de reposición, que se interpondrá, se dará traslado a las demás partes y se resolverá oralmente en el mismo acto del juicio o comparecencia, quedando a salvo el derecho de las partes a reproducir la impugnación de la prueba ilícita en el recurso que, en su caso, procediera contra la sentencia.

3. Podrán asimismo solicitar, al menos con cinco días de antelación a la fecha del juicio, aquellas pruebas que, habiendo de practicarse en el mismo, requieran diligencias de citación o requerimiento, salvo cuando el señalamiento se deba efectuar con antelación menor, en cuyo caso el plazo será de tres días.

4. Cuando sea necesario a los fines del proceso el acceso a documentos o archivos, en cualquier tipo de soporte, que pueda afectar a la intimidad personal u otro derecho fundamental, el juez o tribunal, siempre que no existan medios de prueba alternativos, podrá autorizar dicha actuación, mediante auto, previa ponderación de los intereses afectados a través de juicio de proporcionalidad y con el mínimo sacrificio, determinando las condiciones de acceso, garantías de conservación y aportación al proceso, obtención y entrega de copias e intervención de las partes o de sus representantes y expertos, en su caso.

5. Igualmente, de no mediar consentimiento del afectado, podrán adoptarse las medidas de garantía oportunas cuando la emisión de un dictamen pericial médico o psicológico requiera el sometimiento a reconocimientos clínicos, obtención de muestras o recogida de datos personales relevantes, bajo reserva de confidencialidad y exclusiva utiliza-

ción procesal, pudiendo acompañarse el interesado de especialista de su elección y facilitándole copia del resultado.

No será necesaria autorización judicial si la actuación viniera exigida por las normas de prevención de riesgos laborales, por la gestión o colaboración en la gestión de la Seguridad Social, por la específica normativa profesional aplicable o por norma legal o convencional aplicable en la materia.

6. Si como resultado de las medidas anteriores se obtuvieran datos innecesarios, ajenos a los fines del proceso o que pudieran afectar de manera injustificada o desproporcionada a derechos fundamentales o a libertades públicas, se resolverá lo necesario para preservar y garantizar adecuada y suficientemente los intereses y derechos que pudieran resultar afectados.

7. En caso de negativa injustificada de la persona afectada a la realización de las actuaciones acordadas por el órgano jurisdiccional, la parte interesada podrá solicitar la adopción de las medidas que fueran procedentes, pudiendo igualmente valorarse en la sentencia dicha conducta para tener por probados los hechos que se pretendía acreditar a través de la práctica de dichas pruebas, así como a efectos de apreciar temeridad o mala fe procesal.

5. JURISPRUDENCIA

1. **STS, Sala de lo Social, 8 de marzo de 2011. Ponente: Jordi Agusti Julia (LA LEY 6236/2011)**

Facultades de control empresarial del correo electrónico utilizado por el trabajador

«TERCERO.— 1. Concretamente y por lo que se refiere al posible uso indebido por parte del trabajador del ordenador facilitado por la empresa, al control por ésta de dicho uso, a la compatibilidad del control empresarial con el derecho del trabajador a su intimidad personal (artículo 18.1 de nuestra Constitución), y en su caso a la nulidad de la prueba obtenida con violación de dicho derecho —que es la cuestión planteada en el caso que aquí enjuiciamos—, la problemática fue ya abordada y resuelta en la señalada sentencia de esta Sala de 26 de septiembre de 2007 (RCUD 966/2006), en la que se apoya la sentencia recurrida, y que puede resumirse así:

a) En el uso por el trabajador de los medios informáticos facilitados por la empresa pueden producirse conflictos que afectan a la intimidad de los trabajadores, tanto en el correo electrónico, en el que la implicación se extiende también al secreto de las comunicaciones, como en la denominada "navegación" por Internet y en el acceso a determinados archivos personales del ordenador;

b) Estos conflictos surgen porque existe una utilización personalizada y no meramente laboral o profesional del medio facilitado por la empresa. Esa utilización personalizada se produce como consecuencia de las dificultades prácticas de establecer una prohibición absoluta del empleo personal del ordenador —como sucede también con las conversaciones telefónicas en la empresa— y de la generalización de una cierta tolerancia con un uso moderado de los medios de la empresa;

c) Pero, al mismo tiempo, hay que tener en cuenta que se trata de medios que son propiedad de la empresa y que ésta facilita al trabajador para utilizarlos en el cumplimiento de la prestación laboral, por lo que esa utilización queda dentro del ámbito del poder de vigilancia del empresario, que, como precisa el art. 20.3 ET, implica que éste "podrá adoptar las medidas que estime más oportunas de vigilancia y control para verificar el cumplimiento por el trabajador de sus obligaciones y deberes laborales", aunque ese control debe respetar "la consideración debida" a la "dignidad" del trabajador;

c) Las medidas de control sobre los medios informáticos puestos a disposición de los trabajadores se encuentran, en principio, dentro del ámbito normal de esos poderes contractuales: el ordenador es un instrumento de producción del que es titular el empresario y éste tiene, por tanto, facultades de control de la utilización, que incluyen lógicamente su examen. El control del uso del ordenador facilitado al trabajador por el empresario se regula por el art. 20.3 ET y a este precepto hay que estar con las matizaciones que a continuación han de realizarse.

d) La primera se refiere a los límites de ese control y en esta materia el propio precepto citado remite a un ejercicio de las facultades de vigilancia y control que guarde "en su adopción y aplicación la consideración debida" a la dignidad del trabajador, lo que también remite al respeto a la intimidad en los términos contenidos en las SSTC 98/2000 y 186/2000. En este punto es necesario recordar la existencia de un hábito social generalizado de tolerancia con ciertos usos personales moderados de los medios informáticos y de comunicación facilitados por la empresa a los trabajadores. Esa tolerancia crea una expectativa también general de confidencialidad en esos usos; expectativa que no puede ser desconocida, aunque tampoco convertirse en un impedimento permanente del control empresarial, porque, aunque el trabajador tiene derecho al respeto a su intimidad, no puede imponer ese respeto cuando utiliza un medio proporcionado por la empresa en contra de las instrucciones establecidas por ésta para su uso y al margen de los controles previstos para esa utilización y para garantizar la permanencia del servicio.

e) Por ello, lo que debe hacer la empresa de acuerdo con las exigencias de buena fe es establecer previamente las reglas de uso de esos medios —con aplicación de prohibiciones absolutas o parciales— e informar a los trabajadores de que va existir control y de los medios que han de aplicarse en orden a comprobar la corrección de los usos, así como de las medidas que han de adoptarse en su caso para garantizar la efectiva utilización laboral del medio cuando sea preciso, sin perjuicio de la posible aplicación de otras medidas de carácter preventivo, como la exclusión de determinadas conexiones.

f) De esta manera, si el medio se utiliza para usos privados en contra de estas prohibiciones y con conocimiento de los controles y medidas aplicables, no podrá entenderse que, al realizarse el control, se ha vulnerado "una expectativa razonable de intimidad" en los términos que establecen las sentencias del Tribunal Europeo de Derechos Humanos de 25-6-1997 (caso Halford) y 3-4-2007 (caso Copland) para valorar la existencia de una lesión del art. 8 del Convenio Europeo para la protección de los derechos humanos;

g) La segunda precisión o matización se refiere al alcance de la protección de la intimidad, que es compatible, con el control lícito al que se ha hecho referencia. Es claro que las comunicaciones telefónicas y el correo electrónico están incluidos en este ámbito con la protección adicional que deriva de la garantía constitucional del secreto de las comunicaciones. La garantía de la intimidad también se extiende a los archivos personales del trabajador que se encuentran en el ordenador. La aplicación de la garantía podría ser más discutible en el presente caso, pues no se trata de comunicaciones, ni de archivos personales, sino de los denominados archivos temporales, que son copias que se guardan automáticamente en el disco duro de los lugares visitados a través de Internet. Se trata más bien de rastros o huellas de la "navegación" en Internet y no de informaciones de carácter personal que se guardan con carácter reservado. Pero hay que entender que estos archivos también entran, en principio, dentro de la protección de la intimidad, sin perjuicio de lo ya dicho sobre las advertencias de la empresa. Así lo establece la sentencia de 3-4-2007 del Tribunal Europeo de Derechos Humanos cuando señala que están incluidos en la protección del art. 8 del Convenio Europeo de derechos humanos "la información derivada del seguimiento del uso personal de Internet" y es que esos archivos pueden contener datos sensibles en orden a la intimidad, en la medida que pueden incorporar informaciones reveladores sobre determinados aspectos de la vida privada (ideología, orientación sexual, aficiones personales, etc.)».

2. STS, Sala de lo Social, 26 de septiembre de 2007. Ponente: Aurelio Desdentado Bonete (LA LEY 146111/2007)

El control empresarial de los medios informáticos puestos a disposición del trabajador no está sujeto a las especiales garantías del registro previsto en el artículo 18 del Estatuto de los Trabajadores

«De ahí que los elementos que definen las garantías y los límites del artículo 18 del Estatuto de los Trabajadores, no sean aplicables al control de los medios informáticos. En primer lugar, la necesidad del control de esos medios no tiene que justificarse por "la protección del patrimonio empresarial y de los demás trabajadores de la empresa", porque la legitimidad de ese control deriva del carácter de instrumento de producción del objeto sobre el que recae. El empresario tiene que controlar el uso del ordenador, porque en él se cumple la prestación laboral y, por tanto, ha de comprobar si su uso se ajusta a las finalidades que lo justifican, ya que en otro caso estaría retribuyendo como tiempo de trabajo el dedicado a actividades extralaborales. Tiene que controlar también los contenidos y resultados de esa prestación. Así, nuestra sentencia de 5 de diciembre de 2003, sobre el telemarketing telefónico, aceptó la legalidad de un control empresarial consistente en la audición y grabación aleatorias de las conversaciones telefónicas entre los trabajadores y los clientes "para corregir los defectos de técnica comercial y disponer lo necesario para ello", razonando que tal control tiene "como único objeto... la actividad laboral del trabajador", pues el teléfono controlado se ha puesto a disposición de los trabajadores como herramienta de trabajo para que lleven a cabo sus funciones de "telemarketing" y los trabajadores conocen que ese teléfono lo tienen sólo para trabajar y conocen igualmente que puede ser intervenido por la empresa. El control de los ordenadores se justifica también por la necesidad de coordinar y garantizar la continuidad de la actividad laboral en los supuestos de ausencias de los trabajadores (pedidos, relaciones con clientes,...), por la protección del sistema informático de la empresa, que puede ser afectado negativamente por determinados usos, y por la prevención de responsabilidades que para la empresa pudieran derivar también algunas formas ilícitas de uso frente a terceros. En realidad, el control empresarial de un medio de trabajo no necesita, a diferencia de lo que sucede con los supuestos del artículo 18 del Estatuto de los Trabajadores, una justificación específica caso por caso. Por el contrario, su legitimidad deriva directamente del artículo 20.3 del Estatuto de los Trabajadores.

En segundo lugar, la exigencia de respetar en el control la dignidad humana del trabajador no es requisito específico de los registros del artículo 18, pues esta exigencia es general para todas las formas de control empresarial, como se advierte a partir de la propia redacción del artículo 20.3 del Estatuto de los Trabajadores. En todo caso, hay que aclarar que el hecho de que el trabajador no esté presente en el control no es en sí mismo un elemento que pueda considerarse contrario a su dignidad.

En tercer lugar, la exigencia de que el registro se practique en el centro de trabajo y en las horas de trabajo tiene sentido en el marco del artículo 18, que se refiere a facultades empresariales que, por su carácter excepcional, no pueden ejercitarse fuera del ámbito de la empresa. Es claro que el empresario no puede registrar al trabajador o sus efectos personales fuera del centro de trabajo y del tiempo de trabajo, pues en ese caso sus facultades de policía privada o de autotutela tendrían un alcance completamente desproporcionado. Lo mismo puede decirse del registro de la taquilla, aunque en este caso la exigencia de que se practique en horas de trabajo tiene por objeto permitir la presencia del trabajador y de sus representantes. En todo caso hay que aclarar que las exigencias de tiempo y lugar del artículo 18 del Estatuto de los Trabajadores no tienen por objeto preservar la intimidad del trabajador registrado; su función es otra: limitar una facultad empresarial excepcional y reducirla al ámbito de la empresa y del tiempo de trabajo. Esto no sucede en el caso del control de un instrumento de trabajo del que es titular el propio empresario.

Por último, la presencia de un representante de los trabajadores o de un trabajador de la empresa tampoco se relaciona con la protección de la intimidad del trabajador registrado; es más bien, como sucede con lo que establece el artículo 569 Ley de Enjuiciamiento Criminal para intervenciones similares, una garantía de la objetividad y de la eficacia de la prueba. Esa exigencia no puede, por tanto, aplicarse al control normal por el empresario de los medios de producción, con independencia de que para lograr que la prueba de los resultados del control sea eficaz tenga que recurrirse a la prueba testifical o pericial sobre el control mismo.

No cabe, por tanto, aplicación directa del artículo 18 del Estatuto de los Trabajadores al control del uso del ordenador por los trabajadores, ni tampoco su aplicación analógica, porque no hay ni semejanza de los supuestos, ni identidad de razón en las regulaciones (artículo 4.1 del Código Civil)».

3. STS, Sala de lo Social, 6 de octubre de 2011. Ponente: Jesús Souto Prieto (LA LEY 255452/2011)

La prohibición absoluta del empresario de utilizar los medios informáticos para fines personales anula cualquier expectativa razonable de confidencialidad

«El conflicto surgirá, pues, si las órdenes del empresario sobre la utilización del ordenador —propiedad del empresario—, o si las instrucciones del empresario al respecto —en su caso la inexistencia de tales instrucciones— permitiesen entender, de acuerdo con ciertos usos sociales, que existía una situación de tolerancia para un uso personal moderado de tales medios informáticos, en cuyo caso existiría una "expectativa razonable de confidencialidad" para el trabajador por el uso irregular, aparentemente tolerado, con la consiguiente restricción de la facultad de control empresarial, que quedaría limitada al examen imprescindible para comprobar que el medio informático había sido utilizado para usos distintos de los de su cometido laboral.

Sólo si hay un derecho que pueda ser lesionado habrá un conflicto entre este derecho y las facultades de control del empresario, que, a su vez, pueden conectarse con la libertad de empresa, el derecho de propiedad y la posición empresarial en el contrato de trabajo.

La cuestión clave —admitida la facultad de control del empresario y la licitud de una prohibición absoluta de los usos personales— consiste en determinar si existe o no un derecho del trabajador a que se respete su intimidad cuando, en contra de la prohibición del empresario o con una advertencia expresa o implícita de control, utiliza el ordenador para fines personales.

La respuesta parece clara: si no hay derecho a utilizar el ordenador para usos personales, no habrá tampoco derecho para hacerlo en unas condiciones que impongan un respeto a la intimidad o al secreto de las comunicaciones, porque, al no existir una situación de tolerancia del uso personal, tampoco existe ya una expectativa razonable de intimidad y porque, si el uso personal es ilícito, no puede exigirse al empresario que lo soporte y que además se abstenga de controlarlo.

En el caso del uso personal de los medios informáticos de la empresa no puede existir un conflicto de derechos cuando hay una prohibición válida. La prohibición absoluta podría no ser válida si, por ejemplo, el convenio colectivo reconoce el derecho a un uso personal de ese uso. La prohibición determina que ya no exista una situación de tolerancia con el uso personal del ordenador y que tampoco exista lógicamente una "expectativa razonable de confidencialidad". En estas condiciones el trabajador afectado sabe que su acción de utilizar para fines personales el ordenador no es correcta y sabe también que está utilizando un medio que, al estar lícitamente sometido a la vigilancia de otro, ya no constituye un ámbito protegido para su intimidad. La doctrina científica, habla de los actos de disposición que voluntariamente bajan las barreras de la intimidad o del secreto. Una de las formas de bajar las barreras es la utilización de un soporte que está sometido a cierta publicidad o a la inspección de otra persona: quien manda una postal, en lugar de una carta cerrada, sabe que el secreto no afectará a lo que está a la vista; quien entra en el ordenador sometido al control de otro, que ha prohibido los usos personales y que tiene ex lege facultades de control, sabe que no tiene una garantía de confidencialidad».

4. STC 39/2016, de 3 de marzo, Pleno. Ponente: Encarnación Roca Trías (LA LEY 11275/2016)

La obligación de informar a los trabajadores de la existencia de sistemas de videovigilancia en el centro de trabajo se cumple con la colocación del distintivo que alerte de dicha circunstancia

«Como hemos señalado, en cumplimiento de esta obligación, la empresa colocó el correspondiente distintivo en el escaparate de la tienda donde prestaba sus servicios la recurrente en amparo, por lo que ésta podía conocer la existencia de las cámaras y la finalidad para la que habían sido instaladas. Se ha cumplido en este caso con la obligación de información previa pues basta a estos efectos con el cumplimiento de los requisitos específicos de información a través del distintivo, de acuerdo con la instrucción 1/2006. El trabajador conocía que en la empresa se había instalado un sistema de control por videovigilancia, sin que haya que especificar, más allá de la mera vigilancia, la finalidad exacta que se le ha asignado a ese control. Lo importante será determinar si el dato obtenido se ha utilizado para la finalidad de control de la relación laboral o para una finalidad ajena al cumplimiento del contrato, porque sólo si la finalidad del tratamiento de datos no guarda relación directa con el mantenimiento, desarrollo o control de la relación contractual el empresario estaría obligado a solicitar el consentimiento de los trabajadores afectados.

En este caso, el sistema de videovigilancia captó la apropiación de efectivo de la caja de la tienda por parte de la recurrente que por este motivo fue despedida disciplinariamente. Por tanto, el dato recogido fue utilizado para el control de la relación laboral. No hay que olvidar que las cámaras fueron instaladas por la empresa ante las sospechas de que algún trabajador de la tienda se estaba apropiando de dinero de la caja.

En consecuencia, teniendo la trabajadora información previa de la instalación de las cámaras de videovigilancia a través del correspondiente distintivo informativo, y habiendo sido tratadas las imágenes captadas para el control de la relación laboral, no puede entenderse vulnerado el art. 18.4 CE».